ラテンアメリカ研究への招待〔改訂新版〕

国本伊代・中川文雄編著

新評論

はしがき

ラテンアメリカは、北アメリカ大陸の一部と南アメリカ大陸およびカリブ海地域を含む、じつに広大で多様な地域の総称である。北半球中緯度から南半球にかけて広がるこの地域には、現在、三三の独立国と一一の非独立領土が存在している。

今日の日本で、人々がこの地域に関心を抱く動機はさまざまであろう。伝統的にこの地域に寄せられてきた関心は、ラテンアメリカの音楽・文学・美術の強烈な魅力、スペイン語とポルトガル語の学習から生まれたその言語の背景となる文化や社会への興味、さらには実務的な要請から経済や政治の実態を知る必要などからきていた。現在ではそれに加えて、ボーダーレス化した地球規模でのヒトとモノの動きが、これまでになかった角度からこの地域への関心を引き起こしている。

電車の中やスーパーで隣り合った在日ラテンアメリカ人の話すポルトガル語やスペイン語を耳にし、Jリーグに選手や監督として参加しているラテンアメリカ人の活躍をテレビで見るなど、私たちがラテンアメリカ人の存在をこれほど身近に感じたことはかつてなかった。その結果、ラテンアメリカ人はどのような考え方をし、彼らが生まれ育った社会がどのような国なのか、人々はどのような暮らしをしているのか、といった関心が多くの日本人の間で生まれている。一方、ラテンアメリカの国々を訪れたり、そこに住んだ経験をもつ日本人も多くなった。そこでの人間的感情を大切にする生き方に魅了された日本人、あるいはそこで知った貧困や抑圧の状況に心を痛め援助活動に加わる日本人など、ラテンアメリカと日本人の関わり方は多様化している。

このようにしてラテンアメリカに関心を抱いた人々から、この地域をもっと総合的かつ体系的に知りたい、そのためにはどこから入ればよいのか、どのような本を読み、どこに情報を求めればよいのか、といった質問が、私たちラテンアメリカを研究する者に寄せられる機会が多くなった。そのような要望に応えて、ラテンアメリカを歴史・政治・経済・社会・文化など異なった角度から多面的に理解するために、それぞれの分野の第一線で活躍する研究者を誘ってまとめたものが本書である。

本書は、一九九七年四月に初版が刊行されてから多くの人々に読んでいただき、またさまざまな大学のラテンアメリカ研究入門講義の教科書として使用されてきたが、初版刊行から八年の間に起こったラテンアメリカの変化は大きく、内容の一部更新が必要となっていた。そこで大幅な加筆を抑えながらも出来るだけ二一世紀初頭のラテンアメリカの状況を理解できるように情報を刷新し、改訂新版を出すこととなった。高度な内容を保ちつつも、できるだけ平易にかつ簡潔に書かれた入門書であること、同時にオリジナルな内容をも含んだ本となることを目指して、旧版と同じ執筆者一〇名は努力したつもりである。これらの意図が成功しているかどうかは、読者の皆さまのご意見とご批判に委ねたいと思う。

最後に、本書の表記についてお断りしておきたい。原則として現地の発音を重視して表記を統一した。なおアメリカ合衆国は文脈の中でそれとはっきりわかる場合には、アメリカと略してある。

本書の刊行にあたり、初版では山田洋氏が、改訂新版では吉住亜矢氏が、辛抱強く編集作業を引き受けてくださった。ここに改めて感謝の意を表したい。

二〇〇五年七月

編者

改訂新版　ラテンアメリカ研究への招待／目次

第三章

第七章　中米地域

改訂新版

ラテンアメリカ研究への招待

ラテンアメリカ全図（2005年1月現在）

〔番号はカリブ地域における非独立地域〕

1　バミューダ諸島（英）
2　アンギラ（英）
3　ケイマン諸島（英）
4　タークス・カイコス諸島（英）
5　プエルトリコ（米）
6　イギリス領ヴァージン諸島（英）
7　アメリカ領ヴァージン諸島（米）
8　モンセラート（英）
9　グアドループ（仏）
10　マルチニーク（仏）
11　オランダ領アンティル諸島（オランダ）
12　アルーバ（オランダ）
13　フランス領ギアナ（仏）

※(　)内は領有ないし保護などの関係にある国

序章　ラテンアメリカ地域の特徴

●中川文雄

序　世界の中のラテンアメリカ

地域の範囲と世界の中での位置

ラテンアメリカは、アメリカ大陸の北半球中緯度から南半球にかけて大きく広がる、三三の独立国と一三の非独立領土からなる地域の総称である。一面では中進国的様相を呈するものの、それが内包する低開発のために、アジアの多くの部分とアフリカとともに第三世界あるいは発展途上地域を構成し、それらの世界と多くの共通した問題を抱えている。二〇世紀後半の世界の歴史で、発展途上地域の立場の改善の指導権が、また、そのための理論化がラテンアメリカから生まれることが多かったのは、ラテンアメリカのおかれたこうした位置を反映している。他方、ラテンアメリカのかなりの部分は人口希薄で広大な土地にヨーロッパ人が入り込み先住民を追い出し、あるいは服従させてそこに植民し、ヨーロッパでは実現できない理想の新しい社会を築いた新世界としての性格ももっており、アメリカ合衆国、カナダ、オーストラリアとある種の共通した側面を備えている。第三世界的であると同時に新世界的性格をも兼ねている、それが世界の中でラテンアメリカのおかれたユニークな位置である。

ラテンアメリカは広大な地域であり、また第二次世界大戦後以来の、急速な人口増加によって大きな人口を擁するようになった。その総面積は二〇五〇万平方キロメートルと世界の陸地面積の七分の一を占め、その人口は二〇〇三年半ばには約五億三〇〇〇万に達し、それは世界人口の八・五%であった。近年、家族計画の普及によりラテンアメリカの人口増加はかつてほど急激でなくなったが、それでもその人口は二〇一〇年には六億近くに達するものと予測されている。

ラテンアメリカの面積の五分の二、人口の三分の一が大陸国家ブラジルに属し、面積・人口とも残る大半は、北はメキシコ、キューバから南はチリ、アルゼンチンにいたる一八のスペイン語圏独立国に属している。このほかにラテンアメリカには、この地域で最も早く独立国となったハイチ、一九六二年以後独立をとげたカリブ海とその周辺にある旧イギリス領、旧オランダ領の一三の諸国、フランス、イギリス、アメリカ合衆国、オランダ領の一三の非独立領土が含まれている。

地理的位置の歴史発展への影響

ラテンアメリカは北はリオ・ブラボ（リオ・グランデ）とフロリダ海峡をへだててアメリカ合衆国に隣接し、東は大西洋をへだててアフリカ大陸とヨーロッパに比較的近い距離にある。ブラジル北東部海岸と西アフリカ海岸との最短距離は二八七〇キロメートルにすぎない。

こうした地理的な位置がラテンアメリカの歴史発展に与えた影響は大きい。ラテンアメリカの北部、すなわちメキシコ、中米、カリブ海とその周辺地域では、その一九世紀、二〇世紀の歴史に、膨張するアメリカ合衆国の存在が大きく投影した。一方、南アメリカ大陸のその他の諸国、とくに海路ではアメリカ合衆国よりもヨーロッパに近い大西洋岸諸国は、一九世紀から一九三〇年前後にいたるまでヨーロッパ諸国との大きな接触を通して、文化的にも人種的にもヨーロッパからの著しい影響をうけた。

このように、大西洋がヨーロッパ、アフリカ、ラテンアメリカを比較的容易に結びつけていた結果、奴隷貿易の盛況と多数のアフリカ人の到来が生じた。その結果、ラテンアメリカでプランテーションの発達した大西洋側熱帯低地では、人種構成や民俗文化にアフリカ人の影響が大きく残された。

一方、大西洋に比べて太平洋のへだてる距離は大きかった。しかも、大西洋にはラテンアメリカ人が文明の中心とみなしたヨーロッパからの光が射していたのに対して、太平洋の彼方のアジアは長年にわたってラテンアメリカ人にとって謎の大陸でしかなかった。ごく少数の東洋趣味の知識人を別にすれば、ラテンアメリカ人がアジアに関心を寄せるようになるのは、一九七〇年代以後日本の経済大国としての台頭と、さらにそれ以後のアジア諸国の急速な経済発展を知るようになってからである。このようにヨーロッパとの関係に比してはるかに疎遠なアジアとの関係であったが、アジア人も、また、ラテンアメリカ社会の形成には参画している。一九世紀半ば以来、中国人が、二〇世紀になると日本人が、それぞれラテンアメリカ諸国に移住し、また、同様に二〇世紀にはインド人がカリブ海地域の旧イギリス領に移住し、食生活など移住した先の生活文化の多様化や農耕方法の変革に寄与した。日本人、日系人については本書の第一二章を参照されたい。

ニューヨークのヒスパニック児童のための学級。二言語併用教育を行っている。

ラテンアメリカ人の世界への拡大とその影響

ラテンアメリカは世界の諸地域からの移民を受け入れただけでなく、移民を送り出すことも行ってきた。一九世紀には解放奴隷の一部がアフリカへ戻り、そこに建築の面でラテンアメリカの影響を残したし、二〇世紀にはアメリカ合衆国に向けての移民がまず近接諸国から始まり、その出移民の波は近年にはその他のラテンアメリカ諸国に及び、その移住先もアメリカ合衆国だけでなく、ヨーロッパ諸国や日本に及んできている。ラテンアメリカと他地域との間にできたこうした人の動きを通して、相手国社会への影響が相互に及ぼされてきた。

その中でとくに注目されるのは、アメリカ合衆国でのヒスパニック人口の存在である。アメリカ合衆国に住むラテンアメリカ人とその子孫はヒスパニックと総称されるが、その数は今日、三千五百万を超え、アメリカ合衆国の総人口の一三%近くに達しており、黒人をしのいでアメリカ合衆国内の最大のマイノリティ・エスニック集団となった。

もちろん、実際にはヒスパニック人口は一つの集団をなすのではなく、出身地に従っていくつかの集団に分かれているし、また、その人口のかなりの部分はスペイン語を失い、白人多数社会に同化していく。また、スペイン語を維持しヒスパニックとしてのアイデンティティを維持するものも、英語とアメリカ社会の共通文化をも自らのものとする傾向は強まっていくであろう。ヒスパニック集団の内に籠もるのではなく、両方の文化を認め、その文化境界を行き来するという傾向が強まると思われる。

そうした中で、ヒスパニック諸集団が保ってきた文化伝統や価値観のある部分、たとえば、音楽や食文化、また、人種関係や、家族友人を重視する人間関係などが、アメリカ社会の共通文化と接続する形でアメリカ社会に影響を与えていくとみられる。ラテンアメリカに起源を有する文化、あるいは人間や社会のあり方が、一つの体系としてではなく、むしろ断片的な要素としてアメリカ社会の中に浸透し、影響していくことは、超大国アメリカ合衆国の未来を考えるうえでも興味深い。同時にまた、このヒスパニック人口がアメリカの中で作り出した文化がラテンアメリカ諸国に影響を与えている点も注目されねばならない。

一　地域の名称と地域概念の変遷

インディアスからアメリカへ

ラテンアメリカという名称が最初に使われたのは一八五六年で、パリに在住していたアメリカ大陸スペイン語圏諸国出身の文人たちが、アメリカ合衆国の膨張にさらされた自らの国々の運命を憂慮して、パリのスペイン語メディアに発表した論説や詩作の中から生まれてきたものである。この名称が生まれてきた由来と、それが普及していく過程は、この地域がおかれてきた立場とその性格を象徴しており、以下にそれをみることにしよう。

コロンブスは彼の「発見した」土地を終生、アジアの一部と考えていたために、その土地をインディアス（当時のヨーロッパ世界から見て、インドよりも東の、中国や日本をも含めた地域の総称）と呼び、そこの住民をインディオと呼んだ。一方、この土地が別の新しい大陸であることをはじめて示したアメリゴ・ヴェスプッチの名にちなんで、その新大陸はアメリカの名称をも与えられた。この大陸が新大陸であることを多くの人が認めるようになった後も、インディアスという言葉はスペインの植民地支配下においてこの地域に対する公式な名称としてとどまった。しかし、植民地時代を通じて、徐々にアメリカの呼称がインディアスに代わって用いられるようになった。

一四九四年のローマ法王の教書によって新大陸への統治権を排他的にさずけられたと考えたスペインとポルトガルの王室は、自らが新大陸アメリカの本来の領有者であり、その他の植民勢力は単なる闖入者にすぎないと考え、アメリカの呼称の前にその所有を表すイベリアもしくはヒスパニアの名をあえてつける必要を感じなかった。新大陸に住むスペイン人とその子孫もそうであった。一八世紀の終わり近くになって、イギリス領北アメリカ植民地が独立をとげ、それらがアメリカ合衆国と名乗り、その存在が大きくなってきたときに、ようやく、それと区別するためにアメリカ・エスパニョーラ（スペイン領アメリカ）の名が従来の名称に加えて使われるようになったが、なお、「アメリカ」が、圧倒的に自分たちの世界を意味する呼称であった。

一九世紀初頭のスペイン植民地の独立戦争時、独立指導者たちは、自分たちが解放しようとしている土地をアメリカの名で呼ぶのがふつうであった。メキシコの独立の第一声を放ったミゲル・イダルゴは「アメリカの総司令官」と呼ばれ、また、自署し、その麾下の軍は「アメリカ軍」と自称していた。イダルゴのあとを継いだホセマリア・モレーロスも、あるいはそれを打ちやぶってメキシコを保守派主導の独立へと導いたアグスティン・デ・イツルビデも「アメリカーノス（アメリカ人）」の呼称で人民に呼びかけるのがふつうであった。イツルビデは「北アメリカの独立万歳」とも叫んでいるが、もちろんこの北アメリカはメキシコを指している。一八二一年になって彼は「このアメリカは独立主権国家となり、メキシコ帝国と称する」との宣言を行ってようやく国家としてのメキシコの名称が表面に出たのである。

一方、南アメリカスペイン植民地の解放者シモン・ボリーバルも、彼が解放しようとしている土地を「アメリカ」と呼び、また、そこの住民に「アメリカーノス」と呼びかけている。しかし、相手が特定の地方にアイデンティティを有すると考えられるときには呼びかけの言葉は「リャノス（オリノコ川流域の草原）の住民よ」「ベネズエラ人よ」「ペルー人よ」となった。時が進むにつれて、「アメリカーノス」の呼びかけが各地方の住民の名称に代わっていったのは、ボリーバルが夢みた〈解放された諸地域の連帯〉が壊れて、多くの国家に分裂していった現実を反映していた。

自分たちこそアメリカの名の最も正統な継承者であるという考えは、独立後も引き継がれ、一九世紀末、アメリカ合衆国の侵略性に危機を感じたラテンアメリカの知識人たちが、青年たちに呼びかけるときに使った「アメリカの青年たちに」「われらのアメリカ」などの表現の中でのアメリカは、じつはラテンアメリカを指していた。「アメリカ」のこうした用法、とくに「われらのアメリカ」という表現は、二一世紀に入った今日も折りにふれてスペイン語圏では見出される。

フランスとラテン民族のアメリカ

一八二〇年代半ばまでにアメリカ大陸のスペイン植民地の大部分が独立をとげたが、そのあと、共通の歴史を有するこの国家群を何と呼ぶかについては、新しい独立諸国の間で、また国民の間で一致したものはなかった。そこでは植民地臭の強いインディアスの名は棄てられたが、アメリカ・エスパニョーラ（スペイン的アメリカ）、アメリカ・アンテス・エスパニョーラ（旧スペイン領アメリカ）、イスパノアメリカ（それはヒスパニアの後継者としてのアメリカという意味でブラジルを含むことも可能である）、南アメリカ、そして単なる「アメリカ」らの名称があった。この同じ時代、フランスやイギリスではアメリカ大陸のこの新興国家群を新世界、南アメリカ、ヒスパノアメリカ諸共和国などと呼んでいたが、この中で南アメリカは北アメリカのアメリカ合衆国に対応する意味で使われメキシコも中米もこれに含まれていた。この用法に従った南アメリカの名称が新興国家群の国民にも取り入れられ、旧宗主国スペインとのつながりが出ていないことで、それを好む人たちも多かった。フランス貴族アレクシス・ドゥ・トクヴィルは、一八三五年アメリカ合衆国についてすぐれた文明批評を発表したが、その南にある国々（それを彼は南アメリカと呼んだ）を内乱、独裁、停滞と悲観的にならざるをえない状況にあるが、フランスと同じ文明を受け継ぐもの、同じ欠点を有するもの、遅れてはいるが同類のものとみなした。この観点は、やがて勢いを得るフランスの汎ラテン主義者がこれらの国々を見る目と共通しており、「ラテン民族のアメリカ」の概念の浮揚につながるものであった。

フランスがヨーロッパで、また、新大陸でラテン民族の盟主として積極的な役割を果たさねばならぬとする汎ラテン主義は一八四〇年代には力を増し、その有力な代弁者がミシェル・シュヴァリエであった。技術者であり、経済学者であり、アメリカ合衆国、メキシコ、キューバを実地に知っているシュヴァリエは、フランスの世界戦略の一環としてパナマ地峡あるいはニカラグアにフランスの手で運河を建設することを提案し、やがて政治家に転じ、ナポレオン三世の信頼を得、その対外政策に大きな影響を及ぼした。彼はフランスのメキシコ干渉（一八六一―六七年）を正当化する弁明者でもあった。干渉はメキシコの独立を維持するため、メキシコのラテン性を救うために行われる、さもなければ、不安定なメキシコはアメリカ合衆国にのみ込まれてしまうというのが彼の弁明であった。シュヴァリエは、メキシコ、中米を含めてスペインから独立した国々のすべてを南アメリカと呼んだ点で、また、その状況に悲観的であるという点でもトクヴィルと共通していた。多くの版を重ね、また、マドリードでも出版されたいくつかの著作の中で、「南アメリカ」を北アメリカ（アメリカ合衆国）と対比させて、カトリックであり、ラテン民族であると性格づけている。彼はラテン的アメリカの概念をその後も熟成させていったし、他の汎ラテン主義者もラテン民族のアメリカについて語り、「南アメリカ」へのフランスの積極的な関与を説いたが、ラテンアメリカの名称を作り出すにはいたらなかった。その役割を担うのは、パリに在住し、シュヴァリエとも関係のあったコロンビア人の文人、ホセマリア・トーレス＝カイセードであり、それはスペイン語で表現されたアメリカ・ラティーナとして生まれるのである。

ラテンアメリカの名称の誕生

一八五〇年、旧スペイン領諸国の圧政と政争から逃れ、あるいは、文明の都での生活を求めて、パリに住み着いていた人は多かった。トーレス゠カイセードもその一人であった。コロンビアの首都ボゴタ（現在のボゴタ）で生まれ育ち、そこで法律を修め、若くして政治ジャーナリズムで活躍していた彼は、政争にまき込まれ、銃弾をうけ、それがきっかけでパリに移り住んだ。コロンビア、ベネズエラ、エルサルバドルを代表する外交官として、また、パリのスペイン語新聞『エル・コレオ・デ・ウルトラマール』の編集主幹として活躍するかたわら、スペイン語で多くの著作を発表した。彼は詩人ラマルチーヌら多くのフランスの文人、知識人と交遊があったが、他方ではスペイン語圏からパリに集まっていた多くの文人とも活発な交流があった。

一八五〇年代の半ば、パリのイスパノアメリカ人たちを憂慮させる大問題があった。それはアメリカ合衆国のすさまじい膨張の前に、それぞれの祖国の存立が危ぶまれていたことであった。一八三六年、メキシコからテキサスが独立し、一八四八年にはメキシコとの戦争で勝利を得たアメリカ合衆国は、メキシコ国土の半分を割譲させ、さらに中米地峡への進出がアメリカ合衆国の政府と民間人によってはかられた。一八五六年、ニカラグアの国内政治の混乱に乗じて、アメリカ人の不法侵入者ウイリアム・ウォーカーがニカラグアの大統領となり、公用語を英語にしようとする事態が起き、その二年後にはアメリカ合衆国はエクアドルに対して借款供与の担保としてガラパゴス諸島を要求するという勢いであった。パリ在住のイスパノアメリカ人たちは、彼らの祖国は、このままではアメリカ合衆国に吸収されるとの危惧を抱きはじめた。一方では旧スペイン領へのイギリスの経済浸透の勢いもすさまじかった。

一八五六年、パリ在住の彼らは自分たちの国家群を呼ぶのに、いまだ「アメリカ・エスパニョーラ」の名称を使うことが多かったが（エスパニョーラの頭文字のeは小文字で書かれている）、アングロ・サクソン列強の脅威に抵抗できる力を内にひそめた新しい名称、しかも、抒情的で文明の香りを感じさせ、自分たちが文明の中心フランスと一体であることを示す名称を求めていた。同年六月、パリ在住のチリ人の文人フランシスコ・ビルバオは、アメリカ合衆国の膨張にめざめることを説きつつ、他方では、帝政が強まるヨーロッパの趨勢にも警鐘をならす論説の中で「ラテンアメリカ民族」(ラサ・ラティノアメリカーナ)、「ラテン的、サクソン的、先住民的アメリカ」(アメリカ・ラティーナ・サホーナ・エ・インディヘナ)の名称を使っているが、単独の固有名詞としてのアメリカ・ラティーナはいまだ現れていない。それが出現するのは三カ月後の一八五六年九月二六日、ヴェネツィアへの旅行先でトーレス＝カイセードが書いた「二つのアメリカ」と題する詩の中である。ラティーナの頭文字エルはエスパニョーラの場合と同じく小文字で書かれていた。

彼はアメリカ・ラティーナとアメリカ・エスパニョーラを併用しながらも、一八五九年にかけて徐々にアメリカ・ラティーナを多用していき、その名称がパリのスペイン語メディア、次いでアメリカ大陸のスペイン語圏諸国の新聞や雑誌、さらに公文書に徐々に浸透していった。ラティーナの頭文字を大文字で書くことは一八六一年に始まったものと思われる。しかし、一八六六年にいたっても、コロンビアの大統領からペルーの大統領に宛てた書簡の中でアメリカ・ラティーナのエルは小文字で書かれていた。

名称の拡大

一方、フランス語でラテンアメリカ(ラメリク・ラティーヌ)の名称が出現するのは、一八六一年一月、汎ラテン主義の雑誌『レヴュ・デ・ラス・ラティーヌ』にL・M・ティスランが書いたのが最初であるとされ、その後、汎ラテン主義者とナポレオン三世の政府によって多用されたが、それでも六〇年代前半にはこの新造語ラメリク・ラティーヌには「すなわち、メキシコ、中央アメリカ、南アメリカ」という説明書きが必要であった。しかし、ナポレオン三世の政府とそれに近い知識人たちは、ラテンアメリカの名称をフランスのみならず世界に拡げるのに、大きな役割を果たした。英語の「ラテンアメリカ」がスペイン語から直接入ったのか、あるいはフランス語を経由して入ったのかは明らかではない。

すでにスペイン語のメディアによってラテンアメリカの名称を知らされていた旧スペイン領諸国の知識人たちは、フランスの力によってこの名称が広がっていく過程をおおむね好感をもって受け入れた。彼らのフランスへの傾倒ぶりは著しく、自分たちが文明国フランスとつながることを示すこの呼称を喜んで取り入れ、この文明国の帝国主義的意図に眼をとじる者が多かった。しかし、トーレス＝カイセードは違った態度をとった。彼はフランスのメキシコへの派兵、そこでのかいらいの王政樹立には強く反対した。アメリカ合衆国の膨張への抵抗が動機となってラテンアメリカの名称を作り出した彼は、そのラテン世界の盟主フランスの帝国主義的拡大が自分たちに向かうのを容赦しなかった。しかし、彼はその名称を生み出したことを悔いることはなかった。

二〇世紀に入るとラテンアメリカの呼称は英語圏を含めて世界で広く受け入れられていったが、スペインの知識人はこれに憤慨し、イスパノアメリカの名称を主張しつづけた。今日にいたっても、スペインは公式の文書ではラテンアメリカの名称を拒否している。そうした抵抗にもかかわらず、ラテンアメリカの名称は普遍化していき、第二次世界大戦後、国連などの国際機関もすべてこの名称を採用するにいたった。

「ラテンアメリカとカリブ海」そして中南米

一九六〇年頃までラテンアメリカの範囲はラテン文化の伝統を引き継ぐ二〇の共和国にほぼ限られていた。すなわちスペイン語圏の一八の国、ブラジル、ハイチであった。この時代にはカリブ海とその周辺の非独立地域の中で、プエルトリコのみはそのラテン的文化伝統ゆえにラテンアメリカに準ずるものとして扱うことが多かったが、他の非独立地域をそのように扱うことはなかった。

ところが一九六二年以後、旧イギリス領から一二、旧オランダ領から一つの新興独立国が生まれ、それらが国連などでラテンアメリカ地域の一員として扱われることが起きた。これらの新興独立国は、かつてスペインやフランスの支配をうけた時代があり民俗文化にその影響を留めているが、公式次元での言語や文化は非ラテン系であり、その歴史的体験も本来のラテンアメリカ二〇カ国とは異なっており、当事国自身の側でもラテンアメリカに加えられることを好まない傾向がある。そこでこうした新興独立国の立場を考慮して、これら諸国をラテンアメリカの中に加えずに別個に、カリブ海地域と呼び、それまで一つの地域として扱ってきたラテンアメリカを「ラテンアメリカとカリブ海」と分けて表現する傾向が近年強まってきている。国連その他の国際機関や各国外務省、そして学究的な出版物もこの表現を使うことが多くなった。

最後に、日本でよく使われる「中南米」の呼称について言及しておく必要があろう。今日でも日本の外務省や多くの民間企業、マスコミではラテンアメリカよりは中南米という呼称を使うのがむしろふつうである。中南米は先述の本来の二〇カ国とカリブ海新興諸国との間の「ラテン性」をめぐる問題を回避できる点で、また、日本語独特の造語法で短略化された点でもたしかに便利な言葉であり、中南米の「中」をミドル・アメリカ（それはメキシコ、中米地域、カリブ海地域を指す）の意味にとり、「南」を南アメリカの意味にとる限り問題はない。問題はその「中南米」を外国語に訳すときに、たとえば英語で「セントラル・アンド・サウス・アメリカ」とすると、それはメキシコやキューバを含まないことになる。セントラル・アメリカはもっぱら中米地峡の諸国を指し、メキシコやカリブ海地域を含まないからである。メキシコ、中米地域、カリブ海地域、南アメリカを総称する地域としての中南米を訳す際には、「ラテンアメリカ」あるいは「ラテンアメリカ・アンド・ザ・キャリビアン」とするのがのぞましい。また日本では南米という言葉がよく使われるが、これは南アメリカと同義である。

二　多様な自然環境と人間居住

熱帯サバナと熱帯雨林

ラテンアメリカは北緯三二度から南緯五六度にかけて広がっているが、その面積の四分の三は南北回帰線の間に位置する熱帯である。その中で雨期、乾期が分かれる熱帯サバナ気候の下にあるところが最も広い。そこでは、幹や枝の曲がった低木が草原の中に散在する景観をなし、水分の多い谷筋にのみ樹木が密に生えている。

それに次いで広いのが、年中高温多湿な赤道湿潤気候帯で、その中心はアマゾン平野である。そこでは常緑、広葉の高木からなる熱帯雨林が繁茂し、樹種がきわめて多いことがその特徴である。アマゾン川は、その流域面積や流量で世界の他の河川をはるかにしのぐ大河であるが、その流域のすべてが熱帯雨林ではなく一部はサバナ気候の下にある。しかし、アマゾンが世界最大の熱帯雨林帯であることに変わりはなく、それゆえ、その開発が地球環境との関係で注目されるわけである。アマゾン熱帯雨林は昆虫や鳥の種類、また、サルやナマケモノなど樹上生活に適応した哺乳類の種類が多いが、農耕と人間居住には厳しい自然条件の下にある。

アマゾンの熱帯雨林。樹種が極めて多様だが、その中で最大の樹木スマウーマ。ブラジル、パラ州アバエテトゥバにて。

熱帯、温帯の快適な部分

ラテンアメリカの熱帯には、このほかに、高山気候、半乾燥や乾燥気候の地域が広がっている。全般に人間が最も多く住んでいるのは熱帯の中でも、温暖もしくは冷涼な高地（年間気温較差が小さく、常春のようなところが多い）か、あるいは低地にあっても、海流や貿易風の影響によって酷暑から免れた比較的穏和で快適な気候のところが多い。熱帯に接続して回帰線の外側には、夏季にはかなり高温になるが、冬季には寒帯海洋性気団の下で冷涼になる亜熱帯湿潤気候帯が広がっている。メキシコ、中米、北部アンデス、中央アンデス、ブラジルの主要都市のほとんどが、熱帯や亜熱帯にありながら、こうした比較的快適な気候のところに位置している。カリブ海地域の貿易風地帯にあっては、北東貿易風に向かって開かれたところは海風の影響でしのぎよいが、その風が山脈を越えて吹き下る風下側はフェーン現象の影響で、より高温となる。ラテンアメリカの中での極端な高温は、赤道直下ではなく、回帰線に近い、あるいはそれを越えたメキシコ北部や南アメリカ大陸内陸のグラン・チャコなど内陸の半乾燥・乾燥地帯で夏季に出現する。

南アメリカ大陸大西洋岸には、日本の対称点に当たる温帯が広がり、そこは日本に似た一種の季節風帯であり、夏季は高温多湿となるが冬の寒さは日本ほどではない。なぜなら南アメリカ大陸南部はアジア大陸に比べてずっと細く狭く海洋の影響をうけやすく、シベリア気団のような寒帯大陸気団が発達しないからである。南アメリカの温帯地域では内陸に入るほど湿度が低くなり、年間や日中の気温較差は大きくなるものの快適な気候のところが多い。また、南アメリカ大陸太平洋岸の温帯部分は地中海性気候を呈し、冷たい冬雨を除けば、他の季節はきわめて快適である。

以上のように、ラテンアメリカの中で人間が最も多く住んでいる地帯は、熱帯、亜熱帯、温帯のいずれでも、気候は比較的穏和で、また、その多くは水が得やすい地帯であり、人間居住にとって本来、好ましい地帯である。高温、豪雨、多湿あるいは極端な乾燥が訪れることがあっても、それは比較的短期間で去っていく。熱帯サバナでの乾期の終わりには湿度がサハラ砂漠並みの一五%に低下することもあるし、あるいはブラジルのリオデジャネイロやパラグアイのアスンシオンでは夏季には最高気温が四〇度を越える日が出現するが、それらはやがて、雨期や、あるいは気団の変化が確実にやって来て終焉するのである。

熱帯高地と人間居住

ラテンアメリカに住む約五億三〇〇〇万人の半数以上は海抜七〇〇メートル以上、最高四千数百メートル（ペルー、ボリビアらの中央アンデスでの常住鉱山村落）にいたるまでの高地に住んでいる。ラテンアメリカにはメキシコ、中米地峡、カリブ海島嶼、アンデス山脈などの、環太平洋造山帯の一部をなす新期造山帯と、ブラジル高地、ギアナ高地などの地質的に古い安定陸塊からなる高原や台地が存在する。

前者の新期造山帯はとくに大陸部において急峻な山岳や高度の大きい高原をなし、その間に渓谷や盆地が開け、そこが先史時代以来、人間居住の重要な場となってきた。一〇〇〇メートル高度を増すと平均気温は六度低くなる。熱帯高地には、熱帯低地に比して快適な気候があり、病虫害は少なく、沿岸部の砂漠に比してより豊かな水が得られ、農耕にとっても、その他の人間居住にとっても、望ましい条件が備わっており、先住民の古代文明の多くがここで栄えた。高地での農耕の限界は、耐寒性のすぐれたジャガイモ栽培を行う中央アンデスでも四二〇〇メートルあたりであり、それより上はラクダ科の動物リャマやアルパカの放牧地となっている。

スペイン人による征服後は世界市場を対象にした鉱山開発が進み、それは一六世紀後半、ポトシ（町の中心は海抜三九〇〇メートル、鉱山の最も高いところは四三〇〇メートル）に新大陸最大の、また、本国を含めてスペイン帝国内最大の都市を出現させたし、その後も鉱山は人間居住のフロンティアを上方に押し上げ、先住民古代文明の時代には人間が住まなかった雪線に近いところにも鉱山村落が生まれ、今日にいたっている。

緯度との関係で多少異なってくるが、一般的に熱帯にあるスペイン語圏諸国で、海抜七〇〇メートルあたりまでの低地は暑熱帯（tierra caliente）と呼ばれ、そこから二〇〇〇メートル近くまでが温暖帯（tierra templada）、それ以上、三〇〇〇メートルまでが冷涼帯（tierra fría）、それ以上、雪線までが、常時ではないが霜が降ったり凍結することもある降霜帯（tierra helada）と呼ばれている。

メキシコから中央アンデスにいたる大陸部の主要都市で暑熱帯にあるのがマナグア、パナマ市、マラカイボ、カルタヘナ、グアヤキル、リマであるが、その中で、リマは南極海からのフンボルト寒流が近くを流れるために気温は比較的低く押さえられ、グアヤキルも季節によってその影響をうける。温暖帯にあるのがグアダラハラ、グアテマラ市、サンホセ（コスタリカ）、カラカス、メデジン、カリ、冷涼帯にあるのがメキシコ市、ボゴタ、キト、アレキパ、降霜帯にあるのがクスコ、ラパス（ボリビア）である。冷涼帯や降霜帯も、晴天であれば日中は気温が上昇するが、夜は冷え込む。海抜二五〇〇から二八〇〇メートルのところにあるボゴタ、キト、アレキパで人々が羊毛やリャマ、アルパカの毛で編んだポンチョやルアナなどの貫頭衣をまとうのはそのためであり、海抜四〇〇〇メートルに近づくラパス、ポトシではなおさらである。気温の年較差が五度以下でも日較差が二〇度を越すところがふつうである。

中小の都市、農村集落を含めて温暖帯と冷涼帯に最も人口が集中している。それは気温が快適というだけでなく、病虫害が少なく、またその辺りで水が得やすく、かつ霜害はなく、作物がよく育ち、より健康的であるためである。ブラジル高原にある主要都市サンパウロ、ブラジリア、ベロオリゾンテ、クリチバらが海抜七〇〇から一二〇〇メートルの高原にあるのも、低地に比してより快適な気温とマラリアなどの病虫害が少ない、住みやすい居住環境を提供しているためである。

植物相、動物相、また栽培農作物は、高度の変化に従って、さらに降水量、日射量の変化が加わって、きわめて多様となるが、伝統的に住民は、自分が住んでいる一つの気候帯の動植物相や産物だけでなく、異なった高度のそれをも取り入れた生活や信仰の体系を作り上げてきた。中央アンデスの降霜帯で生活する住民にとって、温暖帯や冷涼帯で栽培されるトウモロコシやその地酒チチャは儀礼に不可欠なものであったし、そのため一〇〇〇メートル、二〇〇〇メートルを下って自らそれを栽培してきたし、また、冷涼帯や降霜帯に住む先住民が、温暖帯で栽培されるコカの葉を、寒さや痛みや空腹に抗するために噛んだり、沸かしたり、酒に浮かべて回し飲みしたりしてきたのは、彼らにとってのコカの葉は単なる生活必需品であるだけでなく、文化的アイデンティティのシンボルでもあったからである。

自然災害とひと

以上見てきたように、人間居住にとって好ましい自然環境の地帯がラテンアメリカの中では相当に大きく広がっているわけだが、そうしたところでも、決して自然がいつも穏やかに恵みを与えているだけではない。その容赦ない破壊力を人間に見せつける場合もある。とはいえ、自然災害はラテンアメリカのどこにでも起きるわけではなく、南アメリカ大陸の南半球大西洋岸のように地震もハリケーンもなく、近年の都市の過密化にともなって豪雨による都市災害が発生するまでは、自然災害とほとんど無縁であったという恵まれた地域も存在するのである。

自然災害の中で最も破壊的なのは地震とハリケーンである。先に述べたメキシコ、中米、カリブ海島嶼、アンデス諸国に延びるラテンアメリカの新期造山帯地域は、プレートが相互に押し合うプレート境界に当たり、巨大地震や活発な火山活動が起こりうるところである。過去四〇年間をみても、マグニチュード七以上の巨大地震が年平均三回発生し、その中で、一九八五年のメキシコ地震、一九七六年のグアテマラ地震、一九七〇年のペルー北部地震などそれぞれ一万から数万の死者を出し、また、一九七二年のニカラグアの首都マナグアを襲った地震はマグニチュードは六・二五であったが直下型で首都を壊滅させ、一万の死者を出した。グアテマラのアンティグアやコスタリカのカルタゴなど地震で破壊された首都が移転を余儀なくされ、そのあとが遺跡として保たれているところもある。また地震ほど頻繁ではないが火山爆発による災害が起きることがある。一九〇二年、カリブ海フランス領マルチニークで起きたモンプレ山の噴火で火砕流によって三万人が死に、一九八五年にはコロンビアのネバドデルルイス山の噴火は氷河の融解で生じた泥流で二万二〇〇〇の死者を出している。ラテンアメリカで世界全体の地震の一七%が発生しているといわれるが、他方、ラテンアメリカは地球面積の七分の一を占める広大な地域であるから、ラテンアメリカのどこかで毎年大規模の地震が起きても、それがラテンアメリカ全体の、さらには先述の新期造山帯地域全体の、あるいは同じ国の中でもすべての地方の住民を震撼させているのでないことは知っておいてよい。

大西洋の北半球側ではハリケーンと呼ばれる熱帯低気圧が発生し、これがカリブ海島嶼やユカタン半島、メキシコ湾沿岸に大きな被害を与えることがある。しかし、西太平洋での台風の発生回数に比べるとハリケーンの発生回数は半分以下である。また、大西洋の南半球側は海水温度が熱帯低気圧発生の条件である二七度を下回るため、ハリケーンがほとんど発生しない。南アメリカ大陸東岸はハリケーンが来ることもなく、地震もなく、大規模な自然災害から免れている。

ほかに不規則に起きる気象災害として、ブラジル北東部やメキシコ北部で起きる旱ばつがあり、また、ペルーやエクアドルの海岸で、本来寒流が優勢なところに、何年かに一度暖流が優勢となり海面温度が異常に上昇し、それが乾燥地帯、砂漠地帯に豪雨をもたらすエルニーニョ現象がある。エルニーニョ現象はペルーやエクアドルの海岸部で土石流や洪水を起こし、家屋を倒壊させ、また、沿岸漁業に大きな被害を与えるが、その影響はさらにボリビアらの内陸部やブラジル南部らの大西洋岸に及び、旱ばつや豪雨を引き起こしている。

以上のような自然災害に加えて、近年では都市化、工業化、農業開発にともなって環境が変化し、それが新たな災害を生むようになっている。本来なら豪雨があってもそれは樹林に吸収され、また、洪水が起きても人は高みにいてそれから逃れることができたが、巨大都市への極端な人口集中によって人々が極限的なところまで住み着くようになったため、豪雨が斜面崩壊や生き埋めといった災害を多く生み出すようになったのはその一例である。

三　ラテンアメリカ地域の多様性と共通性

ラテンアメリカは世界のたいていの地域と同じように、この地域を構成する国々の間では、そのおかれた自然条件、国土や人口の大きさ、人種構成、経済発展の度合いなどに大きな差異がある。そうした違いは、さらに一国の中の異なった地方の間にも存在し、「いくつかのブラジル」とか「多くのメキシコ」といった表現がなされることもある。違いはさらに社会階層間にも大きな隔てを作っている。同じ都市の中で南欧的な住宅街に住む有産階級と、その周縁のスラム街に住む下層階級の間には、生活水準の著しい差があるだけでなく、人種タイプが異なり、その伝統や価値観にも微妙な違いがあるのがふつうである。

こうしたラテンアメリカのモザイクとしての性格を強調することも可能であるし、たしかにその中でもカリブ海地域はモザイク的様相の強さが認められてはいるが、世界の他の地域と対比して特徴的なのは、この地域は垂直的な断層があるものの、ほぼ均質な言語と文化が多数の国にまたがって広がり、それが共有されていることにある。ラテンアメリカでは、物理的、物質的条件の面では域内国家間や階層間で大きな違いがあるにもかかわらず、言語、宗教、文化価値体系などの文化伝統の面では一つの共通軸が貫かれているともいえる。これをまず言語、次いで宗教、最後に文化価値体系の順でみることにしよう。

言語文化の共通軸

ラテンアメリカで最も広く使われている言語はスペイン語であるが、一八カ国とプエルトリコで約三億数千万人によって母語とされている。次いでポルトガル語が一億八〇〇〇万のブラジル国民によって使用されている。さらに三〇〇〇万を超す住民がケチュア（ペルー、エクアドル、ボリビア）、アイマラ（ボリビア、ペルー）、グアラニー（パラグアイ）、ナウアトル（メキシコ）、キチェ、カシュケル（ともにグアテマラ）、マプーチェ（チリ）など、二〇〇に及ぶ先住民系言語を使用するか、あるいはそれとスペイン語との二重言語生活を行っている。

カリブ海とその周辺で、約一三〇〇万の住民がフランス語または英語を使用しているが、その半数が話す言葉はクレオールと呼ばれ、本来の英仏語からは相当に変容した言語である。オランダ領アンティル諸島とオランダから独立したスリナムは、人口はわずかだが、公用語のオランダ語のほかに多くの民衆語が存在し、しかもその多くが混成語であり、言語研究の宝庫ともいえる地域である。一六六七年にオランダ領になる以前のイギリス領時代の言語や逃亡黒人奴隷や、かつてイベリア半島を追われたユダヤ人の言語が、その周辺の言語から大きな影響をうけ、パピアメント（ポルトガル語系）、スラナン（英語系）、サラマッカン、ブッシュニグロなどの混成言語を作り出している。

さらにラテンアメリカには全体で数百万を数えるヨーロッパ人とアジア人の移民とその子孫が、ドイツ語、ポーランド語、イタリア語、アラビア語、日本語、中国語などを依然として使用しているし、あるいはそれと移住先国の国語との二重言語生活を行っている。

このような言語分布を一見したとき、その多様さに印象づけられる人は多いであろう。しかし、むしろ注目すべきは、多民族から構成される世界の他地域に比べ、二つの類似した主要言語、すなわちスペイン語とポルトガル語が圧倒的な比重をもっている点である。一八の国とプエルトリコに住む三億数千万の人間が方言差の小さな同一のラテンアメリカ・スペイン語（それはスペイン南部の方言と似通っており、スペイン北部方言の張りのあるイントネーションとは対照的にゆるんだイントネーションをもつことを特色としている）を話し、各国の国民の多くが似通ったラテン文化を共有しているのである。

スペイン語とポルトガル語が非常に似通った言語であることは、よく知られている。スペイン語を話す三億数千万の人々とポルトガル語を話す一億八〇〇〇万のブラジルの人々とは、お互い同士で自分の母国語で話しをしても、相互の意志は大体通じるし、その文化に対しても多くの類似点を認め合うことができるのである。ブラジルのテレビのニュース番組で近隣諸国の大統領の演説やインタビューが映し出されるが、これはポルトガル語に訳さずにスペイン語のままである。あるいは、ブラジルのラジオで、アルゼンチンのサッカーに関する最新情報をアルゼンチン人記者がブエノスアイレスから報ずるが、これもスペイン語のままである。ブラジルではそれでほとんどが理解されている。ただし、スペイン語諸国の人々がポルトガル語を理解するには、これよりはもう少し困難を感じるのがふつうである。ポルトガル語にはスペイン語にない母音がいくつかあるためである。

ヨーロッパや東南アジアやアフリカには、ラテンアメリカにみられるこうした言語的な統一、さらには、カトリシズムが圧倒的に優越している宗教的統一は求むべくもないし、アラビア語とイスラム教を共有するアラブ世界でさえ、じつはその口語の方言差は著しく大きく、全体のコミュニケーションのためにはふだんの話し言葉と違う正則アラビア語を用いねばならない。スペイン語諸国間の場合、こうした共通語を必要とせず、各国・各地方の日常の話し言葉をそのまま使うことで完全なコミュニケーションが果たされるのである。もちろん、音韻で、また語彙でも、各国・各地方の特色があるが、それは相互の完全な理解を何ら妨げるものではない。文学、映画、テレビ・ドラマなどは、一国だけでなく、少なくとも一八カ国の共通市場をもっている。ポルトガル語の場合は、ブラジルとポルトガルの間には音韻で相当に大きな違いがあり、両国民がお互いに慣れるまでには理解にやや困難を覚えることがあるが、ブラジルの中での諸地方の方言差は小さく、テレビの普及がその差をさらに縮めている。

新大陸のスペイン語は、語彙の面で先住民やアフリカ人奴隷からある程度の借用を行ったが、音韻や文法上での影響をほとんどうけなかった。また、英語・フランス語のように、アメリカ大陸では交易のために必要となった単純化された共通語ピジンや、それが母語化したクレオールのような言語を派生させることもなかった。植民地時代を通しての徹底したスペイン化政策がとくに言語面で単一性を強く保ったからである。

伝統の基礎としてのカトリシズム

宗教の面で共通軸が貫かれていることもラテンアメリカの大きな特色である。今日、ラテンアメリカのすべての国では信教の自由が存在し、プロテスタントの諸派、民衆宗教、さらには日本からの仏教諸派や新宗教が布教活動を行い多くの信者を獲得しつつあるものの、なお、ラテンアメリカの人口の九〇%近くはカトリック信者である。その中で、つねにミサに参列し、戒律を尊重するカトリック実践者は少数派となり、一方では、家族の伝統としてカトリック信者であることを受容しているが、ミサや儀礼に最小限しか参列せず、戒律を守ることが少ないタイプの信者が大多数を占めるようになってきている。また、家族計画の普及にみられるようにバチカンの教理を信者が無視する事態が起きている。それでいて、なお、カトリシズムに由来する伝統と慣習、社会規範、価値観はその人たちの精神構造の中に深く浸透している。そして、各国で政治的対立の行きづまりを打開するための最終的な調停者としてカトリックの司教が仰がれる伝統が存在することも、また、カトリック教会が権威ある特別な地位を占めていることも、ラテンアメリカ諸国の共通点である。

ラテン的価値体系の共有と地方差、個人差

ラテンアメリカの特徴として、国を異にしても一つの均質な価値体系がメキシコからアルゼンチンにいたるまで地域全体に貫かれていることが挙げられる。それは伝統的ラテン的性格ともいうべき共通の価値観と行動様式であり、個性主義（個人の多様性とその主張の強力さ）、土地貴族的価値（肉体労働、勤勉、地道な努力に価値を認めず、機知や弁舌を重視する）、ペルソナリスモ（非人格的な存在である国家を信用せず、家族、友人など生身の人間の結びつきを重視する態度）、ビベサ（正直、真面目、謙虚を低く位置づけ、抜け目のなさ、立ち回りのうまさ

パラグアイ中部カークペ聖堂の大祭に集った巡礼たち。

を高く評価する）、日常性からの脱却（フィエスタ、カーニバル、サッカーでの歓喜と熱狂）などの特徴を有する。

このラテン的性格は、植民地時代以来、イベリア文化の伝統を受け継いだ白人・混血層が、一方では支配者として、他方では権力への迎合の下で作り出してきた性向である。伝統的に白人・混血の支配層の間で維持されてきたが、それは住民の他の階層にも浸透し、移民の子孫にも大きな影響を与えてきた。ラテンアメリカの分断統治的な階層社会では、近代的な階級社会と違って、主人の温情主義の下、同じ階層の者同士が横に結束する力は弱く、下層、最下層の者が自らのアイデンティティを確立することは少なかった。被支配者も主人の大家族の一員になることで、主人の文化と価値観を受け入れ、そうでない者を軽蔑する傾向が生まれたからである。

こうしてラテンアメリカ諸国は国や階層を超えて多くの点で共通した価値観を有するようになったが、その住民の中に、これまでに述べたラテン的性格の枠内に、はまらない人が少なからずいることも事実である。先住民社会は独自の価値体系を維持し、倹約や勤勉といった価値が重視されている。ラテンアメリカの中には、約束を守り、地道な努力を続け、計画性に富む人たちが目立つ国や地方もある。民主主義の長く輝かしい伝統をもつ国（コスタリカ、ウルグアイ、チリ）もある。それぞれの国の支配的な価値観の間にはかなりの開きがあるし、また、ラテンアメリカ人の間で大きな個人差が存在することも忘れてはならない。

また、近年のラテンアメリカ諸国での大きな変動（テレビをはじめとする大量消費社会の影響、それにともなうアメリカ合衆国の影響、プロテスタンティズムの拡大、巨大都市化、治安の悪化、一部の国でみられる民族集団間の力関係の変化など）は伝統的な生活様式を変化させ、伝統的な権威（家父長、既成政党）を低下させているが、そのために従来の支配的価値観はゆらぎをみせている。さらに近年、ラテンアメリカ人が域外に出て国際的経験を積むことも多くなった。こうした諸要素が、ラテン的価値体系からはみ出したラテンアメリカ人を生み出しつつあることも事実である。このような個人差を無視して、たとえば住民全体に有する特徴を拡大して押しつける行き方（ステレオタイプ）に陥るようなことはあってはならない。

それでいてなお、集団としてみる場合、ラテンアメリカ人の間には、先にラテン的性格として指摘した価値体系が相当に高い頻度で存在していることは、認めてよいように思われる。今日、ラテンアメリカの域外に、すなわちアメリカ合衆国やヨーロッパ諸国や日本に、多くのラテンアメリカ人が住んでいるが、そこでは出身国は違うがスペイン語圏ラテンアメリカ人同士が親しくつき合うことが多い。ブラジル人がそれに加わることもある。言葉が同じか似ているうえに、感じ方や考え方に共通したところが多く、一緒にいてやすらぎを感ずるからである。ラテン的価値体系に関して、詳しくは本書の第四章（社会）を参照されたい。

ラテンアメリカの共通文化

前段では、言語、宗教、価値体系の面でラテンアメリカ諸国を貫く共通性についてみたわけであるが、さらにそこから、それら諸国の間に、共通文化ともいうべき一つの支配的な文化が共有されている事実がみえてくる。その共通文化は、本来、イベリア半島から移植された文化の大枠の中に先住民社会の、また、アフリカ伝来の文化要素を取り込んで、植民地としての、また、新大陸としての条件の下で成立した文化である。ラテンアメリカ、とくにスペイン語圏諸国の、どの国のどの地方にも広がり、そこで住民を包み込んだこの共通文化の成立にあたっては、言語、宗教、行政組織、法律、服装、建築、都市計画などはイベリアから伝来したものが主となり、それを新大陸の条件下で発展させたが、その他の分野、とくに食文化、民俗信仰、民話、音楽などの分野では先住民社会の伝統やアフリカ伝来の文化要素が大きく影響した。また、価値観や行動原理の面では、イベリア伝来のものに加えて、家父長で権力者である父（イベリア人）と服従する母（先住民やアフリカ系人）に象徴されるような強弱関係や、その他の植民地的状況が影響を与えた。のちには、ヨーロッパ移民やアジア移民のもたらした文化要素もこの共通文化の形成に貢献し、それは時代が進んでからの国民文化の形成にも貢献した。共通文化を受容する人口の絶え間ない増大が進み、それが国あるいは地方を代表する文化とみなされ、住民の統合の要と目された。

こうしてできあがった支配的な文化伝統は決して固定化されているのではなく、新しい時代の原理に動かされ、新たな文化要素を吸収しつつ、修正され、作り替えられてきた。また、この共通文化は決して単一なのではなく、地方や階層によって数多くの亜種を有するが、それらの亜種には共通軸が貫かれている。それは、ちょうど、アメリカ大陸のスペイン語が多くの方言を有するにもかかわらず、高い統一性を保っているのと類似している。

人種的多様性と混血

言語的・文化的には比較的統一されているラテンアメリカも、その人種構成はきわめて多様である。この地域のたいていの国は、多人種社会をなし、そこに世界の主要な人種タイプが見出され、しかも、その間にさまざまな形の混血が行われているのがふつうである。さまざまな度合いの混血にそれぞれ名称が与えられているところもあるが、一般には白人と先住民インディオとの混血がメスティソ、白人と黒人との混血がムラト、黒人と先住民との混血がサンボ（ブラジルではカフーゾ）と呼ばれる。

ペルーなどの中央アンデス諸国、グアテマラ、メキシコでは混血を含めて先住民の血統をひくものが最も多く、ブラジル南部、アルゼンチン、ウルグアイ、コスタリカでは白人が大多数を占め、また、チリとキューバは白人人口が有色人口をやや上回っており、カリブ海地域の大部分、ブラジル北東部の沿岸地帯では黒人とその混血の占める比率が高く、その他のところはメスティソと白人とさまざまな混血が、いずれも過半を占めることなく混在している。社会の上層にいくほど白人が多く、下層にいくほど先住民や黒人が多いという傾向はたいていの国で認められる。白人とメスティソの間の境界線がはっきりしない国も多く、そうした国では支配層はこの両者によって占められている。

ヨーロッパ人の到来前に今日のラテンアメリカにあたる地域に在住していた先住民人口は大きく、四〇〇〇万を越えていたと思われ、また、アフリカからは一九世紀半ばまでの三世紀半の間に少なくとも九〇〇万の黒人がもたらされたのに、それに匹敵する数のヨーロッパからの大量移民は一九世紀後半になってようやく進行し、それ以前はヨーロッパから到来する白人の数は比較的少なかった。それにもかかわらず、今日の多くのラテンアメリカ諸国では、その人種構成の中に占める白人および白人との混血者の割合は、過去の人種構成から想像されるものよりは相当に高くなっている。

これは、次のような理由で人口の中で白人的要素が高まる傾向が近年まで続いたためである。まず、先住民インディオ人口が一六〜一七世紀にヨーロッパからもち込まれた天然痘、チフス等の疫病で大幅に減少し、黒人人口も奴隷制下で高い死亡率と低い出生率のため自然増加が著しく抑えられ、さらに一九世紀の独立戦争・内戦・疫病で多くの黒人が死滅したからである。一方、白人人口は、死亡率が低く、また、近年にいたるまでその出生率は他の人種を上回り、さらに権力と富を握った白人の男性は婚外関係によって多くの子孫を残す機会が多かったが、これに一九世紀後半以降の大量のヨーロッパ移民が加わって、近年にいたるまで人口の中で白人的要素が拡大する傾向が続いたからである。しかし、最近ではメスティソ、ムラト、先住民、黒人などの有色人口の比率が高まりつつある。近年、家族計画の普及にともなう出生力低下傾向が白人が多い社会の中・上層の間で進行し、そのため、出生力低下がおそい有色人口の比率が高まる傾向が多くの国で認められ、また、域内でのより先進的な国々（アルゼンチン、チリ、キューバ、ブラジル南部など、たまたま、白人比率の高い国々と地方であるが）で出生力低下が早く進むため、ラテンアメリカ地域全体としても、有色人口、とくにメスティソ、ムラトの占める比率が高まりつつある。この傾向は今後も続くように思われる。

異なった人種や混血の間の関係がどのようになっているかについての詳細は本書の第四章を参照されたいが、微妙な差別が存在し、決して人種平等の社会ではないけれども、人種間の関係は比較的融和的であり、アメリカ合衆国のような人種をめぐる激しい抗争がほとんどないというのがラテンアメリカの特徴である。

四　ラテンアメリカの諸国家と亜地域の独自性

前節では、ラテンアメリカが多様でありながら強い共通軸をもつ地域であることを、そして、世界の他地域と比べるなら、共通性、統一性が強い地域であることをみてきた。しかし、それをもってラテンアメリカは一つであると考え、そこにある諸国家の独自性を無視するなら、それは大きな誤りである。ラテンアメリカを構成する諸国はその歴史体験で多くの共通したものをもっているが、また、同時に異なった体験をしている。その違いは、すでに植民地時代に芽生えていた。同じスペイン植民地の中でもメキシコと中央アンデスでは先住民やメスティソのおかれた状況は相当に異なっていたし、独立後の歴史は各国で異なり、かつ、各国が相互に争った体験も記憶の中に留められている。ラテンアメリカには二つのレベルのナショナリズムがあるといわれる。一つはラテンアメリカを一つの世界、一つの民族共同体とみなすコンティネンタルなナショナリズムであり、他の一つは一国単位のナショナリズムである。この二つのナショナリズムが折りにふれて衝突することがあるのもまた、この地域の現実である。

ラテンアメリカの地域統合も、またその中の亜地域の統合も、それを構成する諸国の国益とその独自性の主張の強さとの関連で、結束の盛り上がりとその分裂解体が繰り返されてきた。そして亜地域自体がラテンアメリカの中でその独自性を主張することもあった。

ラテンアメリカの中の亜地域

今日、ラテンアメリカという広大な地域の中で、地理的また歴史的に結びつきが強い国同士が集まって、いくつかの亜地域を構成している。そうした中で最も明確な亜地域は中米であろう。グアテマラ、エルサルバドル、ホンジュラス、ニカラグア、コスタリカの五カ国は、植民地時代に同じグアテマラ総督領を形成していた。独立後も一八三八年まで中米連邦を形成し、それが解体して五つの国に分かれたあとも、一九二〇年代の再度の連邦結成の試み、六一年の中米共同市場の形成など、相互に密接な関係を保ちながらその歴史を展開してきた。これら五カ国の指導者層は中米全体の存在を常に心がけ、中米人（centroamericanos）であるとの意識が国民の間にも存在している。七〇年代末から九〇年代初めまで、エルサルバドルとニカラグアで続いた内戦を終結させるにあたっては、紛争当事者の和平努力とともに、中米の他の国の指導者からの調停と和平への強い働きかけがあった。今日、中米には以上の五カ国に、同じく中米地峡にあり隣接したパナマを加えるのがふつうであるが、パナマを除くこともある。

他の亜地域の場合、中米のような亜地域意識が育っていないことが多く、またその範囲自体が明確でないことが多い。また、限定された特定の目的で亜地域を設定することもある。たとえば、古代文明圏を示すものとしてメソアメリカ（メキシコ中央高原からコスタリカ北部まで）という地域概念がある。あるいは現代の政治、経済的協力関係や同質性からはコノスール（南アメリカ大陸南部の逆三角形をした部分を占めるチリ、アルゼンチン、ウルグアイをグループ化したもので、それにパラグアイやブラジル南部を加えることもある）と呼ばれる地域概念もある。

このようにラテンアメリカの中の亜地域の概念は、また、その範囲は立場によっても時代によっても変わりうるが、現代ラテンアメリカを地理的つながりと歴史的展開との関連でいくつかの亜地域に分ける場合、次の分け方が最も一般的であろう。

（1）大陸国家であり、それ自体、小世界をなし、かつ固有の言語と文化を有するブラジル、（2）同様に国土、人口ともに大きく、アメリカ合衆国との隣接という特殊な条件をもち、それ自体、小世界をなしているメキシコ、（3）かつて一つの連邦をなし、その後も同一の亜地域に属すとの意識が強い中米地域、（4）植民地支配が長びき、今日もヨーロッパやアメリカ合衆国に強く依存した地域であり、また、過去の奴隷制プランテーションの結果として人種的、民俗文化的にアフリカに由来する要素が大きいカリブ海地域、（5）アンデス山脈を背骨とし、独立戦争と一九世紀、二〇世紀の歴史を通じて相互に関係することが大きく、現代では亜地域統合体を作ったベネズエラからチリにいたるアンデス諸国、（6）ラプラタ川流域にあり、その植民の歴史で多くの共通点を有し、相互の接触の大きいアルゼンチン、ウルグアイ、パラグアイからなるラプラタ地域。

本書では、その後半の第六章から一一章で、ラテンアメリカを以上のような亜地域に分け、それぞれの亜地域の特質と歴史、現状を多面的に記述し、紹介している。

【参考文献】

斉藤広志・中川文雄『ラテンアメリカ現代史Ⅰ』（山川出版社　一版三刷　一九八七年）　その総説部分でラテンアメリカ地域の特質を記述している。

松本栄次「自然」（ラテンアメリカ協会編『ラテンアメリカ事典』ラテンアメリカ協会　一九九六年所収）　自然地理学者が地形、地質、気象、植生、自然災害について高い専門知識に基づきながら、しかし、わかりやすく紹介している。

中川文雄／三田千代子編『ラテンアメリカ　人と社会』（新評論　一九九五年）　ラテンアメリカ諸国の言語文化面や文化価値体系での共通軸と、人種面での多様性と混血について、読みやすい叙述がなされている。

西沢利栄／小池洋一『アマゾン――生態と開発』（岩波新書　一九九二年）　気象学者と経済学者によるアマゾンの自然環境と開発に関する適確な紹介書。

山本紀夫『インカの末裔たち』（日本放送出版協会　一九九二年）　自然科学にも造詣の深い民族学者によるペルーアンデスの民族誌であるが、同時に高度と人間居住の関連についての観察が読みやすく示されている。

G・アンドラーデ／中牧弘允編『ラテンアメリカ　宗教と社会』（新評論　一九九四年）　文明批評の視点をふまえたラテンアメリカの宗教紹介書であるが、ラテンアメリカ諸国のカトリシズムによる一貫性、共通性と他面での多様性を理解するうえでも役立つ。

M・グールディング／N・J・H・スミス／D・J・メイハール『恵みの洪水』（山本正三・松本栄次訳　同時代社　二〇〇一年）　アマゾン河流域の二〇世紀末での開発と生態系の関係に関する研究。

Phelan, John Leddy. "Pan-latinism, French intervention in Mexico (1861-1867) and the genesis of the idea of Latin America," in Ortega y Medina, Juan A. ed. *Conciencia y autenticidad histórica* (México, D. F.: UNAM, 1968)　ラテンアメリカの地域概念と名称が生まれてくる過程を当時のフランスをめぐる国際関係と政治思潮との関連で描写している。

Ardao, Arturo. *Genesis de la idea y el nombre de América Latina* (Caracas: Centro de Estudios Latinoamericanos "Rómulo Gallegos," 1980)　前書と同じテーマを追っているが、ラテンアメリカの名称がラテンアメリカ人によって作られた事実を紹介している点が興味深く、このテーマに関する最も説得力のある研究となっている。

第一章
ラテンアメリカの歴史

●国本 伊代

序　ラテンアメリカ史への招待

最初のアメリカ人

人類発祥の歴史からみると、アメリカ大陸に人類が出現したのは南極大陸を除けば最も遅い。現在の科学的根拠に基づく推定では、アフリカ大陸で発祥した人類は、今から約七五万年前にはすでにヨーロッパとアジアに住み着いていたと考えられている。この人類がアメリカ大陸にまで拡散するのは、それから七〇万年以上も後のことで、最初の人類がアメリカ大陸に姿を現したのは、今から数万年前の地質時代最後の氷河期であった。人類は、太平洋北部のベーリング海峡を渡って、アジア大陸のシベリア地方からアメリカ大陸にやって来た。

現在のベーリング海峡は、幅約八〇キロメートル、水深約五〇メートルある。しかし氷河期には水位が下がったため、人類はシベリアからアラスカへと徒歩で渡って来ることができた。彼らは数十人からなる小さな群れを作って動物を追いながら、波状的にアメリカ大陸へ移動したと考えられている。このアジア大陸から移動してきたモンゴロイドこそが、アメリカ大陸の最初の住民であった。

モンゴロイド系人類は、水位が下がって陸橋となったベーリング海峡を徒歩で渡り、ゆっくりとしたテンポでアメリカ大陸の各地へ拡散していった。南アメリカ大陸の北端に人類がたどり着いたのは今から一万八〇〇〇年前頃で、南端のパタゴニアに到達したのは約一万年前頃であった。その頃には氷河期が終わり、ベーリング海峡はふたたび海の底に深く沈んでいた。その結果、アメリカ大陸に移り住んだモンゴロイドはこの大陸に閉じこめられてしまった。こうして今日のアメリカ大陸の先住民は、アジアのモンゴロイドを祖先にもつ人々となったのである。モンゴロイド系の人々は乳幼児期に臀部に青い斑点があることを特徴とするが、現在でもインディオと総称される先住民の乳幼児もこのモンゴル斑点をもっていることが知られている。

しかしモンゴロイドだけがコロンブス到来以前のアメリカ大陸に住み着いた人類であったわけではなかった。時期的にはモンゴロイドよりかなり遅れたが、太平洋のポリネシアやミクロネシア諸島から中米地峡と南アメリカ大陸に渡るルートおよびオセアニアから南アメリカ大陸南端に移動するルートがあったことも知られている。

世界史に登場したアメリカ大陸

アメリカ大陸がヨーロッパを中心とする世界史に登場するのは一四九二年で、コロンブスがこの地域と初めて接触したときである。しかしコロンブスは自分が到達した陸地がアジアの一角であると信じつづけた。その結果、この地をヨーロッパ世界にとっては未知の大陸であることを主張したアメリゴ・ヴェスプッチが、新大陸の名称アメリカにその名を残すこととなった。

しかしすでに述べたように、新大陸にコロンブスが到達したときには、人類は何千年という長い歳月をかけて独自の文化を育んでおり、多様な自然環境にしたがって、人類は各地で多様な社会を発達させていた。**図1**は一五世紀末の新大陸を文化領域で区分したものである。文化領域とは、特定の文化・伝統が形成された地理的範囲を指す文化人類学の分野で使われる専門用語である。ヨーロッパ人が最初に接触したカリブ海域と中間地域では、狩猟採集と農耕を半々に営む部族社会が広く存在していた。大陸部のメソアメリカ地域と中央アンデス地域では高度な文明が発達し、国家社会が出現していた。狩猟採集民が暮らしていた南アメリカ大陸南部を除くそれ以外の地域では、部族社会よりもさらに規模の小さな首長社会が存在していた。

地球上の他の大陸から孤立して発達した南北アメリカ大陸の諸文化は、独自の自然環境の中で発達したため、ヨ

図1　新大陸の文化領域区分（15世紀末）

ーロッパ人にとっては非常に異質のものであった。とくに栽培植物の多くと数少ない家畜は、ヨーロッパ世界が知らないものであった。新大陸で発達した農耕文化を支えていたインゲンマメ、トウモロコシ、トマト、ヒョウタン、トウガラシ、ジャガイモなどの栽培植物群は、やがてヨーロッパに紹介され、世界に広まったものである。コロンブスが持ち帰ったタバコがたちまちヨーロッパに広まり、さらに世界各地に伝えられたことは、よく知られている。

同時に、アメリカ大陸が知らなかったヨーロッパ文明がコロンブス後の新大陸の世界を変えた。イベリア半島の人々にとって欠かすことのできない小麦、ブドウ、オリーブをはじめとする栽培植物や樹木が積極的に移植されただけでなく、アメリカ大陸に存在していなかった家畜が持ち込まれ、それらが急速に増殖したからである。ヨーロッパ人が持ち込んだ馬、牛、羊、山羊、豚は容易に繁殖し、やがて広大なアメリカ大陸に広がり、風景すらも変えていったのである。

こうしてコロンブスの到達によって起こったヨーロッパ文明と新大陸文明の出会いは、一つの悲惨な歴史の始まりとなったが、同時に異質の文明は相互に豊かな「贈り物」を与え合うことになり、旧大陸と新大陸は大きな恩恵を分かち合ったのである。

時代区分

歴史を理解するには、まず最初に時代をおおまかに区分し、その特徴を知ることが大切である。ラテンアメリカ史の場合、その時代区分は一般的に、先コロンブス時代、植民地時代、独立国家の時代の三つに大区分されて扱われる。

先コロンブス時代とは、一四九二年にカリブ海域にコロンブスが到達した年を起点として、それ以前をコロンブス以前の時代とした名称である。先コロンブス時代に含まれる数千年にわたる長い期間を通じて、北アメリカ大陸のメソアメリカ地域と南アメリカ大陸のアンデス地域で諸文化が開化していた。それらはまとめて古代文明と呼ばれている。紀元前二〇〇〇年頃とされる文明の発祥から紀元一五世紀にいたるアメリカ大陸の古代文明については、最も華麗な文化を開化させた三世紀から九世紀にいたる時代を古典期とし、その前後の時代を先古典期と後古典期に分けるのがふつうである。各時代はさらに細分化される場合もある。

植民地時代は、コロンブスの新大陸「発見」に始まり、スペインとポルトガル両国の絶対王権によって統治された約三〇〇年にわたる時代である。その領有権の正統性はローマ法王によって与えられたものであったが、それを無視したヨーロッパ諸国の略奪行為によってカリブ海域の多くの島々と大陸部の一部がイギリス、フランス、オランダ、デンマーク、スウェーデンなどの支配するところとなった。その結果、カリブ海域では植民地時代が大陸部より長く続き、本書の第八章で紹介されているように、イギリスとオランダの植民地から一三の小国群が独立するのは二〇世紀後半になってからであった。現在でもイギリス、オランダ、フランスおよびアメリカ合衆国の植民地がこの地域には存在している。

この植民地時代の初期、つまりコロンブスの到来から一六世紀半ばまでを、とくに「征服の時代」と区分することがある。それは、ヨーロッパ文明との遭遇によってアメリカ大陸で劇的な変化が起こった時期である。この「征服の時代」の中でも、一四九二年から一五一九年までを「カリブ海の時代」として区分することがある。一五一九年という年は、エルナン・コルテスが現在のメキシコ中央部を支配していたアステカ帝国の征服を目指して行動を開始した年である。この時期までスペイン人征服者たちの行動はカリブ海とその周辺の大陸部海岸地帯に限られており、エルナン・コルテスによって初めてアメリカ大陸の内陸部の征服活動が始まったからである。

独立国家の時代は、一九世紀初期の独立から現在までを指している。この時代を、「近代」と「同時代」という意味を含めた「現代」との二つの時代に分けるのがふつうである。「近代」は一般的に独立から一九三〇年代までを指すが、それはあくまでも便宜的である。各国の現代史の始まりを統一することはできない。一般に「近代」と「現代」を区分する時期となっている一九三〇年代は、世界の他の地域と同様に、ラテンアメリカにおいても大きな変革期であった。一九二九年の世界恐慌によってそれまでラテンアメリカ諸国を支配してきた寡頭支配勢力が弱体化し、新しい政治・経済秩序の模索が始まり、それまで無視されてきた大衆と呼ばれる圧倒的多数の住民が政治に大きな影響を与えはじめる時期である。しかし本書の国別・地域別の章で紹介されているように、現代史の始まりがもっと遅く設定されている国もある。

一　先コロンブス時代

古代文明の発展過程

人類がアメリカ大陸に住みついてから長い間、文明らしいものは誕生しなかった。今から約一万年前頃までに最後の氷河期が終わり地球の気候が温暖化すると、その変化に適応できなかった大型哺乳類が絶滅した。するとそれまで狩猟で生きてきた人類は野生植物の採集で生き延びねばならず、やがて紀元前七〇〇〇年頃から前五〇〇〇年頃にかけて野生植物の栽培化が始まった。もちろん、地理的にも気候的にも多様で広大なアメリカ大陸で起こったこのような変化が一律であったわけではない。

現在のメキシコ中央部から中央アメリカにかけて広がるメソアメリカ地域では、紀元前三〇〇〇年頃にはインゲンマメ、トウモロコシ、カボチャ、トマトなどの栽培が始まっていたことが知られている。南アメリカ大陸のアンデス地域でもまた、紀元前四〇〇〇年頃から前一八〇〇年頃にかけて、山間盆地、標高三〇〇〇メートルを越す山岳高原地帯や太平洋岸の海岸地帯で、ヒョウタン、カボチャ、豆類、トウガラシなどが栽培されるようになった。

なかでもジャガイモは標高四〇〇〇メートル前後の寒冷な気候でも栽培でき、中央アンデス地域に出現した文明を支える重要な栽培植物の一つとなった。アンデス地域でトウモロコシが栽培されるようになるのは、紀元前二〇〇〇年頃になってからである。

こうして人々はそれまでの狩猟採集生活から農耕生活へと移行した。紀元前二〇〇〇年頃までに農耕生活が定着すると、人類は種を選別し、灌漑方法を学び、いくつかの動物を家畜化していった。しかしアメリカ大陸では、動物の家畜化は非常に限られていた。北アメリカ大陸では七面鳥だけで、南アメリカ大陸ではラクダ科の動物であるリャマとアルパカおよびクイと呼ばれるモルモットだけであった。

農耕生活が始まるのと平行して土器が作られ、部族的な社会組織をもつ定住社会が形成されて、形成期あるいは先古典期と呼ばれる時代に入った。そして紀元前一二〇〇年頃から前四〇〇年頃にかけて「古代文明の母」と呼ばれるオルメカ文化がメソアメリカ地域で、またチャビン文化がアンデス地域で開化した。

メソアメリカ文明

メソアメリカ文明とは、地理的には現在のメキシコ中央部北端から中央アメリカのコスタリカ北西部にかけて広がるメソアメリカ文化領域で興亡した、多くの文化の総称である。

メソアメリカ文明圏は、大別すると高地と低地あるいは乾燥地域と湿潤地域の二つの地域に区分されるが、実際には地理的にも気候的にも非常に多様である。乾燥した半砂漠地帯、常春の高原地帯、冷涼な山岳地帯、熱帯密林地帯があり、棲息する動植物もさまざまである。また地形的にも、各地は孤立している。メソアメリカ文化領域で発達した古代文明は、中央高原、メキシコ湾岸、オアハカ盆地、マヤ地域で繁栄した。

さまざまな文化が各地で栄えたメソアメリカ文明の発達史は、時代の流れを簡略化すると、三つの段階に大きく分けることができる。すなわち、定住農耕社会が出現した形成期（先古典期）、さまざまな文化が各地でいっせいに開化した古典期、および古典期の諸文化が衰退したのちふたたび各地で文化が興った後古典期である。

形成期は、メキシコ湾岸地帯でオルメカ文化が開化した時代で、紀元前一五〇〇年頃から紀元三〇〇年頃までを指す。この間に農耕定住社会が各地で現れ、やがて紀元前八〇〇年頃から紀元三〇〇年頃にかけてオルメカ文化を母体とする諸文化が現在のメキシコ南部からグアテマラにかけて広がるマヤ地域、メキシコ南部のオアハカ地域、メキシコ湾岸およびメキシコ中央高原で発生した。これらの中のいくつかの文化が爛熟し、さらに新たな文化が開化した紀元三〇〇年頃から九〇〇年頃までは、古典期と呼ばれている。

約六〇〇年間続いた古典期はメソアメリカ文明の黄金期で、大ピラミッドなどの遺跡群で有名なマヤ地域のティカルとパレンケ、メキシコ湾岸のエルタヒン、中央高原のテオティワカン、オアハカ盆地のモンテアルバンなどで都市国家が栄えた。古典期に開化した諸文化は、共通する大ピラミッドと神殿群、球技場、絵文字、暦などのほかに、土器、彫刻、壁画などすぐれた芸術を生んだ。宗教を軸とした神権政治の下で神官たちが階層社会を支配した。農作業を確実に行うために必要な気象の観察が重要となり、天文学と数学が発達した。マヤ文明は世界で最も正確な暦を作ったことで知られており、また数字概念であるゼロの知識をもっていた。しかし繁栄したマヤ文明は九〇〇年頃から急速に衰退した。古典期マヤ文明の滅亡の原因について諸説はあるが、定説はまだない。

古典期のメソアメリカで最も強大な都市国家を形成し、メソアメリカ一帯に影響を及ぼしたのは、メキシコ中央高原に出現したテオティワカン文化である。現在の首都メキシコ市から北東へ約五〇キロメートルのテオティワカンは、その最盛期には面積二〇平方キロメートルに人口二〇万人が集中する都市国家であった。しかし紀元六五〇年頃に外部から侵略され、掠奪されて焼き払われ、破壊された。テオティワカンの崩壊は、メソアメリカ各地で栄えていた諸文化に連鎖反応を引き起こし、メキシコ南部の諸文化の衰退を招いたと考えられている。こうしてメソアメリカの広い範囲で衰退した文化がふたたび勃興するのは一一世紀で、それから一六世紀初頭までが後古典期と呼ばれている。

後古典期文化は、北部から南下した新たな勢力によって開化した。中央高原では、一〇世紀に入って北部の半砂漠地帯から狩猟民トルテカ族が各地を征服しながら南下した。トゥーラに都を定めたトルテカ族はその勢力をユカタン半島にまで延ばし、一一世紀から一二世紀にかけてトルテカ・マヤ時代を出現させた。しかし一二世紀後半にトルテカ王国が分裂し衰退すると、やがてマヤ文明は滅亡した。一方、メキシコ盆地のテスココ湖の小島に居住したアステカ族は他の部族を平定し、やがてアステカ帝国と呼ばれる一大帝国を築き上げた。

アンデス文明

アンデス文明とは、南アメリカ大陸のアンデス山脈の中央部（現在のペルーとボリビア）で紀元前一〇〇〇年頃からインカ帝国がスペイン人に征服される一六世紀初めまでの間に興亡した多くの文化の総称である。アンデス地域もまたメソアメリカ地域と同様に、地理的にも気候的にも多様な世界で、乾燥度の強い海岸地帯、気候温暖な山間盆地、荒涼とした標高三〇〇〇メートルを越す山岳高原地帯、アンデス山脈の東斜面からアマゾン流域へと下る湿潤な熱帯まで存在する。

アンデス文明の時代区分については、メソアメリカ文明と同様に、諸文化が華麗に花開いた古典期と呼ばれる紀元前後から紀元七〇〇年頃までを中心にして、その前を形成期ないしは先古典期とし、その後を後古典期と呼んで、三つの時期に大きく区分されている。

アンデス地域では、紀元前四〇〇〇年頃から前一八〇〇年頃の間に山間の谷間や海岸地帯でヒョウタン、カボチャ、トウガラシなどが栽培化され、とくに豊かな海産物に恵まれた海岸地方では農耕と海産物に依存する定住社会が出現した。形成期と呼ばれる紀元前一八〇〇年頃から紀元前後にかけて土器が発達し、灌漑設備をもつ畑でトウモロコシが栽培されるようになった。この時代に、大神殿を建設したチャビン文化が開化した。現在のペルーの中部山岳地帯を中心に栄えたチャビン文化は、各地に影響を与えたことが知られている。

形成期に続く古典期は紀元前後から紀元七〇〇年頃まで続いたが、灌漑設備はさらに発達し、アンデスの斜面が耕地化され、ジャガイモやサツマイモが栽培されるようになった。このように生産性が高まるにつれて、海岸地帯でモチカ文化やナスカ文化が、高原地帯ではティワナコ文化など古典期を代表する文化が開化した。しかし八世紀に入ると、現在のペルー中部高原でワリ文化が急速に発達し、先に挙げた各地の諸文化を衰退に追い込んでいった。ワリ帝国の拡大によって引き起こされた混乱が沈静化すると、新しい地方文化が各地で出現した。やがてアンデス高地のクスコの谷間に定住したインカ族が台頭し、一五世紀後半には中央アンデス地帯を支配しただけでなく、現在のコロンビアからチリにまたがる広範囲な土地を征服して、一大帝国を築き上げた。

一五世紀から一六世紀にかけてアンデス地帯を南北に四〇〇〇キロメートルにわたって支配下においたインカ帝国は、メソアメリカ文明とは異なり、最後まで文字をもたなかった。しかし太陽信仰のために建設された数々の神殿、皇帝の宮殿、公共建造物など石で造られた建造物の精緻さは見事で、またアンデネスと呼ばれる段々畑と灌漑設備などにみられる土木技術の水準は高かった。

古代文明の崩壊

一四九二年のコロンブスのアメリカ「発見」に続いてやって来たスペイン人たちは、メソアメリカに出現した最後の古代文明であるアステカ帝国とアンデス地域で花開いた最後の古代文明であるインカ帝国を短期間で征服した。広大な領域を支配していた両帝国が比較的簡単に征服された理由については、いくつかの共通した要因を挙げることができる。まずスペイン人征服者たちは、帝国内の対立を利用して一部の先住民勢力を味方につけ、現地で兵力を増強して戦っている。決してスペイン人だけで戦いを挑んだのではない。またスペイン人は国王をいち速く人質にとって内部崩壊を促す戦術をとった。しかし何といっても、ヨーロッパから持ち込んだ武器の威力は大きかった。鉄も火器も知らなかった新大陸の文明にとっては、鉄砲と大砲を前にして勝ち目はなかったのである。さらに新大陸の文明に深刻な危機をもたらしたのは、スペイン人がもち込んだ麻疹、天然痘、チフス、流行性感冒など、アメリカ大陸の住民が免疫をもたなかった疾病であった。

一五一九年から二一年にかけてアステカ帝国の征服を試みたエルナン・コルテスが率いるスペイン人集団は、大砲と鉄砲を持ち、機動力のある馬と車輪の力を駆使して、圧倒的多数の兵力をもつアステカ軍と戦った。一度コルテスは厳しい惨敗を経験したが、その後アステカに反旗を翻した先住民集団の支援をうけて反撃に成功し、アステカ帝国を征服した。一方、インカ帝国を征服したフランシスコ・ピサロは、黄金郷を求めてカリブ海域で三〇年近く過ごしたスペイン人である。一五三二年にインカ帝国の領土に到達したピサロは、王位をめぐって二人の皇子が対立するインカ帝国の内部分裂を利用し、広大なインカ帝国を征服するのに成功した。

しかしスペイン人によるアステカ帝国とインカ帝国の征服は、新大陸に存在していた文明の拠点の征服にすぎなかった。これらの征服と前後してスペイン人とポルトガル人を中心とするヨーロッパ人が、新大陸のあらゆる地域に黄金郷を求めて足を延ばし、各地の先住民社会を征服していった。

二　植民地時代

ヨーロッパによる征服の結果

コロンブスの到来から一六世紀半ばまでを、ラテンアメリカ史では「征服の時代」として区分される。この半世紀の間に、ローマ法王の認可によりスペインとポルトガルの領土となったアメリカ大陸は劇的な変化を経験した。新しく「発見」された新大陸にエルドラド（黄金郷）を求めてやって来たヨーロッパ人たちの貪欲さが、新大陸を大きく変えたのである。

この間に起こった変化の一つは、先住民人口の劇的な減少であった。コロンブスが到来した一五世紀末のアメリカ大陸の先住民の人口規模については、カリブ海域で三〇〇万、メキシコ中央部で二五〇〇万、アンデス地域で一〇〇〇万、南アメリカ大陸中央部で三〇〇万という試算がある。その後わずか半世紀の間に、カリブ海域の先住民人口は絶滅に近い水準にまで激減した。その他の地域でも、征服戦争によって多くの先住民人口が失われた。正確な数字はないが、ヨーロッパ人が接触したどの地域でも、コロンブスの到来から半世紀の間にその人口は半分から十分の一にまで減少したと推計されている。しかし人口激減の原因は、すでに述べたように武力による征服だけにあったのではない。むしろヨーロッパ人がもち込んだ、新大陸の住民にとっては未体験の、麻疹・天然痘・チフス・流行性感冒などが致命的となった。しかもこれらの病原菌はいち速く伝播したため、ヨーロッパ人が到達するまえに各地で人口が減少しはじめていた。その他に、スペイン人たちが先住民を苛酷なまでに労働力として活用したことも挙げられる。それは、エンコミエンダ制と呼ばれた征服者に対する一種の報償制度であった。

征服に参加したスペイン人たちは、スペイン語で「寄託」を意味するエンコミエンダ制によって、征服した先住民共同体のインディオの労働力と租税を調達する権利を国王から与えられた。彼らは「寄託」された先住民を保護しキリスト教化する義務を負っていたが、実際には先住民を徹底的に酷使したのである。王権はその後エンコミエンダ制を廃止し先住民の奴隷化を防止する法令を公布したが、植民地時代を通じて先住民は苛酷な労働と徴税に苦しみ、ほとんど奴隷に等しい扱いをうけつづけた。

ヨーロッパ絶対王政と植民地支配の構図

一五世紀に海洋国家として台頭していたポルトガルは、アフリカとアジアにおける植民地経営のため、黄金を産出しなかったアメリカ大陸の植民地ブラジルの経営に初めは積極的でなかった。しかしアステカ帝国とインカ帝国を征服したスペインにとっては、アメリカ大陸は黄金の新大陸であった。スペイン国王はコロンブスに与えた副王のタイトルをいち速く剝奪すると、王権が新大陸の経営に乗り出した。

スペインの植民地経営については、国王の代理として派遣された副王が統治する副王制が約三〇〇年間にわたって続いた。一六世紀前半に設置された副王領はヌエバ・エスパーニャ副王領とヌエバ・カスティーリャ副王領の二つで、国王の代理人として任命された副王がそれぞれメキシコ市とリマに置かれた副王庁で統治した。**図2**でみるように、ヌエバ・エスパーニャ副王領はカリブ海からメキシコおよび中米地峡を管轄下に置いていた。残りの地域は一八世紀になってヌエバ・グラナダ副王領とラプラタ副王領という二つの新しい副王領が分離するまでヌエバ・カスティーリャ副王領として統治された。副王は、司法機関、行政機関、財務機関、軍事機関を統括していたが、スペイン植民地統治機構の特徴はその権限が曖昧で、しばしば重複していることであった。たとえばアウディエンシアと呼ばれた司法機関には行政権もあり、副王に必ずしも従属していなかった。その結果、しばしば副王とアウディエンシアは対立した。このような権限の曖昧な統治機構は、本国から遠隔地にある植民地を出先の機関が相互に監視するために作られたものでもあった。

一方、ポルトガルはスペインよりも遅れてブラジルの経営に着手した。めぼしい富を産出しなかったブラジルに対して、アジアの交易ルート開発に乗り出していたポルトガルは、当初強い関心をもたなかったからである。はじめ開発権を個人に譲渡したカピタニア制を導入したが失敗した。その後スペインと同様に副王制を導入し、一六世紀半ばから砂糖生産地として開発される北東部のサルヴァドルに首都を置いてブラジル経営を行った。しかしポルトガル領は、アメリカ大陸のスペイン領とポルトガル領の境界線を決めた一四九四年のトルデシリャス線をはるかに越えて、西へと膨張していった。その主力となったのは、奴隷狩りと金銀の探索など、個人の野望による探検隊と、先住民の教化を目的に内陸部へ入っていったイエズス会の伝道士たちであった。

図2　植民地時代のスペイン領とポルトガル領

アメリカ大陸に出現したスペインとポルトガルの植民地経営に共通しているのは、カトリック教会が植民地支配の重要な機関として機能したことである。両国の国王はローマ法王から宗教保護権と呼ばれるカトリック教会を監督・保護する権限を与えられ、アメリカ大陸に進出した教会を支配する地位にあった。王権はこの教会に対して「十分の一税」と呼ばれる農牧畜収入の十分の一を徴収する権限を与える代わりに、先住

民をカトリックに改宗させ、同時に居住者の信仰管理と地域社会の秩序保持の役割を担わせた。スペイン領では異端審問所（宗教裁判所）が強大な権限を握って植民地社会を統合したが、ポルトガル領では異端審問所は設置されず宗教的な支配はスペイン領より緩やかであった。

植民地経済の発展

三〇〇年に及んだ植民地時代を通じて、アメリカ大陸はスペインにとってもポルトガルにとっても、莫大な富をもたらすエルドラドとなった。まずスペイン領から取り上げてみよう。

スペイン領では一六世紀中頃までに各地で豊かな銀鉱脈が発見され、一七世紀初めにかけて鉱山ブームが出現した。孤立した奥地での鉱脈発見は、スペイン人の居住地を拡散させ、新しい地域の開発を促した。アンデス山中のポトシで銀鉱脈が発見されたのは一五四五年であり、ヌエバ・エスパーニャのサカテカス（一五四六年）、グアナフアト（一五五〇年）、パチュカ（一五五五年）、サンルイスポトシ（一五五五年）でも有望な銀山が発見された。一五七一年に銀を鉱石から分離する水銀アマルガム精錬法が発見されると、銀ブームに拍車がかかった。新大陸の銀の生産量は一六世紀末には世界の生産量の八〇％を占め、ヨーロッパに送られた銀塊がヨーロッパで価格革命を引き起こした。こうして銀山開発は植民地経済の最も重要な部門として、経済活動のみならず植民地社会の形成にも大きな影響を与えた。

鉱山ブームがいったん衰退した一七世紀に入ると、鉱山に投下されていた資本が土地に向けられるようになり、アシエンダと呼ばれる大私有地の形成が促された。もっともアシエンダは、王権からの下賜、自己資金による購入、強奪、婚姻による合併などを通じて拡大されてもいる。土地は担保となり、投資の対象となったので、アシエンダはしばしば所有者を替えた。また植民地時代の有力な金融機関でもあった教会には、信者によって寄進された土地だけでなく担保の土地も集中したため、植民地時代を通じて教会は莫大な土地を集積していった。

ポルトガル植民地では、一六世紀後半になって北東部で砂糖の生産が始まり、一七世紀にはヨーロッパが消費する砂糖の半分を供給するまでになった。そしてこの間に労働力として導入されたアフリカの黒人奴隷の数はポルトガル系住民を凌駕し、奴隷制社会が形成された。やがて一八世紀になるとブラジル中西部で金とダイヤモンドが発見されて一大ブームが起こり、奴隷制社会はブラジル南東部に拡散していった。

このように豊かな富を産出するアメリカ大陸と本国の貿易は、重商主義政策の下で厳しく管理されて行われた。特定の港だけを結ぶ貿易ルートを通じて特権的な商人グループが牛耳る貿易は、王室と特権商人に莫大な富をもたらした。しかし他方で植民地内部の産業の育成は制限され、高価な物資がヨーロッパから植民地に流入した。同時にアメリカ大陸の富と貿易船を狙う海賊がカリブ海域ばかりでなく、太平洋岸の主要な港をも襲撃した。

植民地社会

一六世紀を通じてアメリカ大陸に形成されたイベリア半島人を中心とする植民地社会は、奴隷制を基盤とする人種別身分制社会であり、家父長的社会であった。法的にはヨーロッパ白人を頂点として、第二位に国王の臣下としてのインディオがおかれ、続いて白人とインディオの混血メスティソ、その下に黒人、そして最後に奴隷が位置づけられていた。しかし現実には**図3**で示されているように、インディオが最下級におかれていた。奴隷がインディオよりも実質的に上の階級にあったのは、奴隷が高い代価を払って買われてきたためである。

図3　人種別身分制社会における法と現実

	法律	現実
人種別階層	白人	イベリア半島人
		クリオーリョ
	インディオ	メスティソ
	メスティソ	黒人
	黒人	奴隷
	奴隷	インディオ

スペイン植民地社会では、「スペイン人社会」と「インディオ社会」に二分され、対照的な二つの異なる生活圏が出現した。農村は基本的にインディオの世界で、広大な地域にスペイン人が住む都市と生産基地である大農園アシエンダおよび鉱山が点在していた。インディオはスペイン人の生活を支える労働力として都市にも存在したが、彼らが住んだのはバリオと呼ばれた都市周辺の指定された地域であった。先住民は人頭税を徴収され、厳しい差別をうけて暮らした。インデ

ィオはスペイン人が身につける衣服を着てはならず、ワインを飲むことを禁止され、道路では歩道を歩くことが許されず一段と低くなった道路の中央を動物や車と一緒に歩かねばならなかった。人種別身分制社会では、商人組合や職人組合に参加できるのは白人だけであった。軍人と高級官僚はスペイン本国から派遣された。このようなスペイン人を頂点とした身分制社会は一八世紀の後半になって少し変化したが、実質的に人種別身分制社会が崩壊するのは独立を達成してからもずっと後の二〇世紀に入ってからである。

一方、ポルトガル植民地のブラジル社会は、大規模に導入されたアフリカの黒人奴隷を労働力として発達した北東部の砂糖生産地帯で最初に形成された。エンジェーニョと呼ばれた広大な砂糖農園は、農園主を頂点とした家父長的で閉鎖的な地域社会であり、人口の圧倒的多数を占める黒人奴隷を最下層に置く奴隷制社会であった。農園主は自分の所有物である奴隷に対する殺傷権を握っていただけでなく、家族および一族のすべてを支配する家長として君臨した。

ブラジルにおける先住民は高度に発達した先住民社会を形成していなかったため、ポルトガル人にとっては労働力として重要な意味をもたなかった。砂糖生産地帯の労働力不足を補うためにバンデイラと呼ばれた集団が奥地に入り先住民を駆り集めたが、植民地時代を通じて輸入された約二〇〇万の黒人奴隷の数と比較すると、先住民はそれほど重要な存在ではなかった。こうして一握りの白人が圧倒的な富と権力を握ったブラジルもまた、スペイン領アメリカと同様に抑圧的で不公正な植民地社会を発達させた。

三　ラテンアメリカ諸国の独立

絶対王政からの解放

ほぼ三〇〇年にわたる植民地時代を経た一九世紀の初期にスペインとポルトガルの植民地で勃発した独立運動は、一八〇八年のナポレオンによるイベリア半島侵略によって引き起こされた。もっともそれ以前に独立への動きがなかったわけではない。フランス革命の影響をうけて一八〇四年にカリブ海のフランス領サンドマングがハイチとして独立していた。スペイン領とポルトガル領でも独立を目指した陰謀や武装蜂起が発生していたが、スペイン植民地で大規模な独立運動が各地でほぼ同時に勃発するのは、ナポレオンによるスペイン国王退位の報せが直接の契機となった。

　忠誠を尽くすべき国王が本国で退位させられたことへの戸惑いは、アメリカ大陸の各地で多様な反応を引き起こした。副王庁が置かれていたメキシコ市では、市参事会が副王に働きかけて独自の政府を擁立しようとした。ベネズエラのカラカスでは、共和制国家の建設を目指す急進的な独立派が当初から中心的役割を担った。パラグアイの場合には、いち速くスペイン植民地官僚機構が崩壊して、強力な指導者によって一八一一年という早い時期に独立を達成した。しかし一般的には、多くの地域で武装蜂起した独立派と副王軍との間で数年にわたり戦いが繰り広げられた。このような植民地内で起こった事態に大きな影響を与えたのは、一八一二年にスペインのカディスで開かれた国民議会とそこで制定された自由主義的憲法であった。このカディス憲法が掲げた君主制の廃止と植民地を本国と同等に扱う平等主義は、各地の王党派の力を弱めたからである。

　こうしてナポレン軍の侵攻によるスペイン国王の退位とその後の復活という紆余曲折を経た本国における政変は、アメリカ大陸の植民地の独立運動を決定的なものとした。一八世紀の啓蒙思想の影響をうけていた植民地のエリート層はすでにアメリカ合衆国の独立やフランス革命についての情報を得ており、またアメリカ大陸の少な

図4　ラテンアメリカ諸国の独立（1828年）

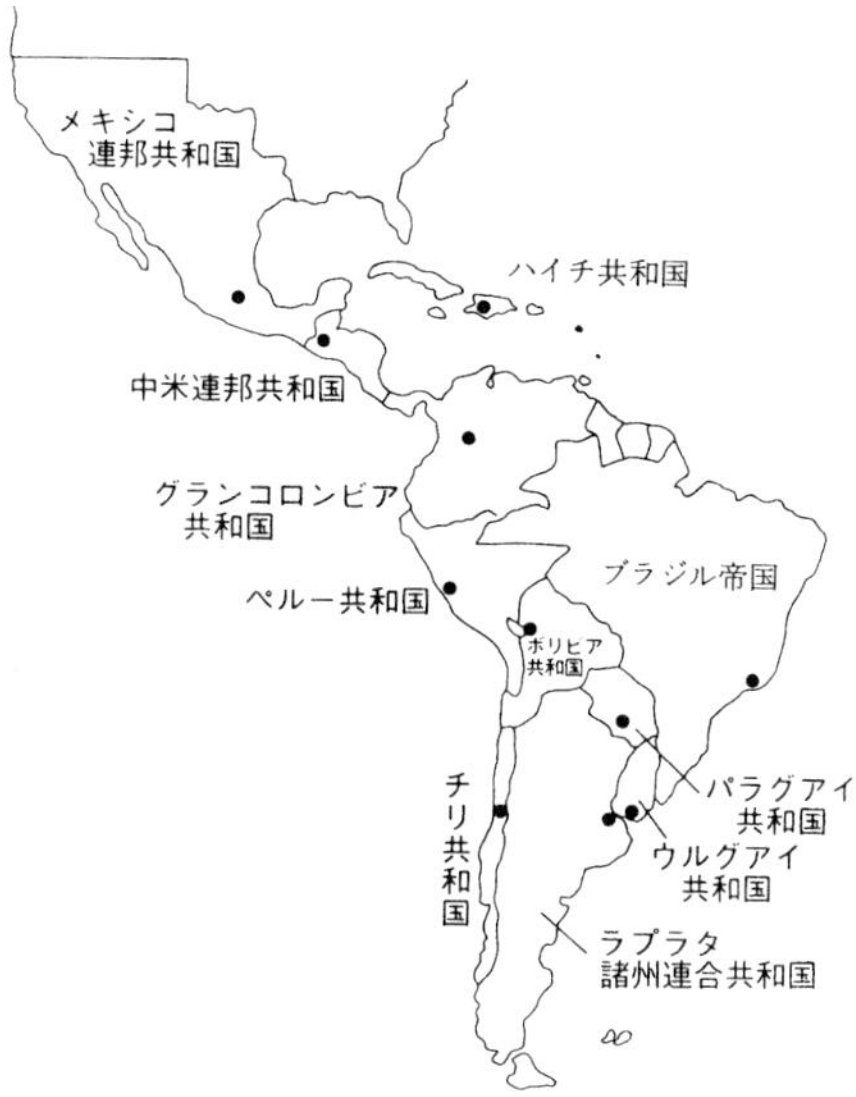

からぬ若者たちがヨーロッパやアメリカ合衆国を訪れて植民地以外の世界を知っていたことも変革への大きな力となった。彼らは自由と平等を掲げて戦い、スペイン本国がとってきた抑圧的で差別的な植民地支配からの脱却と独立国家の建設を目指す中心的人材となった。こうしてパラグアイが独立を達成した一八一一年からウルグアイが独立した一八二八年までの間に、スペイン植民地は**図4**（ゴチック体）でみるような九つの国家に分離独立したのである。

• ポルトガルの場合には、ナポレオン軍の侵攻に際しリスボンの王室がいち速くイギリス海軍の支援をうけてポルトガルを脱出し、ポルトガルの首都を植民地ブラジルに移転したことが、一八二二年のブラジルの独立につながった。ポルトガル王室は一四年間リオデジャネイロに首都を構えたが、一八二〇年に国王ジョアン六世がリスボンに戻り、つづいてブラジルに残った王子ペドロを呼び戻そうとしたとき、ペドロ王子を取り巻くブラジルのエリートたちは王子を擁立してブラジルの独立を決意した。こうしてブラジルは、一八二二年にペドロ一世を国王とする君主国家として独立したのである。

近代化と従属化

君主制を保持して独立したブラジルを除くと、スペイン系諸国のほとんどは独立からほぼ半世紀にわたって政治の混乱を経験した。政治の混乱は独立戦争によって荒廃した経済の復興を遅らせ、新興独立国家群は極度の混乱期を経験することになった。各地で武装集団を抱えるカウディリョと呼ばれた実力者が台頭し、政権の争奪戦を繰り広げた。この時代を、スペイン系ラテンアメリカの歴史では、「カウディリョの時代」と呼んでいる。

植民地時代の伝統的な権力と権威および統治体制に代わる新しい国家体制をめぐって、どの地域でも、厳しく対立する二つの勢力が政治の混乱を増幅した。それは、中央集権体制によってのみ国家統合が可能であるとする勢力と、地方分権主義を主張して連邦制を求める勢力との対立であった。前者は、植民地時代の特権層の利益と特権を温存させ、カトリックを国教として新生国家の国造りを目指そうとした。一方、後者は個人の自由と平等に絶対的な価値をおき、植民地時代の遺制の廃絶を主張した。多くの国で、これら両派の対立はカウディィリョの台頭を招き、ときには二つの政府が擁立されて内戦へと発展した。

一九世紀半ばになると、多くの国々は「カウディィリョの時代」を脱し、自由主義勢力が実権を掌握して、新しい時代を迎えた。同時に、欧米諸国をモデルとする近代化に向けた制度作りが取り組まれた。法制度の整備、近代的な軍隊と官僚機構の確立、近代教育制度の導入、産業の振興、外国資本の導入などが積極的に進められ、ラテンアメリカ諸国は大きな転換期を迎えた。なかでも欧米市場に向けた資源開発に外国資本が殺到した国々は急激な経済成長をとげ、労働力の不足は大量の移民を招来した。こうして政治の安定期に入った一八八〇年代に、ラテンアメリカ諸国は経済発展の時代を迎えたのである。

この一九世紀後半に始まる欧米諸国の対ラテンアメリカ投資は、政治の安定を達成した各国政府の外国資本に対する手厚い優遇政策の下で行われた。なかでもブラジル、チリ、アルゼンチン、メキシコの四カ国は、この順位で外国資本にとって進出条件の整った国となった。第一次世界大戦にいたるまでの期間にラテンアメリカ地域に投下された外国資本はおよそ八六億ドルに達したと推計されているが、その六〇%はイギリス資本が占め、つづいてフランスとアメリカ合衆国の資本が約一八%ずつを占めていた。これらの外国資本は全般的にみると、政府に対する借款（国債・州債の購入）のほか、鉄道・港湾・電信電話・上下水道などの社会基盤の設備建設、鉱山開発、プランテーション経営などに最新の技術をともなって進出し、ラテンアメリカ諸国の農業と鉱山の開発や工業化を促し、経済の発展に大きく貢献した。

しかしこのような外国資本による経済開発は、欧米市場に直結した特定の産品を輸出するモノカルチャー経済構造を確立することになった。メキシコ、ペルー、チリ、ボリビアのような鉱山資源開発に外国資本が集中した国々、ブラジル、コロンビア、エクアドル、中米、カリブ海域のようにコーヒー、砂糖、バナナなどの熱帯農産物の生産国となった国々、アルゼンチンやウルグアイのように羊毛、食肉、小麦などを生産する国々など、それぞれの国が保有する資源の集中的な開発が進められた結果、ラテンアメリカ諸国の特色となるモノカルチャー経済構造が形成された。しかも主として外国資本によって開発されたモノカルチャー経済の確立は、これらの国々に豊かな外貨をもたらしたが、その富は少数の富裕階層に集中し、国民一般の生活を豊かにすることはなかった。

多くの国で人口の圧倒的多数を占める農民は、伝統的な大農園やプランテーションあるいは孤立した村落共同体で生活しつづけた。近代化されたのは、輸出経済を支える飛び地的な生産地帯と輸出のための港および首都にすぎなかった。多くの場合、鉄道網は国内統合を目指すのではなく、生産地帯と港との間を直結するために敷かれた。輸出経済もまた国内経済全体を刺激しなかった。なぜなら雇用された労働人口は比較的限られており、労働者の賃金は低く抑えられ、国民の生活向上をはかろうとする政策は、ウルグアイのような例外的な国を除いてまだなかったからである。それでもこの時期には、ヨーロッパからもアジアからも、出稼ぎ労働者がラテンアメリカに流入した。

国民国家の形成とナショナリズム

一九世紀初期のラテンアメリカ諸国の独立を「ナショナリズムなき独立」と規定する歴史学者もいる。そこで強調されているのは、植民地時代には植民地生まれというだけで本国人と差別されてきた一部のエリート層が、独立によってそれまで本国人が享受していた特権を握ったにすぎなかったことである。すなわち独立は、国民国家形成を意味しなかったのである。人口の圧倒的多数を占めた農村人口は国家の成員とは考えられていなかった。

独立によって人種別身分制度は法的にはなくなったが、農村人口のおかれた環境はほとんど変わらなかった。一九世紀後半に始まる経済発展の時代においても、新しい支配層はやがて寡頭支配体制を確立し、圧倒的多数からなる下層大衆をそのままにして、自国を近代化させ発展させるモデルを欧米諸国に求めた。彼らはまた、経済発展をとげるために外国資本を導入し、ヨーロッパ移民の到来を積極的に促した。ヨーロッパ移民の導入による国民の「白色化」もまた、近代化の指標であると考えられていたからである。

しかし独立後ほぼ一世紀にわたって、ラテンアメリカ諸国は国境線や資源をめぐって近隣諸国と戦争し、イギリス、フランス、アメリカの武力介入をうけた。その過程で各国の指導者たちは、国家の統合と国民国家建設の重要性を認識していった。同時に、一九世紀後半に始まる近代化と経済発展の過程で出現した新しい中間層は、外国資本に支配された自国の在り方に疑問を抱くとともに、抑圧され、搾取された下層労働者や農民層に注目し、国家の新しい在り方を模索しはじめた。彼らは寡頭勢力がもたなかった国民意識をもちはじめたのである。

第一次世界大戦は、ラテンアメリカの国家意識と民族主義運動にとっても大きな転換期となった。国家意識が高まると同時に労働運動をはじめとして社会改革を目指す大衆運動が組織され、寡頭勢力に対する大衆の挑戦が始まった。外国資本に支配されたラテンアメリカ諸国の大衆運動は、必然的に反帝国主義運動へと発展していった。その思潮を最も集約的に表現したのが、一九一〇年に勃発したメキシコ革命の成果として成立した一九一七年憲法である。同憲法の第二七条は土地と地下資源と水を根源的に国家の所有とし、外国資本や特定の個人が独占することを排除し、その理念に基づいてメキシコは外国資本の接収を含む急進的な改革の政治を実行した。メキシコ革命に刺激されたペルーのビクトル・ラウル・アヤデラトーレは一九二四年にアメリカ人民革命同盟（アプラ運動）を結成し、ラテンアメリカ各国における反米運動を促した。アプラ運動はアメリカ帝国主義に反対し、ラテンアメリカの政治的統合を目標に掲げた急進的な民族主義的社会改革運動へと発展した。

このように第一次世界大戦後のラテンアメリカ諸国では、自国の抱える問題を凝視し、それらの問題と真剣に取り組もうとするグループが台頭し、反米主義を含む激しい民族主義運動を展開することになったのである。インディオと総称された先住民を多数抱えている国では、インディヘニスモ運動が民族主義運動の一環として台頭した。インディヘニスモとは、先住民を多数抱えているラテンアメリカ諸国で起こったナショナリズムの一つの表現であり、先住民の存在と歴史に自国のアイデンティティを求める運動である。ラテンアメリカ諸国の中でも、メキシコ、グアテマラ、エクアドル、ペルー、ボリビアなどでインディヘニスモは高揚した。

変革と躍進の時代

一九二九年一〇月にニューヨークで始まった世界恐慌は、一九世紀末から急成長したラテンアメリカ諸国のモノカルチャー経済に大きな打撃を与えた。なぜなら先進諸国の経済破綻はラテンアメリカ諸国が生産する一次産品の国際市場を著しく縮小させ、その輸出を大幅に減少させたからである。この影響を真っ先にうけたのは、モノカルチャー経済を推進し、外国資本と提携していた寡頭勢力であった。その結果、多くの国で寡頭勢力が政治力を失った。一九三〇年代にラテンアメリカでみられたナショナリズムの高揚、軍部の台頭、独裁者の出現などは、このような経済の混乱と政治不安の中で生まれたものであった。

世界恐慌に始まる危機的状況の中で、ラテンアメリカ諸国は大きく分けると二つの対応策を選択した。一つは独裁政権の強権的政治による危機打開の道で、もう一つは社会正義と民族主義を旗印にして国民大衆を体制の中に取り込んだポプリスモと呼ばれる、大衆動員型政治への道であった。前者を選んだ国々ではクーデターが頻発し、その中から国によっては軍事独裁政権が長期にわたって権力を独占した。後者を選択したブラジル、アルゼンチン、メキシコ、チリなどは、すでに紹介したように最も著しい経済成長をとげていた国で、同時に中間層が比較的拡大していた。これらの国々に出現したポプリスモ型政権は、いずれも強烈な民族主義を掲げ、輸入代替工業化政策を推進し、国民統合のための諸政策を実行した。

第二次世界大戦はラテンアメリカ諸国にとって、新たな経済発展の契機となった。アメリカ合衆国主導の汎アメリカ主義の旗の下で、ほとんどの国は早期に枢軸国に対して宣戦布告した。この対米協調姿勢は、三〇年代にアメリカのフランクリン・ローズヴェルト大統領がとった善隣外交による新たな対ラテンアメリカ政策の成果でもあった。

戦時経済によって資源の豊かなラテンアメリカ諸国は経済を活性化させ、輸入代替工業化を推進させた。その余波を受け継いで、少なくとも一九六〇年代前半までのラテンアメリカの未来は明るかった。経済的自立を目標にして工業化が重点的政策となり、国家主導型の民族主義的経済政策が推進された。経済の発展は社会変動を促し、人口の移動によって都市化が急速に進み、教育の普及と社会政策は一般大衆に国民国家の成員としての自覚を促した。しかし六〇年代後半から七〇年代を通じて、多くの国でゲリラ活動が頻発し、左翼革新運動の嵐が吹き荒れた。それに対抗するために軍部が多くの国で実権を握り、弾圧と抑圧による軍事政権時代が八〇年代半ばまで続いた。

一九八〇年代は、ラテンアメリカ諸国にとって「失われた一〇年」と呼ばれたほど深刻な経済危機の時代となった。莫大な累積債務を抱えたラテンアメリカ諸国はハイパーインフレーションにみまわれ、国家経済は破綻した。この危機の八〇年代から九〇年代にかけて、国際通貨基金や世界銀行の管理下のもとでネオリベラリズムと呼ばれる市場主義経済体制へ移行した多くのラテンアメリカ諸国は、貧富の格差がますます開いた経済と不安定な政治情勢の二一世紀を迎えている。

【参考文献】

赤澤威他編『アメリカ大陸の自然史』（全三巻　岩波書店　一九九三年）　アメリカ大陸の誕生とその自然環境の変化、文明の発生とその盛衰の過程を、地質学・動物学・植物学・考古学・民族学・文化人類学・歴史学の専門家が解説した本書は、コロンブスが到来する以前のアメリカ大陸を理解するための必読書である。

上谷博／石黒馨編『ラテンアメリカが語る近代――地域知の創造』（世界思想社　一九九八年）　多様な地域と多様なテーマおよび多様な時代を九人の執筆者が取り上げてまとめた全11章から成る研究報告集に近い本。ラテンアメリカの歴史の特徴にうまく焦点があてられている。

大井邦明／加茂雄三『ラテンアメリカ』（「地域からの世界史」16　朝日新聞社　一九九二年）　古代から現代までを、考古学と近現代史を専攻する二人の著者がまとめたラテンアメリカ概史。

国本伊代『改訂新版　概説ラテンアメリカ史』（新評論　二〇〇一年）　コロンブスによる新大陸「発見」から現代までのラテンアメリカ世界形成の五〇〇年の歴史の流れを概説した入門書。

後藤政子『新 現代のラテンアメリカ』（時事通信社　一九九三年）　キューバ革命に始まり、一九六〇年代から九〇年代初めにいたる、激動のラテンアメリカ地域の現代史をまとめた書。

染田秀藤編『ラテンアメリカ――自立への道』（世界思想社　一九九三年）　現代ラテンアメリカ諸国が抱えている諸問題の本質を理解するための歴史解説書として書かれたもので、現代にほぼ半分の頁数が割かれている。

染田秀藤編『ラテンアメリカ史――植民地時代の実像』（世界思想社　一九八九年）　南北アメリカ大陸におけるスペインとポルトガルの植民地の歴史を支配された側の実態に焦点を当てて書かれた歴史書で、邦文と欧文の詳細な文献リストが添付されている。

高橋均／網野徹哉『ラテンアメリカ文明の興亡』（中央公論社　一九九七年）「シリーズ世界の歴史」の18巻として書き下ろされたラテンアメリカ地域の概略史。カラー写真の挿入と物語り風の各章の展開が読みやすくしている。

ハイメ・エイサギルレ『チリの歴史――世界最長の国を歩んだ人びと』（山本雅俊訳　新評論　一九九八年）　人類の定住から一八六一年にいたるチリの形成過程を社会史に重点を置いてまとめた有用な書。

M・ピコン＝サラス『ラテンアメリカ文化史――二つの世界の融合』（G・アンドラーデ／村江四郎訳　サイマル出版会　一九九一年）　コロンブスによる新大陸「発見」から三〇〇年にわたるスペイン植民地時代を通じて形成されたイスパノアメリカ文化を多角的に概説した名著の翻訳書。

増田義郎編『ラテン・アメリカ史　Ⅱ　南アメリカ』（山川出版社　二〇〇〇年）　南アメリカ大陸の国々の古代から現代までを概説した書。

増田義郎・山田睦男編『ラテン・アメリカ史　Ⅰ　メキシコ・中央アメリカ・カリブ海』（山川出版社　一九九九年）　古代から現代までのこれらの地域の歴史を概説した書。

The Cambridge History of Latin America (12 vols; Cambridge: Cambridge University Press, 1981–1995)　一九八一―九五年にわたって出版された全一一巻一二冊からなるラテンアメリカ通史。コロンブスの新大陸到着前後から一九八〇年までを対象にして、各分野の専門家が執筆している。一一巻は詳細な文献解説編。

第二章　ラテンアメリカの政治

●遅野井 茂雄

序　民主化と伝統の拘束

一九世紀初めスペインの植民地から独立したラテンアメリカ諸国はアメリカ合衆国の独立やフランス革命の影響をうけ、自由主義、国民主権、大統領を元首とする共和制、三権分立の理念や制度とともに、議会政治をいち早く導入した。以来二世紀近くが経過するが、各国は安定した民主的な政治システムを確立できず、この地域の政治は議会政治と間欠的に発生するクーデター、独裁や軍事政権の乱立する不安定さを特徴とするものであった。しかし一九八〇年代、軍部はいっせいに政治の表舞台から撤退し、ニカラグア、ハイチ、パラグアイに残されていた家父長的な独裁者も姿を消し、ほとんどの国で議会制民主主義が回復した。今日ほど地域規模で長期に民主政治が広がった時期もなく、この変化はラテンアメリカ政治史上、特筆すべき転換である。

しかし民主政治の確立の前には、大きな困難が横たわっている。民主化を求める冷戦後のグローバルな環境は民主政治の維持にとって好ましい要因であるが、非民主的な政治慣行、軍部に対する文民統制の弱さ、広範な貧困層の存在と世界的にも大きな所得格差、民族的差別が埋め込まれた社会格差、不十分な教育水準、厳しい社会経済情勢など、安定した民主政治の確立を促す諸条件において多くの課題を抱えている。基本的に、形式上の民主主義の制度的枠組みと、現実面での地域固有の政治慣行や文化、社会構造の間にはいぜん大きな隔たりがある。

一　ラテンアメリカ政治の伝統と基礎

政治文化

ラテンアメリカ地域の政治は、地理的多様性と民族的亀裂、征服にともなう分断的統治によって増幅された相互不信感に強く影響をうけている。ラテン人特有の個性の強さとも相まって、政治社会の統合や結束は困難であった。

この地域は一般に、相互信頼や水平的協調関係は弱く、同一の政治共同体に属すという意識の希薄なところである。見ず知らずの個人が自由に組織を結成し、共通の目標に向けて協力し合うという自治や市民社会の基盤は乏しい。むしろ個人関係のネットワークや垂直的な従属関係が優位に立ち、階層的秩序を支えてきた。植民地時代の中央集権の伝統を引き継ぎ、また独立後の大統領制のもとで強化された行政権を抑制する力も一般に脆弱である。

政治的伝統には、次に述べるような権威主義や恣意的な支配に結びつく要素、エリート主義など階層的秩序の維持につながる固有の文化がある。それはイベリア半島から導入され、土着文化と共鳴し合い、三百年にわたる植民地社会で発展をみた政治文化である。独立という契機に植民地的な社会経済基盤が清算されず、二〇世紀に入り社会革命が起こった所でも、統治形態において伝統的要素が形を変えて維持された。伝統は近代化と共に変化しているが、現代の形式上の政治制度の基層をなし、民主政治の運営にも間欠泉やマグマのように影響を与え続けている。

もっとも独立以降この地域には自由主義制度が導入され、チリ、ウルグアイなどでは民主的経験が比較的厚く蓄積されており、伝統や文化による拘束は国によって濃淡がある。またカリブ海諸国の多くは、第二次世界大戦後に独立した旧イギリス領植民地で、英連邦に属し、英国女王を元首とする立憲君主制の下で、比較的安定した議院内閣制をとっており、旧スペイン、ポルトガル植民地のラテンアメリカとは異なる制度、文化的な基盤をもっている。

ペルソナリスモ

政治と社会のあり方を規定する重要な要素がペルソナリスモである。それは法律など非人格的で冷たい抽象的な原理よりは、特殊個人的な人間関係を重視する態度や姿勢といってよい。相互不信の支配する世界で、彼らは家族、コンパドラスゴ（擬制的親族関係）を介した拡大家族、友人関係など個人関係のネットワークを軸に安住できる閉じたサークルを形成している。いわゆるアミーゴ（友人）社会であって、そこには比類ない友情関係が存在するが、信頼関係は個人的ネットワークの外には広がりにくい特徴を持つ。政治面で強調すべきは、厳しい階層社会のもとで、身分や財産、権力や地位の異なる二者の間で、忠誠の見返りに庇護や恩恵を期待する直接的で垂直的な相互依存関係が優位をなしているという点である。同一階層内の横の連帯関係は希薄で、底辺のない三角形で垂直につながれたパトロン＝クライアントのネットワークであり、権威主義的でエリート主義的な支配や統治の伝統の基礎を形作った。

個人的関係を重視する傾向は何よりも征服者によってもち込まれた伝統である。政治学者のリチャード・モースは、その由来の一端を王権と派遣された植民地幹部との関係、マックス・ウェーバーの支配類型の分類に従って伝統的支配における家産官僚制の伝統に求めている。首長たる王権は人格的忠誠関係に基づき家臣たる副王、アウディエンシア（聴訴院）の閣僚に植民地での支配を委ねるわけだが、任期を限定し官職の権限を曖昧にして相互で牽制させ、幹部の間に忠誠関係の競争を強いたのである。また本国から派遣された植民地の行政幹部は、国王名で本国から発せられた夥しい規則や法律を骨抜きにして統治を行った。いわゆる国王の法律は「尊重すれども服せず」という表現にあるように、植民地社会の事情に応じて恣意的に運用され、物事の処理には人の要素を介在し、情実や役得を基礎に統治を行った。それはこの地域の法文化を特徴づけ、法の公平な運用を阻害する傾向を強めた。

家産官僚制の伝統は今日の合法的な秩序を特徴とする近代官僚制と同居している。独立を機にアメリカ合衆国に倣って大統領制が導入されたが、それは同時に政治的任命制や猟官制を普及させた。政権が変わるごとに個人的忠誠関係に支えられて部下や友人、一族郎党、支持者らが政権に入って公職を独占・私物化することになり、行政府優位の政治構造の中でネポティズム（身内びいき）や腐敗体質を強めてきた。政党や労組など現代の政治運動や組織にもこうした個人的関係が顕著にみられる。政党や運動は、理念や思想というよりは個人的忠誠関係を基に結成されることが多く、政党の創設者は忠誠関係の頂点に立つ人物で、支持者たちの帰依を代表する傾向がある。個人名が政党や運動につけられることも少なくなく、創設者の死はしばしば政党の分裂や解体につながった。

ペルソナリスモは、統治の恣意的形態、独裁や権威主義的支配を育んできた。それは、独裁か混沌かという両極端を歩むことの多かったこの地域の政治の変わらぬ特色をなし、複雑に入り組んだ法的拘束を乗り越え、膠着状況を打開する利点をもたらしたが、非人格的な組織原理が不可欠な近代的な法治国家とは相容れない要素であり、法律や手続きに則った形式的な制度の定着を困難にしている。

こうしたところで指導者はカウディリョ（統領）であることを求められる。独立後、王室の権威が失われ、共和国政府による安定した秩序も確立されない権力の空白状況のもとで、地方を基盤に財と武力を基に個人関係を拡大して権力を争った軍人指導者をカウディリョといい、その統治や支配の形態をカウディリョ主義という。混乱期の秩序形成に一定の役割を担い、一九世紀の半ばには国家統一を推進し、近代的行政機構や社会基盤の整備に貢献した開明的なカウディリョが登場した。歴史的に限定された存在を離れ、現代社会でも強い個性とカリスマ性をもつ強力な指導者をカウディリョと呼ぶことが多く、国民も指導者としてのカウディリョ性を賛美する傾向が強い。

階層社会と有機体的秩序

ラテンアメリカは上下の格差の著しい、階層的な社会であり続けている。それは二〇世紀に入って社会改革がなされ、近代化で社会流動性が高まったにもかかわらず、今日まで基本的に変わらない特徴である。階層性はインカ時代のような神政的古代帝国に厳然とみられ、そこではインカを頂点に貴族、被征服貴族、首長クラカを介し、親族集団であるアイユ共同体の民を底辺に置く厳しいピラミッド的な秩序ができあがっていた。そこに、征服によってヨーロッパ中世のカトリック的な政治思想に基づく身分制的統治形態が導入され、三世紀に及ぶ植民地支配の中で階層社会は強化され純化されてできあがった。

カトリック的な中世の政治思想では、個人はあらかじめ定められた階層的身分的秩序の中にそれぞれ固有の役割をもって生まれ、その置かれた場所で本分を尽くすことによって、神の創った壮大な目的に沿うものと考えられた。階層社会においては奴隷や先住民も人間として一定の身分を与えられたのであるが、差別や不平等は血統の純粋さや肌の色に照応した身分的秩序の中に所与のものとして含まれていた。社会は、細胞や器官が固有の機能をもちながらも全体として一つの生命につながる生物のような有機体と擬せられたのである。階層を構成する白人や各種の混血、軍人、聖職者、地主層、あるいは職能団体がそれぞれ異なる機能をもちながらも、社会全体の秩序に奉仕すると考えられたのがコーポラティズム（団体統合主義）の理念型である。コーポラティズムは機能的に定義すれば、公的に認可された限られた利益団体が国家の公共政策の決定過程に組み込まれる利益代表の形態だが、団体はそれ自身が階層的で、個人関係を軸にしたネットワークによって垂直的に分断されている。

この理想は、二〇世紀に入り近代化によって身分的社会秩序が崩れ、新たな秩序や統合が必要となる時代に姿を変えて蘇った。中間層が政治主導権を握り、企業家層や労働運動など新興の組織や団体に排他的代表権を与えて国家機構の中に編入する装置として利用されたのである。こうした上からのコーポラティスト体制が安定した秩序を創り上げた例は、労働者、農民、ホワイトカラーを全国的に組織化し、国家に繋がる党の構造に組み込んだメキシコのＰＲＩ《プリ》（制度的革命党）体制を除けば少ない。むしろ利益団体が自立的動きをみせ、独自の手段に訴えて過剰な要求を突きつけるか、政府機関を植民地化して混乱をきたし、軍の政治関与を誘う例が多かった。

軍とカトリック教会の役割

軍は、長い独立の過程とその後の政治混乱の中で秩序維持に関与したため、大きな政治的影響力を保持してきたが、それは文民勢力の統治能力が弱く、安定した秩序を構築できなかったことの裏返しでもあった。軍がカウディリョ的なものから近代的な職業軍隊へと脱皮するのは、一九世紀後半、大地主層を中心とする寡頭支配の時代である。ドイツやフランスから顧問団が招かれ職業専門化が進んだが、軍は地主支配層の利害擁護の砦となり、排他的な支配体制への不満を武力で鎮圧する役割を担った。伝統的に軍の役割は保守的なものであったが、二〇世紀、中間層が政治進出を図る時代になると、出身階層を同じくする陸軍を中心に、その政権到達を支援する傾向が現れる。だが後に述べるように、労働運動などが急進化し革命的危機状況が出現する一九六〇年代半ば以降、軍の政治関与は保守化するか、政治的安定と開発の推進役に転換していった。その過程で政治的特権とともに経済的特権を強めた例も稀ではない。八〇年代から始まった民主化の過程で軍と政治の関係は質的に変化しつつあるが、憲法上も戒厳令など例外体制の規定を設けるなど、制度的に軍の役割は大きい。他方、政治的役割を減じた例もみられ、メキシコでは革命政党に組み入れられて公的な代表権を失い、コスタリカでは軍そのものが廃止された。

カトリック教会は、植民地以降のラテンアメリカの精神世界を支配し、階層的な社会構造と一部富裕層による寡頭支配を支える役割を果たしてきた。植民地時代に自らが大土地所有者として富を蓄積した例も珍しくなく、独立後、その膨大な権力は自由主義者による反教会主義の立場から抑えられたが、保守勢力との連携などを通じてその影響力を強く残した。メキシコでは一九世紀半ばの自由主義改革の中で現れた反教会主義や二〇世紀の革命で影響力は減退し、キューバでも革命によってそれは著しく後退した。教会が保守的役割を脱するのは、プロテスタント勢力の伸長がみられ、またバチカンが民主主義や人権、社会的公正に強くコミットし始める一九六〇年代になってからである。六八年のメデジンでの司教会議を経て、進歩的な聖職者たちは貧困層の生活の改善を目指して社会活動や組織化に参加し、一部はマルクス主義と合流して「解放の神学」と呼ばれる急進的な流れを形成し、社会変革や民主化の重要な担い手となった。

二　政治体制の変化

独立後の政治体制

独立に際しほとんどの国で立憲共和制が採用されたが、帝政が選択された例もある。メキシコでは一〇カ月という短期間、イツルビデを君主とする帝政が生まれ、一八六三年にはフランス軍によるメキシコ市占領にともなって皇帝に就いたマキシミリアンのもとで約三年間帝政がしかれた。ブラジルは独立による体制の断絶を経験しなかった。ナポレオン戦争でブラジルに逃れたジョアン国王の王子ペドロを担ぎ、立憲君主制として地主層が独立を果したからである。一八八九年共和制が誕生するまで帝政の下に置かれたのであり、独立後を比較的安定のうちに迎えた。他の国では、まったく未経験の制度を採用して政治は混乱したが、とくに独立後の秩序形成をめぐり自由主義者と保守主義者の間に相克がみられた。独立にあたり啓蒙主義を受容した自由主義勢力は欧米の政治理念を模範とし、教会の権力を減ずるとともに、植民地的な権力の集中を是正するため、権力の分散こそ優先すべきだとして連邦制を主張した。これに対し保守主義者は、近代国家を樹立するには地域の独自性を解消する中央集権が不可欠と主張し、国によっては両勢力の間で激しい闘争が繰り広げられ、混乱を助長した。

オリガルキーアないし限定的民主主義

一九世紀末にかけてラテンアメリカ諸国は自由主義者の勝利の下、政治的に安定期を迎える。多くの国で一次産品の輸出を背景に経済力をたくわえた文民富裕層が政治権力を握り、カウディリョ政治から脱し、制限的ながらも議会政治が定着した。支配層は実証主義の影響をうけ、自由貿易を推進し、外資を導入して輸出向け農鉱産品の開発を進めた。社会基盤や行政機構が整備される初期近代化の幕開けであったが、輸出産業の所有者や大商人ら名望家層と、それに連なる弁護士が参加するだけの貴族的な少数支配であり、民衆層は排除された。こうした少数有産者による政治支配は、寡頭支配体制（オリガルキーア）と呼ばれる。土着文化を否定し欧米を指向した自由主義支配層のもとで、外資の浸透を許し、新植民地主義が強化された。

チリやコロンビアを除けば、寡頭支配層が、その強大な影響力を近代的な保守政党に転換することで行使した国は少なく、むしろ秩序維持の役割を軍に担わせた。支配層間の利害対立やコスモポリタン的性格のため、伝統的諸政党は国民的基盤をもつ近代政党に脱皮できず、次に述べるポプリスモの過程で分裂するか消滅し、健全な保守政党としての役割を果たすことは少なかった。その空白は多くが軍によって埋められることになる。この地域には階層社会の特徴を反映し、政治・経済権力の寡占状況が存在しており、政策決定過程にはつねに閉鎖性がつきまとう。

ポプリスモ（民衆主義）——政治参加の拡大

二〇世紀に入り民衆が政治舞台に登場する。都市民衆層の登場を、新興エリートが政治資源ととらえ、ポプラル（民衆）に訴えて権力を握り、民衆層を政治に統合する運動がみられた。初期近代化は、中間層の輩出、都市人口の増加、労働運動の発生など固有の社会変動を引き起こしたが、こうした変動を背景に主に中間層の主導のもとで都市民衆層や労働者層を動員し、外資（帝国主義）と結びついた寡頭支配体制に対抗する民族主義的な運動が、とくに支配体制が動揺する世界恐慌を分水嶺にして、第二次世界大戦以降、各国に広がった。

ポプリスモは曖昧な概念である。大学出の指導者が民衆の心を掴む巧みな話術と扇動の術をもってその政治目的を達成する例が含まれる。公約は裏切られることが多いが、民衆を政治に動員することで支配体制を動揺させた。ブラジルのヴァルガス、メキシコのカルデナス、アルゼンチンのペロンなどは、明確な変革の担い手として、工業化を進め、労働者や農民の組織化を通じ、民族主義を発揚させ国民統合を推進した。ペルーのベラスコは、植民地時代末期に南部アンデスで反乱を起こしたトゥパク・アマル二世の象徴を利用して、農民層を組織化した。つまりポプリスモは、とくに中間層出身の指導者が民衆という象徴に依拠して現状打破を訴え、中間層、企業家、労働者、都市民衆（ある場合には農民）という階層間の協調・連携関係を築いて政権を掌握し、国家機構を通じて民族主義的な政策や社会福祉を実現する運動ととらえることができる。経済政策では国家主導のもとで国内市場向けの輸入代替工業化を推進することが一般的であった。それは、独立以降も欧米指向のもとで続いた資源輸出に基づく新植民地主義的支配形態から脱し、工業化を進め、民族主義を高揚させて、初めて民衆層を含めた国民国家の建設を模索する試みであったが、他面でそれは、高まる社会問題を背景に社会主義の拡大に危機感をおぼえたエリート層が、階層的伝統に則って行った対応と解釈することもできる。社会主義の階級対立観を否定し、民族主義を基調とした、支配層を除くすべての国民各層の統合を理想としたのである。

普通選挙法の導入により政治参加を拡大することが一般的で、ポプリスモは参加という点からみれば初期民主化の進展を意味し、国によっては社会革命に等しい変動を経験した。しかしパトロンとしての指導者のエリート主義や権威主義が影を落とし、民衆の組織的動員と国家への編入というコーポラティズムの影響をうけ、独裁体制に移行した例も少なくない。運動はペルーのオドリア将軍のように指導者個人に依拠したものから、メキシコのＰＲＩ《プリ》、ブラジルの新国家体制、ペルーのアプラ党、ボリビアの民族革命運動、ベネズエラの民主行動党、コスタリカの民族解放党など組織政党によるものまで幅広いが、後者の場合でもカリスマ性をもつ強力な指導者の存在があった。

ポプリスモを中間層の政治進出を促す運動ととらえたとき、メキシコやボリビアのように、農地改革や内外の独占資本の国有化など社会革命の結果、支配層が権力基盤を失い、中間層が政治の主導権を握った例と、アルゼンチンやブラジルなどのように大土地所有制が残され、伝統的地主層とポプリスト的エリート層が併存して権力を競い合った例とに分けることができる。中米では、ポプリスト的な再編による改革が行われずに軍事独裁体制が維持され、その後の中米紛争の火種を残すこととなる。

大衆の票が政治を左右する大衆民主主義の時代にあって、階層社会の下で所得格差が極端に大きく、個人崇拝の土壌をもつラテンアメリカでは、雄弁でカリスマ的な指導者が現れて民衆層の不満を動員する誘惑や政治スタイルからは免れにくいといえる。だが、古典的なポプリスモにみられたばらまき型の財政運営や国家主導の輸入代替工業化路線は、慢性的財政赤字とインフレ体質をもたらし、グローバル化を背景に自由主義経済に転換した今日では、その有効性を失っている。むしろ財政規律と市場重視の体制の下で、貧困対策など社会政策を通じて貧困層の支持を動員しようとする運動が現れる場合があり、これをネオ・ポプリスモと呼ぶ。

新しい軍政——権威主義体制

一九六〇年代半ばから、コスタリカ、コロンビア、ベネズエラなどを除き各国は軍事政権に移行し、チリやウルグアイなど民主政治が根づいたとみられた国でも軍政が誕生した。これらは、従来の軍政が反対勢力に寛容な性格を示したのに対し、左翼勢力や労組を弾圧し多大な人権侵害をもたらした点に特徴がある。短期の秩序回復や調停の役割を終えて兵舎に退却するか、クーデター首謀者が個人独裁化するといった旧来の性格と異なる展開をみせた。社会主義の攻勢や革命から体制を擁護し、安定と開発、国民の福祉向上を国家安全保障上の要諦とする独自のドクトリンを携え、陸海空三軍の官僚機構が制度として長期にわたる政治支配を敢行しようとしたのである。

新しいタイプの軍事政権を促した背景には、経済危機が生じて、ポプリスモに固有の編入型政治が限界をきたし、イデオロギー対立と階層間の対立が激化したという事情がある。六〇年代初め、輸入代替工業化が停滞期を迎え、また都市への民衆層の集中とスラム化の進行、労働運動の攻勢によって危機的状況を迎えていた。とくにキューバ革命（一九五九年）の成功は大きな衝撃を与え、左翼勢力を活気づけた。アメリカ合衆国は軍事援助を通じて、各国の革命運動やゲリラ闘争を鎮圧・予防するために関与した。政権を担当していたポプリスト型文民政権は高まる革命的圧力に対処できず、混乱した状況が展開された。チリでは社会主義を性急に実現しようとする政府側とそれを阻止しようとする保守層や中間層との対立が激化し、経済破綻の中で社会対立と分極化が頂点に達した。

こうした中で高度に官僚化した制度としての軍が、独自の開発や改革と安全保障のビジョンをもって介入し軍政をしいたわけだが、南部諸国の軍政と中央アンデス諸国やパナマの軍政との間には性格に対照的な面がみられた。工業化が進んでいたブラジルやアルゼンチンでは輸入代替産業の高度化を狙い、軍が政治的安定を確保し、軍民テクノクラートと資本・技術をもつ多国籍企業との連携関係を模索した。同じく保守的性格を呈したチリでは、「シカゴ・ボーイズ」（アメリカのシカゴ大学で教えをうけたエコノミストたち）の登用による脱工業化などドグマ的な経済自由主義に転換した。これに対し、改革と開発が遅れたアンデス諸国では軍はむしろ改革主義を指向し、とくにペルーのベラスコ政権は社会正義の実現や自立経済の達成という軍人たちの熱意に支えられ、農地改革や輸入代替工業化を通じて、マージナルな地位におかれていた労働者や農民、民衆層を国民経済に統合しようとした。

しかし軍の支配は政治秩序の回復や、国民合意となっていた改革を行うという初期の目標を達成したものの、長期支配を正当化する開発目標には失敗した。むしろ政府部門の肥大化や借り入れ依存型の政策を進めて構造的不均衡を悪化させ、経済発展という目標はほとんどの国で達成できなかった。長期支配が続く中で、初期のうちは介入に賛成した中間層にも見放された軍政は、反対運動が生じると武力で対応せざるをえず、この過程で甚大な人権侵害が生じた。また腐敗も顕在化するなど、軍の運営能力に対する評価が低下し、軍は社会から孤立する悪循環に入っていく。長期支配の下で軍自体が政治化し、組織的一体性を維持することが困難となる。社会からも民主化要求が出され、アメリカのカーター政権の人権外交もあり民政移管の機運が生じた。中央アンデスの国々は八二年までに民政に転換する。またオイルショックと債務危機後の経済危機は、順調な経済成長をとげたブラジルの軍政にも打撃を与えた。この中で八二年の債務危機後にプラグマティックな経済自由主義への転換をはかり、八五年以降持続的な成長の道に入ったチリの例は、経済目標の達成に目途をつけたという点で例外といえるが、チリの軍政も地域全体が民主化の潮流に覆われる中で、九〇年に民政移管を余儀なくされた。

社会主義体制

ラテンアメリカで革命という言葉は政治革命を指すことが多く、軍事クーデターも革命と呼ばれることが少なくなかった。社会構造の変革をともなう本来の革命は、メキシコ、ボリビア、キューバ、ニカラグアなどと少なく、メキシコとボリビアの場合は民族主義的性格の下でポプリスト型体制に収束し、経済面でも国家資本主義の枠内におさまった。チリでは、アジェンデ政権が平和裏の社会主義への移行を試みたが、軍のクーデターで倒され、ニカラグアでもサンディニスタ政権が社会主義化を試みたものの、経済混乱から支持を失い、一九九〇年の選挙を機に自由主義的な民主体制へと転換した。その意味で純粋な社会主義体制に移行したのは、キューバのカストロ政権のみである。カストロ政権は地域に固有の伝統的な階層的秩序を打ち破り、政治・経済的自由を犠牲にしつつも、ソ連の援助に救けられ、公平な社会を築くことに成功した。だが中央指令経済の限界は明らかで、ソ連崩壊後、外資導入など経済の自由化を余儀なくされる苦境に立たされ、その中で所得格差も生じている。

三　現代大衆民主主義の実態と課題

民主化の進展

一九九〇年チリで民政移管が実現し、ほぼすべての国で議会制民主主義が復活した。先述のように、八〇年代の民主的変化はこれまでの変化とは異なる性格を持つ。とくに八〇年代の未曾有の経済危機（「失われた一〇年」）から、市場化という半世紀に一度の大きな経済転換を経験したにもかかわらず、民政が維持された点は特筆に値しよう。普通選挙権の非識字層への拡大、有権者年齢の引き下げ、都市化の進展などを背景に、民主主義はより大衆的で都市的な性格を帯びた。基本的な市民的権利が回復ないしは強化され、憲法改正や和平によって先住民の権利が法的に保証された。より公正で定期的な選挙で指導者が選出されるという最低限の手続きが回復している。冷戦終結や民主化というグローバルな環境変化は、長引いた紛争を終わらせ、軍の介入を抑制する条件となっている。

長期軍政の経験は、政治勢力や市民社会に、民主主義の重要性を喚起する契機となった。中間層は人権や政治参加の問題で、企業家層は経済運営の点で、軍政に寄せた期待感は裏切られた。かつて軍に依拠して政治の安定を図ろうとした企業家層は、利益団体の強化を通じて民主政治に積極的に参加することでその影響力を保持しようとしている。左翼勢力は、かつて「ブルジョワ民主主義」として敵意すら示した民主制度を、人権擁護の最後の砦として再評価し、改良や妥協を容認している。また軍政期を経て、「解放の神学」などカトリックの社会思想に基づく運動、女性運動、母親クラブ、住民運動など、民衆層による、より自立的で構成員のより平等な関係に立つ社会運動が勃興し、市民社会の裾野を広げた。

民主化のグローバル化

冷戦の終結とソ連の崩壊は、社会主義への幻滅を決定づけ、市場経済が地域を席巻した。イデオロギー対立が弱まった結果、社会主義か資本主義かの体制選択を争点として政治が分極化する可能性はなくなった。左翼勢力も性急な所得再分配を求めるのではなく、市場原理の重視や安定したマクロ経済運営を支持するに至り、中道指向となった。社会主義の代替として機能した国家資本主義やコーポラティズムも市場経済にそぐわない非効率な形態とみなされ、自由民主主義と自由市場経済を軸にした政治・経済システムが唯一の制度的枠組みとして残った感がある。

米州をめぐる国際環境は地域全体で民主主義を擁護する新しい環境を創り出した。冷戦終結後、アメリカ政府の民主化促進策は揺るぎない外交原則となり、民主主義の維持が西半球の集団安全保障の基礎であると確認された。

とくにアメリカ、カナダを含めラテンアメリカとカリブ諸国の全三四カ国（キューバを除く）を包括する地域協力機構である米州機構は、一九九一年六月、地域の議会制民主主義を集団で擁護する決議に基づき、民主化の維持・促進に直接関与している。直後にハイチで発生した軍事クーデターへの介入と初の民選大統領アリスティドの復権（九四年）、また政府と反対派の対立で民主政治が危機に瀕したベネズエラにおける、危機打開のための政府と野党との合意（二〇〇三年）など、直接的な内政関与のほか、活発な選挙監視活動を通じて地域の民政維持に貢献した。米州機構は二〇〇一年九月には米州民主憲章の採択で民主化促進のより大きな権限を付与されたが、皮肉にも、同時多発テロの影響でアメリカ政府が対テロ戦争を主眼とした単独主義に傾斜するにともない、地域的な民主化促進体制は求心力を失いつつある。

グローバル化にともない活発化した地域統合も民主化を促進した。北米自由貿易協定（ＮＡＦＴＡ）によりアメリカとの統合を強めたメキシコでは、一党独裁を維持してきたＰＲＩ《プリ》体制が二〇〇〇年の選挙で七一年振りに政権を明け渡し、安定のうちに多元的な民主政治への歩みを開始した。南米南部共同市場（メルコスル）や米州自由貿易地域（ＦＴＡＡ）のように、民主体制が統合の恩恵をうける加盟条件となっていることもクーデター抑止につながっている。九一年に発足したイベロアメリカ首脳会議、九九年から始まったＥＵ・中南米首脳会議のように、共通の文化を有するスペイン、ポルトガルやヨーロッパとの統合・協力関係も、民主主義の維持に貢献している。

新自由主義と民主主義

だが民主化が単なる民政の維持にとどまっているかぎりにおいて、ラテンアメリカの民主主義は安定しないであろう。きわめて不平等な階層的構造を持つラテンアメリカ社会において、法で定められた平等な市民権の行使は低所得層や先住民にはおぼつかないのが現状だからである。憲法で定められた原則としての市民権と現実に行使される市民権との間の乖離はいぜん著しい。底辺層の生活条件全般が改善されるとともに、先住民や貧困層が対等な市民としての立場を築き、強化された民主制度のもとで政治参加の機会を増大させることが必要である。民主主義の深化と発展が求められる所以である。

だが新生民主主義は、厳しい経済環境によって試練に直面している。一九八〇年代の経済破綻と、九〇年代にかけてのグローバル化に対応した厳しい市場改革によって、民主主義を支える市民社会の基盤は甚大な影響をうけ、脆弱化している。各国政府は財政規律の堅持とともに「小さな国家」を目指して国営企業の民営化を進めた。経済領域からの国家の退場は、電力、港湾、水道、あるいは年金といった福祉分野にも及んだ。この結果、国家に指導され保護されてきた経済体制に代わって、市場原理にすべてを委ねようとする新自由主義が支配的になった。

政府の合理化・民営化の過程で、多くの労働者、ホワイトカラーが職を失い、保護主義に守られてきた民間企業は、輸入自由化で倒産やリストラを余儀なくされた。構造調整で生まれると考えられた新たな産業でも失業は十分吸収されず、経済回復にもかかわらず地域全体で失業率は一〇%を越す水準で高止まりし、インフォーマル経済が拡大した。国際競争力向上のため、労働コストの削減が目標となり、解雇や外部委託など労働の柔軟化を前に労組は弱体化している。市場化により自由な経済活動が可能となったが、人々はそれだけに厳しい競争社会に放り出されたといえる。階層的な社会構造からして個人の資源や能力にはそもそも大きな格差があるため、市場改革の恩恵はビジネス・チャンスをいち早くとらえてそれに対応できた教育や資産をもつ層に限られ、格差は広がった。

チリのように持続的な成長が続けば貧困も徐々に解消され底上げが実現するであろう。だが成長が所得格差の是正につながらないラテンアメリカにおいて、公正な競争を促す規制の整備とともに、教育や職業訓練など市場への参加機会を平等にする努力がなされなければ、「野蛮な資本主義」のもとで所得格差はさらに拡大し、国民の大多数は排除されかねない。「小さな国家」の成功は、財政負担を強いた生産活動から撤退した国家が、教育、保健、インフラなどの公共サービスの充実に専念し、市民社会の基盤を強化することに依拠するはずだが、短期的には改革による犠牲が先行し、犯罪や暴力が増大するなど、民主主義の前提となる社会の統合や市民の参加能力は失われつつある。民主化にともない先住民の政治参加が促され、一九九〇年代に入り多民族多文化国家が憲法において認知された結果、民族固有のアイデンティティに基づく政治参加や平等な市民権の行使が期待されたが、経済改革で

「小さな国家」への移行、ないしは国家の不在が加速されたため、先住民が市民権を行使するのに必要な条件整備に政府の支援が期待できないという状況が生まれた。

ＮＡＦＴＡの発効に合わせたメキシコでのサパティスタ民族解放軍の反乱、エクアドルでの新自由主義改革やドル化に反対する先住民の反乱、水の民営化や天然ガスの輸出に反対するボリビアの農民層の反乱、ペルーでの電力民営化に反対する民衆暴動など、グローバル化や新自由主義に抗議する動きが広がった。とくに一九九八年から二〇〇三年にかけて経済不況に再び襲われると（「失われた五年」）、エクアドル、アルゼンチン、ボリビア、ハイチなどで、街頭からの民衆の抗議行動や反乱が大統領を辞任に追い込む事件が相次ぎ、民主制度は大きく揺らいでいる。この中で、民主主義の維持への熱意が全体として低下し、権威主義体制でも生活を改善する政権ならば構わないといった意識が世論調査でも強まる傾向がある。

民主制度の実態と課題

また経済転換は多くの国において、合意形成という民主政治のルールからはほど遠い政策決定の下で進められた。国際通貨基金（ＩＭＦ）など国際機関の意向が強く反映される一方で、国内的には十分な情報公開も審議の余地もなく、むしろ大統領権限を背景に一部テクノクラートによって改革が行われた。この「大統領独裁」ともいえる政策決定は、三権分立を形骸化し、腐敗を内在化させた。この中で政策の連続性や安定が、強力な大統領個人や一握りの経済チームに支えられる傾向が生まれ、アルゼンチンのメネム、ペルーのフジモリ、ブラジルのカルドーゾは連続再選禁止条項を修正することによって再選された。

民主政治の中心となるべき政党政治の再建も重要な課題である。経済破綻や腐敗、治安の悪化を経験した国では、エリート主義的で国益の実現に成果を出せない既存の政党政治や政治家への不満が頂点に達した感があり、その中からフジモリやチャベスなどアウトサイダーが台頭し、ネオ・ポプリスモや権威主義化の傾向を強めた。フジモリは治安問題の解決と経済改革への評価で再選されたが、強硬に三選を果たした後、腹心顧問の腐敗が暴露され辞任を余儀なくされた。石油輸出国ベネズエラでは、二大政党に対する信頼が、困窮化と腐敗に対する批判から一挙に崩れ、二大政党制の打破と貧困層の革命を目指すチャベス政権の誕生と強権化を促した。伝統的な政治文化に特徴づけられる既成政治に反発して政権を獲得した運動が、民主的制度を弱体化する危うさをあわせ持つことを、両政権の経験は物語っている。

グローバル化と脱イデオロギーの時代にあって、社会の多様な個別利害が噴出しているが、旧来型の政党政治はこれに応えられず刷新されないまま、社会との関係と代表能力を失い漂流している。とくにアンデス諸国ではこの問題は深刻である。チリやコスタリカでは政党政治が発展し、またブラジルのルーラに指導された労働者党、ウルグアイの左派拡大戦線はグラスルーツ（草の根）の運動と地方自治の経験を基礎に全国政党に発展し、相次いで政権到達を果たした。こうした例に見られるように、政党が党内の民主化を遂げるとともに、伝統的な政治文化から免れ、構成員のより平等な関係に立つ社会運動などグラスルーツの運動との多面的な連携関係を模索することにより、政党政治が社会との関係を再構築することが求められている。

民主主義の定着には社会に根を下ろした制度の構築が必要である。だが軍政による中断に加え経済危機で衰退したため、安定した制度を基礎に民主主義が機能している国は少ない。民主主義と市場経済の発展に重要なのは司法制度の再生であろう。司法制度は総じて形骸化し、予算に乏しく腐敗を構造化させており、多様化した現代社会の要請に対応できないでいる。多くの国で先住民の権利が法的に保証されたが、法律を実効的にするためにも抜本的改革が不可欠である。

政治腐敗はラテンアメリカの政治伝統の一部であり、国際的にもそれは認識されている。ブラジル、ベネズエラでは現職大統領が腐敗疑惑から弾劾され起訴される例が発生した。また大統領経験者の腐敗をめぐる訴追など、腐敗を厳しく追及する傾向が生まれている。腐敗の追及それ自体は、透明性や説明責任という点で政治に対する国民の信頼回復にとって有用なことであるが、前政権の腐敗を暴くことが政権の政争の具とされる好ましくない傾向も見られる。問題は政治に透明性をどう確保するかである。選挙に勝利した政党が政府を支配し私物化する伝統的な構造にメスを入れ、より政治から中立的な官僚制度を構築することが、ＩＴの活用とともに求められている。各国で地方分権化が進んでいるが、地方政府に中央政府の腐敗構造が移転されるだけの傾向もあり、地方政府のガバナンスの確立が必要である。

もとより軍が文民支配に完全に服すことが民主主義の定着には不可欠だ。構造調整が軍にも及び、一部で特権が奪われた例や、軍政時代の人権侵害について軍人自らが語り始めた例、アルゼンチンやチリのように軍人が人権問題で裁かれ始めた例もある。人権問題に限らず、いぜん軍のもつ影響力は大きい。パラグアイではクーデター未遂が発生し、エクアドルでは先住民との連携の下にクーデターで民主政権が倒れるなど、文民統制が徹底されない国が多いのが現実である。内戦で軍の役割が強化されているコロンビアを除けば、グローバル化の新しい環境下で、国連平和維持活動（ＰＫＯ）への参加など、軍の役割自体が問われている。

四　国際政治とラテンアメリカ

国際関係の分類

ラテンアメリカの国際関係は、域内の関係と、ラテンアメリカとアメリカ合衆国との関係を軸に主に展開されてきた。スペイン、ポルトガルの植民地であったというラテンアメリカ独自の歴史や文化を背景に、アメリカ合衆国を除き地域的な連帯関係を築こうとする動きが前者だとすれば、アメリカ大陸、西半球に位置するという地理的特殊性から、アメリカ主導で協力関係を進めようとする西半球共同体、汎アメリカ主義（パンアメリカニズム）、ないし米州としての動きが後者である。旧宗主国との関係ではイスパニスモ（スペイン主義）やイベロアメリカといった表現をもって関係が維持され、非イベリア系のヨーロッパ諸国とは、独立後の経済関係や移住者の流入、また文化、イデオロギー面での影響を通じて関係が強められた。中国、日本との関係は移住者を通じて一九世紀半ばに始まったが、ラテンアメリカ地域がアジア・アフリカといった第三世界を総体で意識するのは一九六〇年代から七〇年代であり、アジア太平洋への関心が強まったのは最近のことである。

ラテンアメリカの地域システム

域内の協力関係としては、独立後のラテンアメリカを連邦として統合しようとしたシモン・ボリーバルの考えがあり、一八二六年彼の提唱でパナマ会議が開催されたが、その理想は実現しなかった。その後、域内の連帯を強めようとする傾向は影をひそめ、むしろアメリカ主導の汎アメリカ主義が優勢となる。実質的な域内の協力関係として結実するのは、一九六〇年のラテンアメリカ自由貿易連合の結成によってである。その後、域内の相対的な先進国を利した統合に不満を抱いたアンデス諸国はアンデス共同市場として団結し、中米共同市場、カリブ共同体と同様、経済統合を独自で進めた。また地域での核兵器禁止を世界に先駆けて締結したトラテロルコ条約（一九六八年）や、流域諸国の協力をうたったアマゾン条約（一九七八年）など、域内の問題に対し域内のイニシアティヴをもって対処しようとする動きは数多くみられ、七五年には社会経済開発の域内協力を目的とするラテンアメリカ経済機構が設立された。

一九八〇年代半ばには債務問題をめぐり連帯の動きがみられたものの、債務危機収拾の主導権は最終的にアメリカと国際機関に握られていく。中米紛争をめぐりその拡大を恐れた周辺諸国が八三年コンタドーラ・グループを結成し、それを支援する南米諸国が八五年に支援グループを結成した。中米首脳による和平合意が進むにつれ、両者はリオ・グループとして結束し、民主主義の擁護、経済統合の推進などを目的に、首脳会議を軸に政治協議機構としての活動を続けている。九〇年代にかけて自由貿易を柱に亜地域の経済統合を再活性化する活発な動きが生まれ、この中で九五年南米南部共同市場（メルコスル）など新たな統合体も発足した。メルコスルと周辺の国々との協力関係が模索され、二〇〇五年にはアンデス共同体とともに南米共同体が動きはじめた。

アメリカ合衆国とラテンアメリカ――米州システム

ラテンアメリカ域内の協力関係は、北方の巨人を意識して展開されることが多かった。世界的な超大国として発展するアメリカ合衆国と貧しいラテンアメリカ諸国の関係は愛憎に満ちたものであり、アメリカにとり南の国々は自力で独立や統治を維持できない子供と映り、ラテンアメリカにとってアメリカは頼れる存在であるが、ときに傲慢な態度が鼻につき、その覇権主義はしばしば反発の対象となった（反米主義）。

ラテンアメリカの独立に際しアメリカから出されたモンロー宣言（一八二三年）は、南北アメリカ諸国に対する欧州列強の干渉を排除する目的をもったが、旧世界とは異なる西半球共同体という意識を創り出し、そこにおけるアメリカの優位とヘゲモニーを暗に宣言するものであった。その後アメリカはテキサス併合を経て大陸国家として発展するが、その領土的な膨張を正当化するため、自治と自由の実験を大陸に広げる「明白な天命」があるとの論理をもち出し、一八四八年にはメキシコとの戦争に勝利し、カリフォルニアなどを獲得した。これはメキシコ側の反米主義を歴史的なものとしたが、一九世紀末の外資優遇策を進めたラテンアメリカの自由主義的指導者の側には欧米指向、親米指向が顕著にみられた。一八八九年、第一回汎アメリカ会議が開催され、アメリカ主導の西半球共同体といった協力関係の枠組みが姿を現したのである。

アメリカは、米西戦争で勝利した後、中米カリブ地域でその権益を拡大した。プエルトリコを領有し、キューバの独立（一九〇一年）に際し事実上それを保護国とし、コロンビアからのパナマの独立を助けて運河を支配するとともに、海兵隊による軍事侵攻や民間投資を通じた権益の拡大など、一連のカリブ海政策を通じて、米州においてラテンアメリカを「アメリカの裏庭」とするヘゲモニーを現実のものとしていった。大統領セオドア・ローズヴェルトは、パナマ独立に際しモンロー宣言の拡大解釈を行い、この地域への警察権の行使を正当化した。こうしたアメリカの動きに対しては、ウルグアイ人の作家エンリケ・ロドの著作『アリエル』（一九〇〇年）の発表を機に、アメリカの物質文明に対する保守主義（イスパニスモ）の側からの批判が出されたが、ラテンアメリカ諸国が反米的外交をとるのはポプリスモの登場以降である。アメリカなどの外資と結びついた新植民地主義的な寡頭支配体制の打破を目指そうとした指導者たちが、反米主義的政策を求めたのは当然の成り行きだった。一九一〇年のメキシコ革命勃発から石油の国有化にいたる一九三〇年代にその動きがみられ、帝国としての北方の巨人に対抗する意識が強く芽生えていった。

こうした動きはアメリカに反省を促し、一九三三年にフランクリン・ローズヴェルトは帝国主義イメージを払拭するため善隣政策を打ち出し、保護国としてのキューバの地位を解消し、海兵隊を撤退させた。第二次世界大戦の勃発とともにアメリカは資源供給地としてのラテンアメリカ諸国をファシズムとの戦いに組み入れることに腐心した。アルゼンチンのように抵抗しようとする国もあったが、結局それに組み込まれた。各国は国交断交から宣戦布告を行い、アメリカの要請で、日本、ドイツ、イタリア国籍の住民や移住者も潜在的に敵性国側の人間とみなされ行動が監視され、とくにペルーでは一八〇〇人規模の日系人指導者が捕虜交換要員としてアメリカの強制収容所に送還された。

連合国として参戦したラテンアメリカ諸国は国連の原加盟国となったが、冷戦の深刻化とともにアメリカの対ソ反共封じ込め政策に組み込まれていく。一九四七年、米州相互安全保障条約が締結され、地域への共産主義の浸透を防ぐ集団安全保障体制がスタートし、翌年、汎アメリカ主義の系譜に立つ米州機構が設置された。冷戦時代、アメリカの関心は欧州やアジアに注がれ、ラテンアメリカ地域の社会経済問題への関心は遠のき、むしろアメリカはラテンアメリカの改革の動きを力で封じようとした。五四年の、社会改革を進めたグアテマラ・アルベンス政権の転覆に対するアメリカの関与は冷戦時代の対ラテンアメリカ政策を象徴する事件である。キューバ革命の成功は、そうした状況に異を唱えるもので、反米的動きを地域に広げた。革命の衝撃と反米主義の広がりに対し、六一年、ジョン・F・ケネディは「進歩のための同盟」政策を提唱し、年間一〇億ドルという援助を駆使して各国の社会経済開発や民主政権を強化しようとした。だがこの政策は、第二のキューバ革命を阻止する目的を主眼としており、六二年キューバを米州機構から除名するとともに、軍事援助を通じてラテンアメリカ各国の軍にテコ入れした。ケネディの死後、アメリカの同盟政策への熱意は冷め、共産主義の侵攻を防ぐには不安定な民主政権よりも安定した軍事政権や独裁政権を容認する傾向が強まった。

資源ナショナリズムと第三世界との連帯

一九六〇年代から七〇年代前半、ラテンアメリカ諸国はしだいにアメリカ離れを行い、ヨーロッパ諸国や日本、さらにはソ連など東側諸国との関係を築き、外交や通商関係の多角化を進める。国連の場などを通じて一致してそのプレゼンスを高め、キューバとも外交関係を再開した。とくに国連貿易開発会議（UNCTAD）など南北問題の討議に独自の会合をもち、結束してその立場を主張し、途上国七七カ国グループに合同で参加した。資源ナショナリズムが高揚する七〇年代前半、各国の民族主義政権のもとで第三世界外交がダイナミックに展開された。アンデス・グループに象徴されるように、外資流入に厳しい制限を課す経済民族主義の動きが進み、石油輸出国機構（OPEC）など資源保有国によるカルテルの形成にも参加した。七四年国連特別総会での「新国際経済秩序樹立宣言」など南北問題の解決に向けて、各国は指導的役割を果たしたのである。この時期は、国連や非同盟運動などを通じて、ラテンアメリカ諸国が積極的に自己主張を行い世界と関わった時代であり、多くの国際会議がこの地域で開催された。とくに輸入代替工業化など民族主義的開発の処方箋を第三世界に示すことができたのである。

民族主義の後退からアメリカとの協調へ

このような経済民族主義の潮流は七〇年代末には衰退していった。国際経済との遮断を前提に国内市場を向いた国家主導型の輸入代替工業化は、対外借入に依存する財政と非効率な経済構造を作り出した。債務危機を経て、八〇年代は深刻な経済危機に直面することで破綻し、民族主義的な独自外交は勢いを失った。とくに債務危機後の独自の調整策が失敗し、国際金融体制に影響力をもつアメリカや国際機関による救済が不可欠となり、一挙に市場化へ向けた改革が進展した。開発モデルの破綻を背景に、社会主義経済の破綻、市場化へのグローバルな動き、台頭する東アジア経済をみながら、ほとんどの国が新自由主義的な開放経済体制へと転換したのである。

そうした中でかつて見られないほどアメリカとの協調関係が築かれた。八九年末の米軍のパナマ侵攻には反米の動きがみられず、また翌年のブッシュ大統領の新中南米支援構想はラテンアメリカ諸国から歓迎された。反米主義を外交の基準に行動してきたメキシコが、九四年に北米自由貿易協定に加入しアメリカとともに発展する道を選択した。同年末クリントン政権によって招集されたマイアミでの米州サミットでは、米州諸国が対等のパートナーシップのもとに、民主主義や人権の尊重、米州自由貿易地域の創設などを軸に共同体を築くことが宣言された。米州自由貿易地域の交渉とともに、チリ、中米、アンデス諸国との二国間の自由貿易協定の締結や交渉が進んだ。

だが二〇〇一年同時多発テロ後のアメリカ外交の変化の中で、イラク戦争への支持は中米とカリブの国々に限定されるなど、協調関係にも不協和音がみられ、米州自由貿易地域の交渉も二〇〇五年の期限内合意が困難になっている。ブラジルのルーラ政権にみられるように、中国、インド、ロシア、南アフリカといった途上国でありながらも潜在的な大国との多角的な関係を基礎に、アメリカ一辺倒の関係を見直そうという動きも広がり始めている。また高成長を遂げる中国をはじめとする東アジアとの経済関係の強化が推進され、とくに中国のプレゼンスが拡大している。

【参考文献】

大串和雄『軍と革命――ペルー軍事政権の研究』（東京大学出版会　一九九三年）　ラテンアメリカの軍部とペルーのベラスコ政権を政治と軍の関係から分析。

大串和雄『ラテンアメリカの新しい風――社会運動と左翼思想』（同文舘　一九九三年）　民主化と「新しい社会運動」を論じている。

遅野井茂雄編『冷戦後ラテンアメリカの再編成』（アジア経済研究所　一九九三年）　一九九〇年代にかけ大きく変化したラテンアメリカの政治経済を広く論じた専門書。

遅野井茂雄／志柿光浩／田島久歳／田中高編『ラテンアメリカ世界を生きる』（新評論　二〇〇〇年）　第二部「権力をめぐる世界」ではポピュリズム、パトロン＝クライアント関係に基づく現実の政治世界が叙述されている。

加茂雄三編『ラテンアメリカ〔第二版〕』（自由国民社　二〇〇五年）　現代ラテンアメリカの政治・経済の実相と課題を地域・国別に分析している。

国本伊代『〔改訂新版〕概説ラテンアメリカ史』（新評論　二〇〇一年）　政治史の中に多くの政治的特色を探すことができる通史。

西島章次／堀坂浩太郎／ピーター・スミス編『アジアとラテンアメリカ　新たなパートナーシップの構築』（彩流社　二〇〇二年）　ラテンアメリカの国際関係の広がりを提示する意欲作。

F・G・ヒル『ラテンアメリカ』（G・アンドラーデ／村江四郎訳　東京大学出版会　一九八〇年）　植民地時代から一九六〇年代までの政治の基本的特徴を概説。

細野昭雄／畑恵子編『ラテンアメリカの国際関係』（新評論　一九九三年）　国際関係の流れと各国の対外政策を概観。

細野昭雄／恒川惠市『ラテンアメリカ危機の構図』（有斐閣　一九八五年）　第二部でポピュリズムを中心とした政治の特徴が概説されている。

松下洋／乗浩子編『〔全面改訂版〕ラテンアメリカ　政治と社会』（新評論　二〇〇四年）　現代ラテンアメリカの政治の諸相をテーマ別に横断的に概観した基本文献。

松下洋『ペロニズム・権威主義と従属　ラテンアメリカの政治外交研究』（有信堂　一九八七年）　八〇年代まで支配的だった理論に立ってラテンアメリカの政治と外交を分析。

松下冽『現代ラテンアメリカの政治と社会』（日本経済評論社　一九九三年）　現代ラテンアメリカ政治の流れを理論との関係を交えて論じた専門書。

第三章　ラテンアメリカの経済

●今井 圭子

序　ラテンアメリカ経済をとらえる視座

ラテンアメリカは広大な土地と豊かな天然資源、相対的に少ない人口と低い人口密度をもつ恵まれた地域で、経済開発の面でも一応の成果を挙げてきた。一九七八年の経済協力開発機構（ＯＥＣＤ）レポートで、開発途上国の中で急速な工業化をとげ、工業製品輸出を拡大して高率の経済成長を達成しつつある国々が、新興工業諸国（ＮＩＣｓ）と命名され、もはや開発途上国ではなく中進国に昇格したとして注目された。その中では韓国、台湾、香港、シンガポール、ギリシャ、スペイン、ポルトガル、トルコ、ユーゴスラビア、ブラジル、メキシコがその対象とされた。このようにアジアとラテンアメリカの中からも開発途上国から脱して中進国に移行する国々が出てきたのであり、一九七〇年代は両地域にとって経済的に明るい見通しがもたれた時期であった。ところが八〇年代に入ると、一方でアジアが安定した経済成長を持続したのに対して、ラテンアメリカは低成長、高インフレ、国際収支の悪化、債務危機に見舞われるところとなり、まさに八〇年代は「失われた一〇年」と化した。そして一九九〇年代には経済危機から脱却するため、多くのラテンアメリカ諸国が構造調整政策を導入し、ドラスティックな経済の自由開放化を推し進めていった。しかしこうした政策によってもラテンアメリカ諸国の経済は快方に向かわず、二一世紀に入った現在、依然として多くの経済問題が山積している。

このように世界的にみてもきわめてすぐれた自然条件に恵まれたラテンアメリカが、厳しい自然条件下にある東アジアに比べて経済が不振で、経済開発が順調に進まないのは、いったい何に起因するのであろうか。このような問題を考えるうえで重要となるのは、ラテンアメリカ経済を現状のマクロ分析に限定せず、その構造、制度にまで立ち入ってとらえようとする視座であり、そのためには経済の歴史的変容過程の研究が不可欠となる。本章ではこうした問題意識に基づき、以下ラテンアメリカ経済について考察していく。

一　ラテンアメリカ経済の歴史的変容

ラテンアメリカ経済史の重要な特徴の一つは、歴史的変容過程においてしばしば外からのインパクトが決定的な影響を及ぼしてきたことで、時期区分においても、世界経済との関係を考慮することが重要となる。その視点からここではラテンアメリカ経済史を次のように大きく時期区分してみていこう。まず第一期はコロンブス一行がこの地域に到来した一四九二年以前の先コロンブス時代、第二期はスペイン、ポルトガルをはじめとするヨーロッパ諸列強によって支配された一九世紀初めまでの植民地時代、第三期は植民地支配から脱し、一方で独立国家としての政治的基盤を整えながら、他方で国際分業に立脚した一次産品輸出経済が確立されていった一九二九年の世界恐慌前までの時期、第四期は従来の一次産品輸出経済が世界恐慌を契機として行き詰まり、代わって本格的な工業化が推進され、さらに一国経済の枠を超えた経済統合が展開されていく現在までの時期である。

先コロンブス時代

コロンブス到来前のラテンアメリカにはアジア大陸から移り住んだ先住民が住んでおり、彼らは数多くの部族社会を形成し、部族相互間の経済交流が乏しい生活を送っていたとされるが、こうした先住民社会は大きく次の二つのグループに分けられる。すなわち第一のグループは熱帯高原を中心に形成された定住農耕社会で、ラテンアメリカ地域の中では生産力水準が高く、人口稠密で階層分化が進み、現在のメキシコ、中米、アンデス地域の熱帯高地一帯を含む地域、また第二のグループは熱帯低地と南アメリカ南部の温帯地域で、移動しながら狩猟、採集、漁撈、原始的農業を営み、生産力水準が低く、人口も少なく、階級分化もほとんど進んでいなかった小部族社会である。そして両者は発展の段階がかなり異なるものの、いずれも共同体を基盤に、土地を共同利用しながら生活していた。

ところでこのような先住民社会とヨーロッパ諸列強との経済発展段階格差は著しく大きく、また前者は外部からの侵略に対して自衛する政治力や軍事力に欠けていた。こうした状況の下、この地域はごく短期間にきわめて広域にわたってヨーロッパの植民地支配下におかれるところとなり、先住民社会は、植民地支配前の先住民社会のあり方と深く関わる形で大きな変容をとげることになった。すなわち先の第一グループの場合、先住民社会の支配階級が抹殺され、代わりに白人が支配者となって先住民社会を再編し、先住民を植民地開発のための労働力として駆り立てていった。こうして先住民に加えて先住民と白人との混血が増え、白人を上層、混血・先住民を下層におく人種の社会階層ピラミッドが形成されることになった。他方第二グループの場合は、先住民社会の移動型生活様式が植民地支配体制に組み込まれにくく、また先住民小部族の中にも、白人の支配に抵抗して戦うものも多かった。このような過程を経て先住民社会は、ヨーロッパ諸列強による支配から取り残されて孤立するか、あるいはヨーロッパの支配に対して徹底的に戦い、多くの犠牲者を出して壊滅的状況に追い込まれることになった。その結果第一グループに属する先住民とその混血は、今日当該社会の底辺、辺境に位置づけられながらもその国の人口のかなりの割合を占める存在となったのに対して、第二グループの先住民の場合は絶滅に近い状態に追いこまれたのである。

植民地時代

ラテンアメリカは一五世紀末から一九世紀初めまでの三〇〇余年の間、ヨーロッパ諸列強による長い植民地支配下におかれた。当初スペインとポルトガル二カ国によって支配されたこの地域では、一六世紀末以降、イギリス、フランス、オランダなどの国々が加わって植民地争奪戦を展開し、カリブ海地域を中心に植民地を奪っていったが、他方大陸部を中心にラテンアメリカ地域の大半は一九世紀初めまでスペイン、ポルトガルの手中におかれた。

植民地政策の特徴を経済の側面からみていこう。まずラテンアメリカの植民地支配国であったスペインとポルトガルは、大航海時代における世界の中心国であったが、近代資本主義経済の発展過程において両国はイギリスに遅れた後進国の座に転落していった。このことは植民地政策にも反映し、ラテンアメリカ経済に重大な影響を及ぼした。まずスペインは植民地の先住民を統治する制度としてエンコミエンダ制を導入したが、それは実施過程で濫用され、エンコメンデーロ（エンコミエンダを信託された私人）は先住民に対して過度の貢納、賦役を課し、さらには本来与えられていなかった土地所有権をも勝手に行使して先住民の共有地を奪い、私有地を拡大していった。スペイン王権は再々エンコミエンダ制の濫用禁止を命じたが効果がなく、最終的には法律によってこの制度を廃止した。しかしエンコミエンダ制は現実にはかなり遅くまで残存し、大土地所有制の萌芽となったのである。

さらにスペイン、ポルトガルは当時自国の生産力増強よりも貿易による富の拡大を重視し、特権商人や貿易港を指定する一方、他方では本国以外の国々との貿易を禁止して、植民地貿易を独占した。本国が求めたのは、主に金、銀、ダイヤモンドなどの貴金属やヨーロッパで希少価値をもつ砂糖、染料、香料、タバコなどの熱帯産品であった。

ところでこうした産品の生産には大量の労働力が必要とされ、まず先住民がその調達源とされた。そしてエンコミエンダ制の労役制に加えて、有償の強制労役制であるペオナッヘなどが実施され、先住民が農場や鉱山での労働に駆り立てられた。これらの労働力調達方式の中にはその前身が先住民社会に求められるものもあり、レパルティミエントはアステカ帝国の傭役制を起源とし、メキシコなどで用いられた制度、ミタはインカ帝国の傭役制に範を得てペルーなどで採用された制度である。またペオナッヘは、一方で先住民人口が減少し、他方では労働力需要が急増して極度の労働力不足が生じる中、先住民労働力を獲得するため一七世紀に導入された制度である。これは従来の強制労働から自由な賃金労働への労働力調達方式の移行といえるが、現実には弱者の立場にある労働者が雇主に隷従し、世代を超えた債務に拘束されることも稀ではなかった。ペオナッヘについてはそれが二〇世紀初めまで存続した地域もあり、今日の雇用関係にも根強い影響を及ぼしている。

しかしこうした先住民労働力の調達によっても労働力不足は解消できず、別の労働力源としてアフリカから大量の黒人奴隷が移入されることになった。そして奴隷制廃止までに、アメリカ大陸へは一〇〇〇万人を超える奴隷が送り込まれ、その九五％がカリブ海諸島とブラジルを中心とするラテンアメリカに向けられたとされている。ラテンアメリカにおける奴隷制の完全な廃止は一八八六年のキューバ、一八八八年のブラジルにおける奴隷の無条件解放までもち越され、この時期にいたるまで奴隷は主要な労働力源として生産活動を担ってきたのである。

ところでラテンアメリカが大量の奴隷労働力を必要としたのは、次のような理由によるものであった。すなわち当時先住民社会は未だ商品経済を基盤とする経済発展の段階に到達しておらず、共同体の絆から解放された自由な労働者を常時、大量に供給できる構造をもっていなかった。しかし本国は貿易取引上稀少価値をもつ産品の増産を望み、そこにアフリカから黒人を移入し、奴隷として強制的に働かせることにより、大量の労働力を継続して確保する方法を確立したのである。これは前資本主義社会から資本主義社会へ移行する段階で不可欠となる資本形成とする自由な労働力の創出、すなわち資本の原始（本源）的蓄積の過程であり、商品経済が外からの圧力によって移植され、商品生産の拡大を要請される中、きわめて「無理」な形で「労働力の創出」が断行されたことを物語っている。

また資本形成に関しては、本国は植民地において鉱山開発税、輸出入税、販売税、流通税、人頭税、十分の一税などを徴収し、また貿易取引を許可するに際して特権商人に特許料を納めさせた。その大半は本国の王室財政に組み入れられ、スペインとポルトガルはこうした税や特許料収入に加えて、貿易を通して膨大な富を得るところとなった。またラテンアメリカの側では、植民地支配の下で鉱山や農場の開発が進められ、それに対してさまざまな重税が課せられたが、この重い税負担の撤廃要求が、独立闘争に火をつける主因の一つとなったのである。

一次産品輸出経済確立期

一九世紀初めから半ばにかけて、ラテンアメリカは一八の独立国を誕生させ、これらの国々は独立後の国家建設に取り組むことになったが、その中の最重要課題の一つが経済開発であった。ところで独立後のラテンアメリカでは経済開発をめぐり、閉鎖的保護主義と開放的自由主義の間で政策論争が展開された。前者は国内市場を確保するため、外国からの工業製品流入を警戒する手工業生産者によって、また後者は自由貿易政策の下で輸出拡大を目指す第一次産業生産者によって支持された。両者の対立は国内の政争にエスカレートしたが、国際的に自由貿易主義が台頭する中、一九世紀半ばから後半にかけて自由主義がしだいに経済政策の主流を担うようになっていった。

開放的自由主義の経済政策は、国際分業を前提に生産、貿易に対する規制を除去し、外国から資本、技術、労働力を導入して比較優位産業への特化を志向し、逆に対外競争力をもたない比較劣位産業は他国に依存し、貿易を拡大することによって経済成長を促進しようとする。そしてラテンアメリカにとっての比較優位産業は第一次産業、比較劣位産業は第二次産業であるとして、ラテンアメリカは第一次産業を強化し、ヨーロッパの第二次産業と貿易による補完関係を形成していくべきであるとする。

一九世紀半ば以降のラテンアメリカはイギリスをはじめとする欧米諸国から大量の資本と技術を導入し、またスペイン、ポルトガル、イタリアなどの国々から大量の移民を受け入れて経済開発を進めた。ちなみに移民受入数をみると、一八二一年から一九三二年にかけて移民を最も多く受け入れた上位五カ国のうちアルゼンチンが二位、ブラジルが四位を占めている。また貿易の拡大には輸出産業の成長に加えて商業、金融、保険業、輸送網の発達が不可欠であり、外資の多くは鉄道、道路、港湾などのインフラ整備に投資された。そのためラテンアメリカではかなり早い時期から鉄道建設が開始され、ラテンアメリカ初の鉄道は、イギリスで世界初の鉄道が開通した一二年後、アメリカ合衆国で最初の鉄道が走行した七年後の一八三七年にキューバで開通している。その後ラテンアメリカ各国で、イギリスをはじめとする欧米諸国の資本と技術、鉄道資材に依存した鉄道建設が進められ、その大半が欧米資本の所有、経営下におかれた。

こうしてラテンアメリカ諸国は第一次産業を輸出産業に育て上げ、メキシコの鉱産物とコーヒー、カリブ海地域の砂糖・コーヒー・バナナ・鉱産物、中米諸国のバナナとコーヒー、アンデス諸国の鉱産物・コーヒー、ブラジルのコーヒー・鉱産物、ラプラタ諸国の穀物・食肉・羊毛といった世界的な輸出産品をもつ経済を確立していった。ラテンアメリカ諸国の一次産品輸出に牽引された経済は、一九世紀半ば以降急速な成長をとげたのである。

ところでこうした経済成長の過程で、ラテンアメリカは資本、技術、移民の受け入れを通してヨーロッパとの関

コスタリカのバナナ・プランテーションにおける選別作業

係を深めていったが、それは一方でヨーロッパ的近代化を推進したと同時に、他方ではヨーロッパへの従属を深めることになった。そしてイギリスを中心国とする世界経済が自由貿易政策で結ばれている間は、ヨーロッパとの従属関係がラテンアメリカ諸国にとって大きな障害として立ちはだかることはなかった。しかし世界恐慌により世界の自由貿易体制が崩れるや、ラテンアメリカ諸国の経済は深刻な苦境に立たされることになったのである。

工業化と経済統合の時期

一九二九年一〇月、ニューヨークの株式市場で起こった株価の大暴落は、世界各地に波及して世界恐慌をもたらし、それが先進諸列強を中核とする経済ブロック形成の契機となって、一九三二年にはイギリスが自治領・植民地を囲い込んで大英帝国経済圏を形成した。そしてイギリスに次いでフランス、ドイツ、イタリア、アメリカ合衆国、日本も経済ブロックを形成し、かつてラテンアメリカの一次産品輸出経済を支えた自由多角的な国際貿易構造は、ここにいたって完全に崩壊してしまったのである。こうした中でラテンアメリカの一次産品輸出は大きな打撃を被るところとなった。ここでラテンアメリカの輸出量と交易条件の変化を世界恐慌の前後で比較してみると、一九二〇年代後半に比べて一九三〇年代前半は輸出量が八・八%減、三〇年代後半は二・四%減、さらに交易条件は、一九三〇年代前半に二四・三%減、後半は一〇・八%減となった。そしてその結果輸入能力は各三一・一%減、一二・九%減を記録した。こうした国際環境の変化の中で、ラテンアメリカは従来の経済開発路線の修正を余儀なくされることになった。すなわち一次産品輸出が低迷し、また工業製品の輸入が滞る中、工業製品を輸入に頼らず自国で生産することが不可避となり、まず当時の域内最先進国であったアルゼンチンが本格的な輸入代替工業化に着手し、ブラジル、メキシコ、チリもそれに続いた。

ところでこれらの国々ではすでに軽工業が育っており、一九三〇年代以降はそれが基盤となって消費財産業から資本財産業、軽工業から重化学工業へと工業化が進められた。そしてその過程では可能な限り多くの種類の工業製品を生産し、それを国内市場に供給することが優先され、品質や価格面で対外競争力をつけることは、さしあたり当面の課題とはならなかった。こうして工業製品の国産化が進み、輸入代替率が上昇して国内生産に占める工業生産の割合が高まっていった。

域内先進国の工業化に続いて、第二次世界大戦後アンデス諸国や中米諸国、ウルグアイなどの国々が工業化に取り組むようになった。しかしいずれの場合も対外競争力をもつ工業の育成にまではいたらず、第二次世界大戦後世界経済のブロック化が解かれ、自由多角的な国際貿易が再建された後も、ラテンアメリカは工業製品の域外輸出を拡大することができなかった。また他方では一次産品に対する需要の伸び悩み、また先進諸国における農業生産力の回復などにより一次産品市場が狭隘化し、一次産品輸出国の交易条件が悪化していった。一次産品輸出を経済成長の牽引車としてきたラテンアメリカ諸国にとって、このような国際市場の変化は経済成長への足枷として作用した。こうした閉塞状況からの脱出策として、ラテンアメリカ諸国は輸入代替の工業化から転じて工業の対外競争力強化に努めると同時に、他方では域内諸国間経済統合の形成をめざした。後者の目的は自由貿易市場や共同市場の結成による域内貿易の拡大、産業補完協定や統合産業計画による地域内分業の計画的組織化、加盟国間の社会資本(インフラ)整備、各産業分野への新たな投資の誘発、集団交渉による対域外交渉力の強化などであった。

ラテンアメリカは一九五〇年代の準備段階を経て、一九六〇年代に次の四つの経済統合を発足させた。すなわち一九六一年に発足したラテンアメリカ自由貿易連合と中米共同市場、六八年に発足したカリブ自由貿易連合、そしてラテンアメリカ自由貿易連合のサブ・リージョナルな組織として六九年に発足したアンデス共同市場である。カリブ自由貿易連合は一九七三年、カリブ共同市場に移行し、またラテンアメリカ自由貿易連合は八一年、ラテンアメリカ統合連合に改組された。そしてこれらの経済統合は一九六〇年代、域内貿易の拡大においてかなりの成果を挙げたものの、七〇年代以降は石油危機、中米戦争、債務危機などの影響もあり、停滞あるいは後退の道をたどることになった。

一九七〇年代に入りラテンアメリカは、地域全体を一つの組織に組み入れる経済統合の形成に向けて新しい動きを開始した。一九七四年にはエネルギー需要に関する域内協力組織としてラテンアメリカ・エネルギー機構、七六年には経済社会開発における域内協力組織としてラテンアメリカ経済機構が発足した。そして両機構ともキューバを加盟国として受け入れ、政治体制の相異を越えた協力体制作りを目指している。

「失われた一〇年」と形容される一九八〇年代を経て九〇年代に入ると、一方で既存の経済統合の点検と再建、他方で新たな経済統合の組織化が進められた。後者については一つには近隣諸国間でより現実的な経済統合を新たに形成する方向、もう一つにはラテンアメリカ以外の国々と統合する方向の二つがみられる。一九九一年に設立され、九五年に関税同盟となった南米南部共同市場（＝メルコスル／アルゼンチン、ブラジル、ウルグアイ、パラグアイが加盟）は前者、九四年に発効した北米自由貿易協定（＝NAFTA／アメリカ合衆国、カナダ、メキシコが加盟）は後者の事例である。さらに一九九四年には南北アメリカ大陸とキューバを除くカリブ海地域のすべての国々を含む米州自由貿易地域構想が提案され、以後その完成をめざして交渉が積み重ねられている。

二　ラテンアメリカ経済開発の思想と理論

内発的発展論の萌芽

ラテンアメリカは長期にわたる植民地支配、また独立後の先進諸国への従属化の経験を経て、経済開発に関する独自の思想や主要な理論を生み出してきた。それらは従来の経済開発の思想や理論に対して根源的な問題を提起し、その再検討を迫るものであった。本節では以下そうした思想のうち代表的なものを紹介しよう。

まず独立期の代表的な思想家シモン・ボリーバルの思想についてみていこう。彼はベネズエラに生まれ、南アメリカの独立運動および独立後の国家建設を主導した人物で、その思想は植民地政策の批判、独立国家建設の理念、ラテンアメリカ主義に基づくラテンアメリカ連合にまで及び、ボリーバリズムと呼ばれる。

その国家建設の理念は、第一に植民地支配から脱し、代表民主制に立脚する共和制を樹立して政治主権を確立すること、第二は植民地時代の宗主国による富の独占的収奪を撤廃し、農地改革や鉱山の国有化を実施して経済的公正を実現すること、第三に奴隷制の廃止と先住民への差別を撤廃し、すべての人種が平等に生きる権利を与えられる社会的正義を実現すること、第四にラテンアメリカ諸国間の協力関係を強化し、ラテンアメリカ連合を結成してラテンアメリカニズムの精神を実践すること、第五に国家建設においてヨーロッパを模倣するのではなく、ラテンアメリカの実情に適した近代化の道を選択すること、に求められる。彼の思想は、正義・平等・自由・統一・発展・民主主義に根ざし、すべての人種がその個性を生かしながら平等に処遇される社会を、ラテンアメリカに適した方法で創り上げていくことを目指している。このようにボリーバリズムにおいては国の発展が政治、経済、社会の各側面を総合したものとしてとらえられ、自立、公正、内発的発展が思想の主軸となっている。ところでこの思想は独立後の現実政治の中ではあまりに理想的にすぎ、建国過程においてはしだいに影響力を弱めていった側面もあるが、ラテンアメリカ自生の内発的発展の思想として、今日まで根強い影響を及ぼし続けている。

シモン・ボリーバル
(ボリビアの紙幣より)

経済自由主義思想の伝統

次いで一九世紀半ば以降経済自由主義が台頭する中で、その代表的論客として論陣を張ったのが、アルゼンチンのJ・B・アルベルディであった。彼は「南アメリカでは豊かな土地に貧しい人々が住み、他方ヨーロッパでは貧しい土地に裕福な人々が住んでいる」と述べ、まずラテンアメリカの低開発、貧困の原因を究明することから議論を始める。そしてその主要な原因をスペイン、ポルトガルの植民地政策に求め、北アメリカとラテンアメリカの経済発展格差をもたらした主因を、イギリスとスペイン・ポルトガルの植民地政策の違いから説明しようとする。すなわち前者の植民地政策は、富の源泉を生産的労働に求め、勤勉、倹約、貯蓄の精神を尊び、ヨーロッパからの移民を担い手として、意欲的な生産投資に基づく経済発展を推進したのに対して、後者の場合は富の源泉を貴金属の取得そのものに求め、貴金属、熱帯産品の開発に力を入れて貿易を独占する一方、他方では植民地内の他の経済活動には無関心で、労働を奴隷が行う賤しいものとして軽蔑し、勤勉、倹約、貯蓄、生産的投資を蔑ろにしたとする。

そしてこうした状態から脱却するため、ラテンアメリカが独立後最初に取り組まねばならないのは植民地遺制の払拭であるとして、次のような政策を提起する。その第一は、富の源泉となる生産的な労働力を確保するため、勤勉で貯蓄と投資の意欲に満ちた移民をヨーロッパから積極的に受け入れること、第二は、域内に不足している経済開発の呼び水としての資本をヨーロッパから受け入れ、それを商業、金融、保険、輸送、通信などの開発のために活用すること、第三は、国際分業論に立脚して対外競争力をもつ産業を育成することで、広大な国土と豊かな資源に恵まれながら労働力と資本が乏しいラテンアメリカは、所与の条件を生かして農牧鉱業に特化し、その育成、強化に励むこと、第四は、植民地期の貿易独占を撤廃して自由貿易体制を整え、国内の交易、流通を活発にして国内市場の形成を促すこと、第五は、こうした経済開発は民間主導で進められるべきであるが、その基盤整備は政府の任務であり、政府は国の自由、安全、平和を確保して円滑な経済活動を促し、移民や外資が流入しやすい条件を整えることとされる。このようなアルベルディの経済開発の思想は、広くラテンアメリカに影響を及ぼし、一次産品輸出経済の形成を促したのである。

中心—周辺理論

第二次世界大戦後、先進国と開発途上国の発展格差が南北問題として注目され、国際関係における最重要課題の一つとして広く世界に認知される中、ラテンアメリカは経済開発の思想、理論、政策の分野で大きな足跡を残すことになったが、その先鞭をつけたのが、アルゼンチンの経済学者R・プレビッシュで、彼は一九四九年に出版した『ラテンアメリカの経済発展とその主要問題』において中心—周辺理論を提起した。

プレビッシュは中心—周辺理論において、ラテンアメリカ経済の低開発の原因を貿易の視点から解き明かそうとする。まず工業製品輸出国を中心、一次産品輸出国を周辺と定義し、数量分析を通して工業製品に対する一次産品の交易条件悪化傾向（交易条件悪化説）を導き出す。そしてこうした状況の下で周辺は貿易によって不利益を被ってきたとし、一次産品輸出に特化した国も、貿易を通して国際分業の利益をうけるという従来の国際分業論に根本的な疑問を投げかけた。そして一次産品輸出にとっての長期的交易条件悪化の原因について次のように述べる。すなわち中心の工業部門における生産性の向上が、国内の利潤や賃金等の生産要素所得の増加分として吸収され、工業製品の輸出価格低下に結びつきにくいのに対して、第一次産業における生産性の上昇は、逆に利潤や賃金などの生産要素所得の増加に結びつきにくく、その大半は輸出価格の低下をもたらすという実態に注目する。そしてそれは次のように説明される。すなわち中心の工業部門には独占、寡占市場が形成され易く、また労働組合の存在が賃金の引き上げや賃金の下方硬直化をもたらしているのに対して、周辺の第一次産業の場合は、輸出市場で過当競争が生じ易く、また労働者が未組織であったりあるいは労働組合が弱く、失業率も高い場合が多い。こうした状況が第一次産業の生産性上昇を利潤や賃金の上昇に結びつきにくくしており、その結果として、一次産品輸出に特化した経済は、交易条件が長期的に悪化する中で、貿易による利益を享受できず、発展を抑制されるとする。

プレビッシュは周辺国がこうした状況から脱け出す方法として、次のような政策を提起する。第一点は周辺国の交易条件を改善するために、一次産品の生産、輸出に関する国際商品価格協定を整備すること、第二点は一次産品輸出に依存した経済から脱却して工業化を推進すること、この場合、国内市場向けの輸入代替工業化から始めることがより現実的であるとする。第三点は国内市場が小さいという経済発展に対する制約条件を克服するため、周辺諸国間の経済統合を組織し、市場を拡大して経済規模の利益を享受しやすい条件を作り出すことである。

以上のように、中心—周辺理論は、従来の予定調和的国際分業論を批判し、逆に現実の国際分業を中心—周辺間の発展格差を拡大させる要因としてとらえた。この挑戦的な問題提起はラテンアメリカのみならず、世界的にも大きな反響を呼んだ。そしてこの理論は、南北問題を検討する国連貿易開発会議（ＵＮＣＴＡＤ）の結成に大きな影響を及ぼし、プレビッシュ自身はその初代事務局長として活躍したのである。

構造学派

次に構造学派はラテンアメリカをはじめとする開発途上国の低開発問題について、政治、経済、社会構造に着目して理論を展開していった。構造学派の理論は一九五〇年代、ラテンアメリカのインフレ問題に端を発して開花した。ラテンアメリカは当時すでに慢性的高率インフレに悩み、インフレを抑制しながらいかに経済成長を達成するかという困難な政策課題を抱えていた。この課題に関しては一方に正統派経済学に依拠した通貨学派の見解があり、それは需要が供給に対して過大であるとする需要インフレ論に依拠し、インフレ抑制策としては、過剰な通貨供給を抑えるための金融引き締めと均衡財政政策を提起した。

他方、通貨学派を批判しながら、異なった理論、政策を提起したのが構造学派であり、その理論は次のように要約できる。まずインフレが先進国と開発途上国とでは異なった意味をもち、後者においては、経済が不均斉な成長過程をたどり、いびつな経済、社会構造が形成されてきたとする。そのいびつな構造を是正するためには抜本的な改革が不可欠であり、その改革の過程においてインフレが加速される場合がある。すなわち先進国では生産・流通部門でかなり均斉のとれた発展がみられるのに対して、開発途上国の場合にはそれが未だ不均斉で、そのことが経済成長過程におけるインフレを生む要因として作用すると考える。ところで開発にともなって発生するこのようなインフレは開発インフレと呼ばれ、ラテンアメリカのみでなく、他の開発途上国においてもみられる現象である。

通貨学派と構造学派の論争は、一九五〇年代後半から六〇年代にかけてラテンアメリカで活発に展開され、学界のみならず政策実践の場にも大きな影響を及ぼした。そして構造学派の主張は、開発途上国の経済開発を制度改革、構造改革をも含めて再検討することの重要性を認識させる契機となった。

従属論

一九六〇年代に入ってラテンアメリカでは、既存の新古典派経済学や近代化論、正統派マルクス主義の批判を通して、新しい視角からラテンアメリカの低開発問題を究明しようとする動きが現れ、それは従属論あるいは従属学派の理論として展開された。従属論は、近代化論における経済の歴史的発展段階説と、低開発性を封建制、前資本主義体制としてとらえる正統派マルクス主義の歴史的発展論のいずれにも異議を唱える。そして開発途上国の低開発性を、歴史的発展段階における遅れた段階としてとらえるのではなく、先進国の開発と開発途上国の低開発を、世界資本主義の展開過程で同時発生する表裏の関係としてとらえる視点を提示する。

ところで従属学派は歴史研究、実証分析を通して帰納法的に理論を構築する方法をとっており、ここでは従属学派の代表的論者の一人で、ラテンアメリカ諸国の歴史分析を通して数多くの研究業績を残しているA・G・フランクの理論を中心に紹介しておこう。彼は世界の国々を、資本主義経済における先進国である中枢と、後進国である衛星とに区分し、両者の関係を重商主義の時代にまで遡って分析する。分析の対象は貿易、投資、労働力移動、技術移転、産業構造、階級構造、資本蓄積様式などに及ぶ。

ラテンアメリカでは植民地期に外部からの圧力により輸出経済が生成されたが、その過程で在来の先住民社会は破壊されてしまった。そして商品生産に必要な労働力不足を補うため、奴隷制という前近代的な労働力調達方式が採用された。このようにラテンアメリカでは資本主義経済が近代的労使関係ではなく奴隷制とともに移植されるという特異な状況が創出され、植民地本国である中枢によって著しい富の収奪をうけるところとなった。

そして独立後自由貿易政策が採用され、輸出経済がさらに広範囲に拡大されていったが、その過程においても中枢に対する衛星の従属関係がさらに深まっていった。すなわち中枢は衛星に工業製品を輸出し、衛星は中枢に一次産品を供給して、国内にはモノカルチャー経済を抱え込むことになった。そして一九世紀末以降帝国主義の時代に入ると、貿易に加えて投資、技術移転においても中枢に対する衛星の従属化が進んだ。

ところでラテンアメリカでは、第一次世界大戦、世界恐慌、さらには第二次世界大戦など、世界資本主義が危機に当面し、中枢との結びつきが弱まっていく中で工業化の進展や民族主義の高揚がみられ、従属関係から脱却する道が模索された。しかし世界大戦や世界恐慌が終わって世界経済が回復すると、この地域はふたたび中枢と衛星の従属関係の中に取り込まれていった。このように衛星の一部であるラテンアメリカの低開発は、中枢との結びつきの中で形成されてきたとするのである。

先進資本主義国と開発途上国の関係を、世界資本主義の中枢と衛生の関係としてとらえたフランクの従属論は、対外関係を中心に分析を進め、中枢と衛星の本質的な関係を従属的関係として理論化する道を切り開いた。しかしそれは衛星内部の構造を分析するという点では不十分で、この分野についてはさらに補完的研究が必要となる。そしてそのためには経済に加えて政治、社会、文化などの諸分野にまで立ち入った研究が求められるのであり、ラテンアメリカではそうした地道な研究が積み重ねられつつある。またこの地域に生まれた従属論は、広く開発途上地域および先進諸国にも影響を与え、実証分析を踏まえた理論の検討が進められている。

三　ラテンアメリカ経済の現状と課題

経済政策の諸潮流

ラテンアメリカの経済政策は大きく次の四つの潮流に分けることができる。それは経済自由主義路線、経済ナショナリズム路線、両者の中間的政策である混合路線、そして社会主義路線であり、これらの政策は次のような基本的特色をもっている。まず経済自由主義路線は、経済への政府の介入を極力抑えて民間主導の経済活動を推進する。産業保護、貿易保護、外資規制などの政策を除去し、輸出産業を軸に国際分業の一環を担いながら経済成長を目指す。それに対して経済ナショナリズム路線は、政治主権、経済自立、社会的公正の実現を目指すナショナリズム路線の一翼を担い、対外従属経済からの脱却を目指す。そのためには従来からの一次産品輸出に依存した経済構造を改め、産業や貿易の保護政策を導入して工業を育成する。また国内貿易の形成に力を入れ内資企業の育成につとめる。さらに外資の支配力を弱めるため、外国資産の国有化や外資規制の強化を推進する。そうした変革の担い手として政府は重要な役割を担い、経済計画の実施や国営企業の拡大をはかる。さらに経済成長とともに所得分配に配慮し、経済政策の中に所得分配是正策を盛り込む場合が多い。

次に混合経済路線は前二者の政策を諸条件に応じて折衷した中道的性格をもった政策である。最後に社会主義路線であるが、キューバの事例にみられるように、ラテンアメリカにおいてはその初期段階では経済ナショナリズム路線に近く、その後の過程で社会主義化していく傾向がみられる。すなわち経済ナショナリズム路線に依拠して多くの外国資産が国有、国営化され、さらにその他の経済活動分野も国有国営下に組み入れられていった。そして経済運営は国の計画経済に沿って進められ、モノカルチャー経済からの脱却、工業の育成、人的資源の開発、所得分配の公正化が重要な政策課題とされる。

以上紹介した四つの経済政策路線は、国によってあるいは時代に応じてそれぞれに採用され、その結果経済政策が曲折をたどる場合もあり、それがラテンアメリカ諸国の安定した経済成長を阻む一因ともなってきた。

産業構造と雇用問題

ラテンアメリカでは植民地時代以降一次産品輸出を主軸としたモノカルチャー経済が形成され、その一次産品輸出経済は、国内市場が統合され国民経済が形成される前に外からのインパクトによって創り出され、一次産品の生産、輸出、そしてその輸送網の整備はかなりの部分が外国資本によって担われてきた。そのことは従属論が指摘するように対外従属の経済構造を生み出し、経済的自立だけでなく政治的自立をも妨げるものとして作用してきた。また一次産品需要の伸びが工業製品のそれに対して小さく、プレビッシュが指摘するように、一次産品輸出の交易条件は悪化傾向をたどってきたのである。

また第一次産業は土地の著しい不平等分配の下で営まれており、一方にはごく少数の地主の下に集中された大土地所有、他方には家族の生活さえ支えられない狭い土地にしがみつく多くの零細農、さらにその土地さえもたない借地農、労働者が大量に存在する。ラテンアメリカの大土地所有制は植民地時代に起源をもつ長い歴史の産物であり、その経営形態は多くの場合、土地利用度が低く、生産的投資が遅れ、劣悪な条件で労働者を雇用し、非効率かつ前近代的である。したがって広大で肥沃な土地がありながら、農村は大量の失業者、潜在的失業者を抱え、貧困の源泉となってきた。また他方では輸出向け生産に力が注がれる中で食糧が自給できない国も多く、食糧不足による食糧価格の上昇、食糧輸入の増加といった事態を招いている。

一次産品輸出経済から脱却して工業化を目指す試みが、世界恐慌以降域内先進国で進められ、第二次世界大戦後それに続く国々が出てきたことは前述した。ところでその工業化は国際的条件に規定され、輸入代替の工業化として開始されたが、それはかなり早い時期に軽工業から重化学工業に及ぶ高度の工業化を実現した反面、他方では対外競争力に欠けるという問題を残した。この問題を克服するため、域内先進諸国を中心に輸出指向の工業への転換がはかられ、ブラジル、メキシコなどの国々では工業製品が輸出総額の過半を占めるにいたっている。しかし多くの国々では、依然として一次産品が輸出の大半を占めている。

またラテンアメリカの工業は労働集約的で生産性の低い伝統的工業と資本・技術集約的で生産性の高い近代工業の二重構造をもち、前者で内資企業、後者で外資企業あるいは外資との合併企業が優位に立つ傾向にある。工業製品輸出も、前者の低賃金労働を利用した一次産品加工品と、後者の資本・技術集約的製品の二重構造がみられる。前者の場合は一次産品輸出同様、低賃金労働に支えられたダンピング的性格をもち、後者においては外国の資本・技術・経営力への依存度が高い。また資本集約的であるため、投下資本に対して雇用吸収力が小さく、生産の伸びに対して雇用の伸びが小さいという問題を抱えている。

以上みてきたように、第一次産業、工業ともに雇用吸収力が小さく、農村の過剰労働力が都市に排出されても、それを工業が吸収する力は弱い。その結果多くの過剰労働力がサービス産業に向かい、サービス産業は過剰労働力をかなりの部分半失業、潜在的失業の状態で抱え込んでいる。しかしそれでも就業機会が得られない労働者が多く、失業率はかなり高く、それが低賃金など、劣悪な労働条件を存続させる。農村から出てきた労働者は、都市で仕事が得られないと生計が立てられず、そうした貧困層の不満は社会不安や政治不安を招いている。

超高率インフレ収束への挑戦

一九八〇年代のラテンアメリカは世界でも稀にみる超高率インフレに見舞われた。たとえばアルゼンチン、ボリビア、ブラジル、ペルー、ニカラグアの八〇年代年平均消費者物価上昇率は二〇〇%から六〇〇%台に及び、年によっては四桁台を記録した国もある。こうした超高率インフレの下では通貨が瞬く間に減価して物価が騰貴し、またあまりにも通貨価値が下落すると、通貨単位を換えるデノミネーション（デノミ）を行う国も現れ、たとえばアルゼンチンのように一〇年間に三回大幅なデノミを繰り返して一〇〇〇億分の一の通貨単位変更を断行した国もある。こうした超高率インフレの下では経済の見通しが立たず、生産的投資は手控えられ、人々はお金を物に換えて資産の保全をはかろうと不動産や耐久消費財買いにはしり、また資本逃避も多発するようになる。

ところでインフレの原因としては前述の通貨学派が重視した金融・財政上の要因と、構造学派が提起した構造的要因、すなわち食糧供給の非弾力性、流通機構の未整備、貿易・投資・為替にみる不安定な対外経済関係・所得分配・大土地所有制をはじめとする制度上の硬直性などが挙げられる。そしてインフレが慢性化する過程で、ブラジルほかいくつかの国でインデクセーションが導入され、物価変動に連動して物価、賃金、公共料金、金利、為替レートなどが調整されたが、それがさらにインフレを加速する要因となった。

超高率インフレの下で生産投資は手控えられ、不安定な低成長経済が続く中、インフレ抑制策が繰り返し実施された。その抑制策には、金融引き締め、均衡財政政策によるオーソドックスな方式と、この方式に賃金・物価・為替レートを固定する政策を組み合わせたヘテロドックスな方式が採用されたが、経済成長の低迷、失業率の上昇という大きなインフレコストを支払いながらも、インフレは抑制されなかった。インフレの影響は所得分配を悪化させる方向に作用しやすく、インフレ対策においては所得分配に配慮することが重要となる。ところでブレイディ提案による債務救済、また自由開放政策の下での潤沢な外貨流入により維持された固定為替相場制、いわゆるアンカー型政策が功を奏し、一九九〇年代に入ると、ラテンアメリカのインフレ率は著しく低下した。そして以後低水準で推移しているが、それが果たして経済の長期的安定を導くことができるかどうか、今後の重要課題である。

累積債務問題

累積債務は国際金融に直結するグローバルな問題で、一九八二年、メキシコに端を発した対外債務危機が他のラテンアメリカ諸国にも拡大し、広く世界の注目を浴びるところとなった。ラテンアメリカ諸国の対外債務総額は七二六五億ドル（二〇〇三年）を記録し、一三を数える同年の重債務中所得国のうち、八カ国が域内諸国である。

ところで累積債務問題を発生させた主因としては、次のようなものが挙げられる。国際的要因としては、第一に一九七〇年代の石油危機により、オイルマネーを中心に国際金融市場への資金供給が急増し、その多くが資源開発を目指して資源保有国に流れたこと、第二に一九七〇年代末以降アメリカ合衆国が高金利政策を実施し、それが世界に波及したこと、第三に高金利政策によって世界が景気後退に見舞われ、一次産品需要が減少して、一次産品輸出国の交易条件が悪化したことなどである。他方国内的要因としては、第一にラテンアメリカ諸国の多くが有資源国で、残された資源開発の余地が大きかったこと、第二に経済開発において資本集約的な大型プロジェクトが選好されたこと、第三に従来から存在する外資に対する開放的な伝統に加えて、一九七〇年代以降、経済ナショナリズム路線が後退し、自由開放政策が採用されたことにより外資が大量に流入したこと、第四に国内経済の不振が内資の国外逃避を招いたことなどである。

累積債務問題が深刻化する中、これまでに大きく分けて次の三つの対策が提起された。第一は、国際通貨基金（ＩＭＦ）主導による国内の総需要抑制と債務繰り延べ、追加融資の供与で、この短期的対応策は一九八五年半ば頃まで採用された。しかしこの対策の下では事態は好転せず、多くの債務国が不況に陥った。第二は、債務国の継続的な経済成長を目指し、市場経済に基づく構造調整政策を導入して債務国の経済再建をはかるもので、一九八五年九月、アメリカのベーカー財務長官によって提案された。この提案はそのまま実施されることはなかったが、債務に対する中長期的対応への道を開くものとなった。第三は、IMF、世界銀行が同意する経済再建計画の実施を条件に、従来問題外とされていた債務削減を組み入れて債務を証券化する債務救済策で、一九八九年、アメリカ合衆国のブレイディ財務長官によって提案された。このブレイディ提案の実施に際しては、厳しい構造調整政策の履行とその成果が求められるが、すでにメキシコ、ブラジル、アルゼンチン、ベネズエラなど高額重債務国に適用され、累積債務問題は一応表面上は一段落した。しかしそれは債務救済によるところが大きく、根本的な解決にはいたっていない。

働くボリビアの子供たち

経済格差と貧困問題

ラテンアメリカは「中進国化」した地域といわれて久しい。すなわちラテンアメリカの国々が低所得国を卒業し、中所得国への仲間入りを果たしたということである。一人当たり国民所得（GNI）でみる限り、たしかにラテンアメリカ諸国は高い水準にあり、二〇〇一年の水準で七四五ドル以下の低所得国六六カ国に含まれるのは、ラテンアメリカではハイチ、ニカラグアの二カ国だけである。

このようにラテンアメリカ諸国は、一人当たりGNIの値では高い所得水準を誇っているが、所得分配の方は著しく不平等である。統計入手が可能で、一人当たりGNI（購買力平価表示）が四〇〇〇ドルを超える主要一三カ国について、所得分配のジニ係数（〇に近いほど平等であることを示す）をみると、八カ国で五〇を超えており、世界的にもっとも不平等な分配を示す六〇以上の国も存在する。また所得水準が低位の二〇％層の所得シェアは五％未満、他方高位二〇％層は何と五〇―六〇％を超えており、高位二〇％と低位二〇％所得層の所得比は一〇―三二倍に及んでいる。なかでもブラジルの場合は三二倍と、最大の不平等度を示している。これを東アジアと比較してみると、日本を除く東アジア諸国のうち一人当たりＧＮＩ（購買力平価表示）が四〇〇〇ドルを超える主要六カ国のジニ係数は三〇―四〇台で、また所得の低位層二〇％の所得シェアは四―八％、他方高位二〇％の層は三〇―五〇％台を占め、両者の所得比は四―一二倍である。また日本の場合は、ジニ係数が二五、低位二〇％層の所得シェアが一一％、高位のそれは三六％、両者の所得比は三・四倍にすぎない。このようにラテンアメリカは、東アジアに比べてかなり所得分配が不平等な地域なのである（表1）。

つぎに貧困問題についてみてみよう。貧困の定義と測定に際しては各国、各地域の多様性を考慮しなければならず、貧困の国際比較はきわめてむずかしい課題であるが、ここでは基礎食糧の入手に要する所得の二倍未満の所得世帯を貧困世帯と定義する国連ラテンアメリカ経済委員会のデータを用いて考察することにしたい。それによると、貧困世帯の比率はウルグアイ、チリ、コスタリカの三カ国で一〇％台以下、そしてブラジル、メキシコ、アルゼンチンで三〇％台、その他の七カ国で四〇％以上を記録している。このようにラテンアメリカにおける一人当たりＧＮＩ（購買力平価表示）上位一三カ国のうち過半数の国で貧困世帯が四〇％を超えているのである（表1）。

このように経済成長が進んで一人当たりＧＮＩが高くなっても、必ずしも所得分配の不平等度や貧困層の減少がもたらされる保証はなく、ラテンアメリカは一人当たりＧＮＩが相対的に高いにもかかわらず、世界的に著しく所得分配が不平等で、貧困層の割合が大きい地域である。このことは、経済成長の恩恵が自動的に下層階級にも及び、所得分配を改善して、貧困を軽減するという「トリクル・ダウン（したたり落ちるの意）」の経済理論を鵜呑みにできないことを明示している。ラテンアメリカのこうした実態は、植民地時代以来の歴史の中で形成されてきたものであり、これは構造学派や従属論の問題認識に通じるものである。

表1　所得分配・貧困層のラテンアメリカと東アジア比較

国名	1人当たりGNI（ドル）購買力平価表示(2003年)	1人当たりGNI（ドル）(2003年)	所得分配のジニ係数(1997―2001年)*	所得シェア（%）(1997―2001年)*		高位20%の高所得世帯の所得／低位20%の低所得世帯の所得(倍)(1997―2001年)*	貧困世帯の比率（%）(2002年頃)
				低位20%	高位20%		
〈ラテンアメリカ〉							
アルゼンチン	10,920	3,650	52.2	3.1	56.4	18.2	35**
チリ	9,810	4,390	57.1	3.3	62.2	18.8	17
コスタリカ	9,040	4,280	46.5	4.2	51.5	12.3	19
メキシコ	8,950	6,230	54.6	3.1	59.1	19.1	33
ウルグアイ	7,980	3,790	44.6	4.8	50.1	10.4	9**
ブラジル	7,480	2,710	59.1	2.0	64.4	32.2	30
コロンビア	6,520	1,810	57.6	2.7	61.8	22.9	45
パナマ	6,310	4,250	56.4	2.4	60.3	25.1	41
ペルー	5,090	2,150	49.8	2.9	53.2	18.3	47
エルサルバドル	4,890	2,200	63.2	2.9	57.1	19.7	43
ベネズエラ	4,740	3,490	49.1	3.0	53.4	17.8	43
パラグアイ	4,740	1,100	56.8	2.2	60.2	27.4	52
グアテマラ	4,060	1,910	48.3	2.6	64.1	24.7	52
〈東アジア〉							
シンガポール	24,180	21,230	42.5	5.0	49.0	9.8	
韓国	17,930	12,020	31.6	7.9	37.5	4.7	
マレーシア	8,940	3,780	49.2	4.4	54.3	12.3	
タイ	7,450	2,190	43.2	6.1	50.0	8.2	
中国	4,990	1,100	44.7	4.7	50.0	10.6	
フィリピン	4,640	1,080	46.1	5.4	52.3	10.5	
日本	28,620	34,510	24.9	10.6	35.7	3.4	

注：＊日本は1993年。

出所：World Bank, *World Development Report 2005,* World Bank & Oxford University Press, 2004, pp. 256-259, CEPAL, *Anuario Estadístico de América Latina y el Caribe 2003*, Santiago, CEPAL, 2004, pp. 52-53.

今後の課題

ラテンアメリカは近世の幕開けとともにいち早くヨーロッパ諸列強の植民地支配をうけ、三世紀を超える長い植民地時代を経てようやく独立期を迎えた。そして独立後、国内経済の統合的開発を進める以前に国際経済の中に組み込まれ、急速な経済成長をとげた。こうした歴史的経緯を経て、ラテンアメリカ諸国は「中進国」化してきたのであるが、反面では次のような構造的問題を根づかせることになった。それは人種の違いに基づく抜け難い社会階層、階層間および地域間の著しい経済格差、第一次産業偏向の産業構造、そして大土地所有制と零細農・土地なし農民、大企業と中小零細企業、相対的に賃金が高く安定したフォーマル・セクターと賃金が低く不安定なインフォーマル・セクターといった二重構造、また投資・技術・援助などにおける対外依存、対外従属、そしてこのような構造の下での所得の著しい富の偏在と深刻な失業問題、貧困の存在である。

ところでこうした制度、構造上の問題を抱えるラテンアメリカ諸国にとっては、経済成長とともに構造改革のための政策の実施が不可欠となり、そして構造改革のかなりの部分は、政府主導で進められなければ実現が困難である。効率的な経済成長が自ずからアンバランスな経済構造を改め、二重構造を解消するわけもなく、また著しい富の偏在と貧困問題の改善を「トリクル・ダウン効果」に委ねることは心許ない。

ラテンアメリカでは累積債務問題にからまって、一九八〇年代半ば以降構造調整政策を導入する国々が増えている。この政策はＩＭＦ・世界銀行の指導の下、「小さな政府」、市場原理に基づく経済の安定と経済成長を目指し、保護政策を撤廃して競争原理を働かせ、民間の経済活動を活性化するかたわら、他方では財政、金融、為替政策を通してインフレを抑制するというものである。こうした構造調整政策の下、従来の経済自由主義政策では本格的に取り上げられなかった国・公営企業の民営化が大々的に進められ、その過程で大規模な人員整理が行われてきた。このような政策は従来の経済自由主義とは区別され、新経済自由主義と呼ばれている。

構造調整政策を重視した国々の中には、財政支出の大幅削減、金融引き締め、為替安定化等の政策を通してインフレが抑制され、経済の自由化と安定化の実現により外資が大量に流入して、経済が上向いている国もある。そうした傾向は「失われた一〇年」といわれた一九八〇年代の低迷期をようやく抜け出し、景気高揚への移行を示しているようにもみうけられた。ところが一九九四年末、メキシコで通貨危機が発生したが、それは構造調整政策の優等生としていち早くブレイディ提案の適用国となったメキシコでの出来事であっただけに、世界に与えた波紋は大きかった。さらにメキシコに続いて一九九九年初めにはブラジルでも通貨危機が発生、同国は固定為替相場制を定めたレアル計画を廃止して変動相場制への移行を余儀なくされた。さらに二〇〇一年末にはアルゼンチンもまた通貨危機に見舞われ、預金封鎖など大きな混乱を招いた。そして二〇〇二年二月、アルゼンチンも固定為替相場制を定めた兌換法を廃止し、変動相場制へ移行した。こうした域内三大国におけるあい次ぐ通貨危機とそれがもたらした打撃は、新経済自由主義に基づく構造調整政策への疑念となって域内に広がっていったのである。

新経済自由主義の経済政策は、一方である程度の経済の安定と成長をもたらしているが、他方でさまざまな問題を生み出していることも確かである。一九九四年一月一日、メキシコの貧困地帯チアパスで起こったゲリラ集団サパティスタ民族解放軍による蜂起は、それが北米自由貿易協定（NAFTA）発効当日であったこともあり、世界は構造調整政策の「優等生」メキシコが抱える問題の深刻さ、そして貧困が政治不安に直結する事実をみせつけられた。新経済自由主義の政策は対外競争力をもたない弱小産業や企業に打撃を与え、減産や倒産による解雇が大量の失業者を放出している。また「小さな政府」路線により弱者対策が軽視され、所得分配、貧困の悪化傾向がみられ、教育、上下水道、保健医療、社会保障など社会インフラへの政府の取り組みが後退している。このように事態は悪化しており、その改善のためには政府の関与が不可欠である。市場原理に基づく経済再建策と、構造、制度上の改革を含めた政府による調整、補完政策との組み合せ（ポリシー・ミックス）が肝要であり、自国の条件に合った適切なポリシー・ミックスを編み出すことがラテンアメリカ各国にとって緊急の課題となっている。

【参考文献】

A・G・フランク『世界資本主義とラテンアメリカ』(西川潤訳　岩波書店　一九七八年)　ラテンアメリカ経済の歴史と現状を世界資本主義との関連で、従属論の分析視角と方法論に基づいて論じた書。

水野一／西沢利栄編『ラテンアメリカの環境と開発』(新評論　一九九七年)　ラテンアメリカの基本的な環境問題をテーマ別および各国別に分析し、持続可能な開発を実現するための政策について論じた書。

ビクター・バルマー＝トーマス『ラテンアメリカ経済史　独立から現在まで』(田中高・榎股一策・鶴田利恵訳　名古屋大学出版会　二〇〇一年)　ラテンアメリカの経済史を緻密な数量分析と学際的な考察により、国内要因の分析に重点をおいて論じた研究書。

クリストバル・カイ『ラテンアメリカ　従属論の系譜――ラテンアメリカ：開発と低開発の理論』(吾郷健二監訳　大村書店　二〇〇二年)　ラテンアメリカの開発に関する思想、理論を、構造学派、国内植民地論、周縁性論、従属論を中心に論じ、新自由主義の下でのこれらの理論の新たな展開を展望した研究書。

石黒馨編『ラテンアメリカ経済学　ネオ・リベラリズムを超えて』(世界思想社　二〇〇三年)　ラテンアメリカの経済開発を、開発戦略の展開について論じた上で、マクロ経済とミクロ経済の主要な問題をとりあげて解説した書。

西島章次／細野昭雄編『ラテンアメリカ経済論』(ミネルヴァ書房　二〇〇四年)　グローバル化の下でのラテンアメリカの経済社会問題を中心に、歴史的背景を押さえながらその実態と政策について論じ、日本との経済関係にも言及した書。

今井圭子編『ラテンアメリカ　開発の思想』(日本経済評論社　二〇〇四年)　独立後のラテンアメリカにおける開発の思想を、一五人の思想家をとりあげ、歴史的背景を押さえながらその思想の形成過程と今日的意義について論じた書。

内橋克人／佐野誠編『ラテン・アメリカは警告する――「構造改革」日本の未来』(新評論　二〇〇五年)　ラテンアメリカを対象に、新自由主義政策の本質と問題点について考察し、新自由主義の弊害を乗り越え、人間中心主義に根ざした共生社会構築の道を模索した書。シリーズ〈「失われた一〇年」を超えて――ラテン・アメリカの教訓〉の第一巻。

Cardoso, Eliana & Helwege, Ann. *Latin America's Economy: Diversity, Trends, and Conflicts* (Cambridge, Massachusets: The MIT Press, 1992)　ラテンアメリカ経済の歴史、理論、政策、累積債務、インフレと安定化、貧困などについて論じた書。

ECLAC (国連ラテンアメリカ・カリブ経済委員会). *Statistical Yearbook for Latin America and the Caribbean* (Santiago, Chile)　ラテンアメリカ諸国の詳細な経済、社会統計を収録した国連の年次刊行物。スペイン語と英語で書かれている。

第四章　ラテンアメリカの社会

●中川 文雄

序　ラテンアメリカ社会のとらえ方の広汎さ

社会という言葉は政治や経済に比べて、はるかに広汎な意味をもっている。通常、ラテンアメリカの社会が論じられ、それに関する叙述がなされるときには、まず、貧富の格差、多数の貧困者の存在、土地所有の著しい偏在、都市環境の悪化、暴力や犯罪の多発といった社会問題としてとらえられている。次いでそうした問題を解決するための住民組織、市民運動の存在あるいは不在、あるいは近代化にともなう中間層の拡大とその性格、といった政治社会現象が論じられる。さらにその社会の中の人間関係とそれを規定する原理、すなわち、親族構成のルール、人間の上下を階級や身分によって分ける原理、そして社会の構成原理に大きく影響している世界観（ラテンアメリカでは、それは多くの場合、カトリシズムである）が研究の対象となっている。それぞれの研究者は以上の多岐にわたる側面と接近方法のどこかに重点をおいているのであり、そのすべてに通暁し、それを論ずることは不可能に近い。

このように対象は多岐にわたっており、そのすべてをこの章で扱うことは不可能である。しかし、社会問題と政治社会現象の多くは、本書の第三章（経済）で、貧富の格差、貧困層の大きな存在、失業と不完全就業、大土地所有制について、また、第二章（政治）で、住民組織や市民運動が育ちにくい政治風土と権威主義の政治文化について、それぞれ適切な叙述と構造まで見通した分析がなされているので、それにゆずりたく、ぜひその個所を読んでいただきたい。

本章では社会の中の人間関係を中心にラテンアメリカ社会をみていきたい。社会の中で何が人々をして階層化させているのか。その階層間の関係はどうなのか。人々はどのような形で家族や国家などの組織とつながり、それをどのように考えているのか。人々は何を貴しとし、何を見下し、何に生きがいを感じているのか。伝統的価値と近代的、産業社会的価値は人々の中でどのように調整されているのか。民衆にとって日常生活の苦渋から解放され、歓喜と陶酔にひたる機会が、あるいは家族や友人の情愛に支えられて安定した幸福感を得る機会が与えられており、それによって民衆の悲しみや憤りは昇華され、社会の均衡が保たれていく、こうしたメカニズムが、ラテンアメリカ社会にあるとすれば、それはいったいどの辺にあるのか。これらがこの章で扱う社会の中の人間関係の内容である。その中では、今日の社会問題で、政治と経済の章で詳しく扱えなかった都市化、暴力と犯罪にも言及することになる。また、ラテンアメリカ社会を考えるときに、避けて通ることができない人種関係と民族集団についても考えていくことになる。

リマの周縁部の最下層の人たちの住む地帯はプエブロ・ホーベン（若い町）と呼ばれ、むしろだけで囲った家が多く、屋根のない家もある。

一　階層社会の構造

四つの社会階層

ラテンアメリカはきわめて階層的な社会であるといわれる。しかし、その社会は現実には、どのような階層に分かれていると意識され、それぞれの階層は具体的にはどんな人たちで構成されているのであろうか。ブラジルの人類学者で、長年スペイン語圏諸国にも住んだダルシー・リベイロが描いた次のような階層ピラミッドは、ブラジルを念頭においているが、スペイン語圏諸国の多くにも適用できるモデルであ

メキシコの中間層の人たちのコスメルでのバカンス風景。

る。ブラジルの社会学者ローズマリー・ムラロが別個に作ったモデルもそれと類似しており、それぞれの階層が総人口に占める割合をも示している。かっこ内の名称はムラロによるものであり、またそのパーセント表示の比率は一九八〇年の数字である。ブラジルという産業化の進んだ国の例であり、また、最近年での経済安定の結果、低所得層の生活水準の向上がみられるものの、なおラテンアメリカの基準からしても、貧富の差、所得の格差が大きい国の例であるから、数字は必ずしも他の国々に当てはめることはできないが、構造そのものは類似しているように思われる。

住民は次の四つの階層に分けられている。それぞれをピラミッドの上から下への順でみることにする。

(1) 支配階級(ブルジョワジー、三・二%) これには大農場主、大・中の企業家、政治家、高級軍人、テクノクラート、そして外国人の多国籍企業経営者が加わる。高い塀で囲まれた大きな邸宅、または豪奢なマンションに住み、女中と庭師などの召使いを抱え、週末や休暇を過ごす別荘をもち、外国にも預金や不動産をもっている。数台の車をもち、運転手を雇っている人が多い。

(2) 中間層(プチ・ブルジョワジー、二四・二%) この階層は、医者、弁護士らの自由職業人の大部分(一部は(1)の階層に入る)、教師、小企業主、商店主、公務員、ホワイトカラーらで構成される。(1)の階層より規模は小さいが、立派な家やマンションに住み、住み込みや通いの女中を雇っている。夫婦共稼ぎが多く、一台の車を仕事と子供の通学とジム通いに使っている家庭が多い。一九八〇年代の経済危機で大きな打撃をうけ、生活様式を維持するため副業をしたり、外国へ出稼ぎに向かう人も多く出ている。

(3) 下層階級(労働者階級、三四・〇%) 零細農、小作人、工場労働者、サービス産業労働者、職人、運転手、

小店舗主、女中の一部など定期的な収入があるものから構成される。その生活はつつましいが、社会保障や医療サービスに接近できるものが多く、職能をもつことを誇りにし、勤労意欲が高い。堅実な生活設計を立てる者が多く、その中から社会上昇をとげる者もいる。

（4）被抑圧階級（アンダークラス、三八・六％）　農村の季節労働者、都市のインフォーマル・セクターの人々（店舗をもたない街頭の物売り、靴みがき、物運びの手伝いなど）、女中のかなりの部分、売春婦、乞食、スリ、窃盗らの犯罪者など定期的な収入がない者、また、仕事を求めているがほとんど働く機会がない者で構成される。劣悪な住居に住み、教育、社会保障、医療サービスから疎外されている。

注目すべきは労働者階級のさらに下にアンダークラスともいうべき最下層階級が存在し、それが人口比率では最大を占めていることである。また、（1）と（2）の階層にあっては職種や資産の大きさやまたその階層に加わってからの期間（成り上がり者か否か）によって、さらにその中で、亜階層分化が生ずる。

階層間の流動性と通婚

階層間の流動性は小さいが、決して完全に閉ざされているわけではない。女中をしている母の子が、教育をうけ歯科医となり、大きな収入と相応の社会的地位を得ている例、つつましい生活の（3）の階層の子供が軍人となりついに大統領にまでなった例はたしかに存在する。

また、階層間の通婚もみられる。この場合、人種の要素が影響してくる。ラテンアメリカ諸国では後述するように、人種関係は比較的融和的であるが、伝統的に支配階級であった白人の特徴に高い価値がおかれ、それを美しく、権威あるものと考えてきた。メスティソ、ムラト、黒人らの有色人で高い収入と地位を得た者は、社会的な認知をうけるために白人を配偶者に選ぶ傾向があるが、その場合、微妙な人種偏見を有する同階層の白人から選ぶよりは、心理的な圧力を感じさせない低い階層の白人を配偶者に選ぶことが多い。

このように階層間の通婚はある程度存在するものの、多くの場合、婚姻は同一階層の間で行われる。それは（1）

や（2）の階層にあっては資産や地位の維持のため、また、生活様式や慣習を保つため自分を取り巻く家族や友人と近い関係にある人間を配偶者として望むためである。また、資産はほとんどないものの誇りのある（3）の階層にあっては、生活態度を異にする最下層の（4）との通婚をできるだけ避けようとするからである。

階層間、国家間を貫く均質の価値体系

こうした形で階層間の微妙な障壁が存在し、それは資産の大きさ、生活様式、生活態度の違いに基づくものであるが、より根本的、より内面的な、住民の行動と情緒を律する文化価値体系に関しては、じつは（1）から（4）までの階層が共通したものをもっていることが、多くのラテンアメリカ諸国で見出される。ただし、ペルー、ボリビア、エクアドル、グアテマラのように先住民社会が大きな存在となっているところでは、先住民とその他の住民（主としてメスティソと白人）の間にはその価値観に相当に大きな違いがあり、しかも、そうした民族的な背景の違いが階層差に投影していることが多く、階層によって価値観が異なるという現象がみられ、単一の国民性について語ることは不可能になる。しかし、その他の多くの国々では国民の広汎な層の間で比較的均質な価値観が共有されているといってよい。また、国を越えて一つの均質な価値観がラテンアメリカ地域全体に貫かれていることは本書の序章で述べられている通りである。

二　階層社会、個人的関係重視の社会での人間関係と価値観

階層社会の上下関係――日常的な不平等、神の前の平等

ラテンアメリカの多くの国は、厳しい階層社会をなしており、そこでは上位の者は下位の者に対して強く、厳しく接するのが当然とされ、それを怠ると秩序が乱れると考えられている。主人と使用人が同じ卓で食事をすることはないし、女中や下男が立ったままで食事をする習慣が残っているところもある。日常的にみられる社会的強者と

弱者の間の不平等が双方で平然と受け入れられているのは、そこには、個人はあらかじめ定められた役割をもって生まれ、それを全うするのが神の御心にかなうものだとする中世カトリックの世界観を受け継いだ身分秩序観が今日も存在するからである。（詳しくは本書第二章（政治）七三頁参照）

厳しい階層差別がありながら、一方では、人格的な差別はないとラテンアメリカ人は考える。現世での個々人のおかれた身分、享受する権利は異なっているが、それでいて、個々人は神の前では平等であると考えている。日常生活で虫けらのように扱われている人間にも、れっきとした魂があり、その人格、内面性には敬意が払われている。下位の者が結婚、出生、洗礼、聖餐拝受などを祝うとき、上位の者が参席し、また、経済的にそれを助けたりするのは、一つには温情主義的支配の動機があるが、他方では神の前での平等の概念と魂、人格の重視の現れである。

ラテンアメリカで慈善、とくに乞食への施しが重視されるのは、目前にいる貧者は自分と等しく神につながっている同胞であり、それを助けるのは万人の義務であるとの考えに基づいているが、一般に乞食の態度に卑屈なところがないのは、物乞いの行為は世俗的な世界での出来事であり、それが物乞いをする人間の魂や内面的な尊厳をゆるがしていないからである。

また、ラテンアメリカで、人間の肉体的な欠陥や特徴を平気で本人のまえで言うことが多いのは（今日の日本では差別用語として使うことがはばかられる言葉に対応するスペイン語で、平気で他人に呼びかける）、また、呼びかけられた人間も全く動揺しないのは、外見や肉体への言及は、人間の内面なるもの、魂の尊厳を何ら傷つけるものではないとラテンアメリカ人が考えているからである。

ネットワーク社会での家族、アミーゴ、ネポティズム

ラテンアメリカでの人間関係は、血のつながった親族、洗礼や結婚式での代父母関係から生まれた擬制親族、そして友人からなる多数の身内に基礎をおいている。日本でのように学校や職場など、場を共有している人間同士のつながりには信をおいていない。身内同士、とくに親族はじつによく訪問し合って、その親密さを確かめ合っている。

ラテンアメリカは、場を共有する者同士が集団を作り外のものを排除する閉鎖社会ではなく、むしろ、個々人が自分を中心に選択的に人間関係を拡大していくネットワーク社会である。血のつながった親族に始まって、洗礼や結婚式での代父母関係によって生まれる擬制家族、そして友人関係へとラテンアメリカ人の人間関係のネットワークは拡大する。信頼のおける、頼みごとのできる友人（アミーゴ）を獲得しておくことは、ラテンアメリカで成功するために、また、人生を楽しくするために、必要な条件である。ビジネスにおいてさえ、個人的関係が非個人的関係に優越するからである。

家族や友人を重視し、国家、企業体、官僚組織など非人格的なものを信用しないこの傾向に否定的側面があるとすれば、それはラテンアメリカ諸国にネポティズム（身内びいき）をはびこらせていることである。政府、企業、学校などのいずれでも、指導的立場に就いた人は、自分の親族友人を実力不相応な高い地位に抜てきし、友人縁者で周りを固めようとする。

ネポティズムは社会全体で是認され、結果として、行政の継続性が失われ、実力や経験のない者が高い地位に就くことで、行政の効率が落ちるだけでなく、限られた在任期間に地位を利用して利得をはかろうとするから、汚職がどうしても生まれる。国家は、力のある者がよってたかる対象としてみられても、それへの忠誠心や義務観は乏しい。

法文化と労働観

国家への不信があり、公民的責任感が弱い状況下では、法がすべての市民に対して公平かつ非人格的に適用されることは期待できない。法は敬意を表されるが遵守されないものとの通念ができあがり、便宜や都合に合わせて法や規則の趣旨を曲げ、骨抜きにしてしまい、こうして法網をくぐることで社会の他の成員を出し抜く行為が、立ち回りの巧みさとして社会から容認されている国、こうした国々がブラジルを含めてラテンアメリカには多い。

法に関するこうした伝統と関連してであるが、法や良心に従って行動するものを愚者（トント）とみなし、賢者（ビボ）は愚者を食い物にして生き、愚者は自らの労働で生きるとの考え方が、ペルーなどいくつかの国での白人・メスティソ社会でみられる。

ラテンアメリカ諸国の庶民の多く、とくに前節の階層分類での（3）の階層の人たちは大変な働き者である。長時間のきつい労働に耐え得る人たちである。こうしたすぐれた働き手を生み出しているにもかかわらず、ラテンアメリカでは労働と勤勉は高い徳目とみなされてこなかった。長年にわたって支配階級であった地主層の価値観の影響の下、個人の生まれながらの才能や多弁を重視し、肉体労働や地道な努力を軽視してきた。庶民は自らの特徴である勤勉を国民性として主張することができなかった。

日常性脱却の社会メカニズム――サッカーの熱狂と一体感、フィエスタの幸福な世界

ラテンアメリカの社会には、民衆にとって日常的な秩序から脱却するような、あるいは秩序を逆転するような機会が折り込まれている。貧乏人が王侯・貴族の出で立ちで登場して踊りの主役となるカーニバル、現実の社会の階層間の不公平と対比的に実力で勝負が決まり、下層の人間も国民的英雄となるサッカー、そして村や町の守護聖人を祭る宗教的な祝祭としてのフィエスタ（祭りの主宰者はそのために財産を投げうち、住民は祭りの準備に献身する）、そして今一つ、誕生日、結婚披露宴、その他あらゆる動機をとらえて家庭やサロンで開かれるパーティーとしてのフィエスタ――これらのいずれにおいても、日頃の、階層的な序列を忘れさせるような、魂と魂が触れ合うような人間的な接触と連帯、そして熱狂、夢、ドラマが渦巻いている。不公平な現実の社会での民衆の悲しみと憤りは、日常性を脱却するこうした機会によって昇華され、それによってラテンアメリカの社会は均衡を保っているとさえいわれる。

今日のラテンアメリカ諸国で、全国民を熱狂させるものがあるとすれば、それはサッカーである。サッカー（スペイン語ではフットボール、ポルトガル語ではフッチボールと呼ばれている）は図抜けて人気のあるスポーツで、

国民が最も感情を高ぶらせて論議するテーマである。国民的感情の一体化、すなわち全国民によるナショナリズムの高揚は、ラテンアメリカ諸国の多くでは、サッカーによって初めてもたらされたとさえいわれる。民衆が国旗の色の服をまとい、国家的なシンボルと親密に交わることを許されるのは、国際的なサッカー対戦のときのみである。

何が国民をしてサッカーに熱狂させるのか。ラテンアメリカ諸国の日常的な階層秩序（ある家族の一員だとか、立派な肩書きがあるとか、権力に近いとかで人間が定義される）と違って、サッカーは何人《なんぴと》たりとも、たとえ権力者たりとも、変更を許されない普遍的な規則が平等に適用される世界であり、実力のみで個人が傑出する稀な世界だからであり、民衆は自己の夢が演じられている世界をみるからである。

最後に、日常性から脱却する今一つの機会フィエスタについてみることにしよう。サッカーがどちらかといえば男性中心の世界であるのに対し、フィエスタやカーニバルは男女のすべてが加わり、自己を表出する世界である。フィエスタはもともと宗教的な祭りであったが、誕生日などのパーティーも、まるで祭りであるかのように盛大に祝われるがためにフィエスタとなる。いとこ、はとこを含めた親族、洗礼・結婚の代父母とその家族、そして友人が多数招かれ、それに飛び入りの人間も加わって、夜を徹して飲み、食い、踊り、会話が弾む。パーティーに音楽はつきもので、ダンス音楽が最大の音量で流され、雰囲気を盛り上げる。人々はこんな雰囲気の中で、日常の苦渋を忘れて語り、笑い、踊る。多くのラテンアメリカ人は、このような幸福な世界に浸ることができる。不平等な現実の社会での悲しみと憤りは、日常性を脱却するこうした機会によって昇華される。

三　民族文化と国民社会

多民族起源の中での文化的一元化

今日のラテンアメリカは異質なものもその社会の掟に従って動く限り、その存在には寛容な世界である。その点、外国人にとって住みよい世界である。厳格なルールの下で均質性を求めるよりは、各人の個性を生かした自由なやり方を許すことが多い社会である。個人が異質な文化を背景に社会の中でユニークな存在であることは尊重され、さらには珍重される。その点開かれた社会なのであるが、その異質さが個人の範囲にとどまっている限り問題はないが、それが集団として成長し、一つの亜文化を形成する気配がみえてくると寛容さは失われる。その意味では、ラテンアメリカは必ずしも多文化主義の社会ではないのである。

ラテンアメリカの多くの国で、それを構成する人たちは多様な民族起源をもち、多様な身体的形質をもつ。国によっては先住民や移民集団の文化伝統が目に見える形で維持されているところもある。また、近年、いくつかの国では、多文化、多民族の存在を肯定的に評価しようとする動きもみられる。しかし、これらのことからラテンアメリカを多文化主義の世界と考えることには飛躍がある。ラテンアメリカには文化的一元化の、換言すれば、支配的な文化による先住民や移民集団への民族文化の破壊ないし吸収の、あまりにも長い歴史があり、その歴史はいまだ終わっていないからである。

ラテンアメリカでは、カトリシズムの普遍主義のため、多様な人種は内包できるが、宗教的多元性は長年にわたって排除されていた。その間に形成された文化的一元化の傾向は、他の宗教の存在が認められるようになった今日もラテンアメリカの伝統として強く作用している。ラテンアメリカの歴史の大半を通じて、イベリア国家とイベリア人植民者が、また、二〇世紀にはメスティソも加わった国民社会の指導者が文化的一元化の強い働きかけを行った。それは、一六世紀以来、今日にいたるまで、ラテンアメリカでいかに多くの先住民の民族社会や、アフリカ、ヨーロッパから渡来した民族集団が消滅に追い込まれたか、あるいは民族の特性をほとんどなくしてしまったかをみれば明らかである。

国民社会の中での先住民、アフリカ系、ヨーロッパ系諸民族

イベリア人による征服は先住民の文化と宗教を否定した。それまであった先住民の民族社会の多くが破壊され、消滅した。消滅を逃れた民族は、支配者の文化そのものでなくても、その文化の大枠を受け入れることで生き残り

をはかり、先住民の社会は大きく変容し、その文化は征服前の先住民の母文化にはない多くの要素と原理をもつようになった。

先住民のキリスト教への大量改宗が短期間のうちに行われた。先住民の信仰の内容そのものは、その後も、彼らの本来の神々への崇拝をカムフラージュした形で残したいわゆる民俗カトリシズムであることが多かったが、それでもカトリシズムの教会儀礼、祝祭、祭りのための信者集団、代親制度らの導入は先住民をイベリア的文化の大枠の中におくことになった。先住民社会の成員のある部分は、時間の経過とともに、人種的にも混血し、また文化的にも他の集団のそれを受容することで民族社会から遊離していった。それでも、今日のラテンアメリカには、なお、多くの先住民民族集団が存続し、それらは国民社会に包み込まれそうになりながらも、固有の民族文化を維持し、さらに再興しようとつとめている。

先住民の民族集団が一定の居住地域を有することで、村落と土地が核になって民族文化を何とか維持したのに対し、奴隷としてばらばらに渡来したアフリカの諸民族は、固有の居住地域をもつことはなく、民族集団を保つことはむずかしかった。アフリカ伝来の文化要素は、ラテンアメリカの共通文化に取り入れられ、あるいは今日の国民文化の形成に大きく貢献したが、それでいて、アフリカの文化が体系的に民族文化として維持されることは困難であった。

ヨーロッパからの移民集団の中には、(1)宗教に支えられた強い民族アイデンティティ、(2)その結果としての高い内婚率、(3)孤立した農村部での国民社会や他の集団からの物理的隔絶などに助けられて、ボリビア、パラグアイでのメノ派教徒、ブラジル南部のドイツ系人のように長期にわたって民族文化を維持する集団もあった。他方では早期に都市化し、族外婚傾向の強い集団(イタリア系人、近代移民としてのスペイン人、ポルトガル人)では、急速に国民社会の中に取り込まれ、その民族文化は国民文化と合体していった。

一定の居住地域を有し、民族文化をともかくも維持してきた集団にも、過去三〇年間の大きな変化は、国民社会からの取り込みと国民文化の影響を増大させている。道路の開通、学校教育の拡大、都市への旅行や移住、国民文化を運び込んでくるテレビ・ラジオの影響などで、村人は国民文化とのつながりを強め、都市に移住した家族の子供たちは民族語を失い、その帰属意識は民族集団よりも国民社会の方に傾斜し、さらにある者は民族集団から離れていく。これは民族集団にとって存続の危機を感じさせる現象であり、その危機感の中から、対抗手段が真剣に模索されているのが今日の段階である。

国民文化の受容と民族集団からの離脱が進んだ結果、ある個人の民族的起源とその個人がもつ文化とがつながらないことが多く起きるようになる。身体的特徴からすればアフリカ系である人間でもアフリカ系の宗教や民俗文化と何の関係もない人が出てくるし、むしろ、その方が多数である。一方、キューバやブラジルのアフリカ系の宗教には、多くの白人が信者として加わっている。民族的起源と文化の不一致が多くみられる。

民族紛争、人種抗争の封じ込め

民族集団は国民社会のルールと慣行に従うことではじめて存在を許される。アメリカ合衆国ではユダヤ人としてのアイデンティティを保ちつつよき市民たることが可能であったが、ラテンアメリカでは両者は相容れず、自らのアイデンティティを捨てて同化するか、国を離れるかの選択を迫られる場合が多かった。

民族集団の成員は国民社会の一員であることを、すなわちその中での慣行に従うことを要求される。ラテンアメリカでは社会の成員が集団化して相互が対立したり、権力に反逆することを許さなかった。とくにそれが人種や民族による集団化と相互の対立による場合には、国民社会からの制裁は厳しかった。世界の多くの地で、ユダヤ人とアラブ人の厳しい対立がみられるのに、ラテンアメリカの中では、両者の関係が穏やかであるのは、両者がともに同じ社会の一員としてその慣行の中で動いているからである。

ユダヤ人とアラブ系人（その多くはシリア・レバノン系）はラテンアメリカにおいて、ともに実業界で成功し、政界や文化界にも大きな影響を有しているが、世界の他の地域でみられる両者の対立は最小限に抑えられ、むしろ、取引や企業連合での接触を通して、友好的な関係を保っている。ユダヤ人もアラブ系人も、その民族集団の一員であるよりも、ブラジル人、アルゼンチン人であることを先行させているからである。

今日のラテンアメリカは、ユーラシア大陸やアフリカの多くの地で起きている民族紛争から比較的免れている。また、アメリカ合衆国や南アフリカ、さらには今や西ヨーロッパ諸国にも及んでいる人種間の激しい対立からも免れている。それは一つにはラテンアメリカには、特定の居住領域を有し、かつ、文章語をも含めた確固たる民族文化を有し、現在属する国家からの自治や分離を要求できるような民族集団がほとんどないためである。そのこと自体は何世紀にも及ぶ普遍主義と文化的一元化の結果である。今一つには、一元化、統合化の長い過程の中で、民族や人種を、それが集団化しないように図らい、政治から意識的に遠ざけてきた伝統のために、民族や人種に基づいた運動を組織することが困難なためである。

もちろん、いったん征服が成しとげられてからあとのラテンアメリカの歴史に、民族や人種をめぐる抗争がなかったというわけではない。植民地時代を通じて多くの先住民の反乱や逃亡黒人奴隷の反抗、それに対する植民地官憲からの徹底した弾圧と殲滅があった。一八世紀末からのハイチでの奴隷反乱から独立戦争にいたる過程の中には血なまぐさい人種抗争の局面があった。

二〇世紀に入っても特定の民族集団に対する排斥や殺戮はみられた。近年では先住民への国民社会からの暴力的対応に、その多くの例がみられる。アマゾンにおける経済開発が動機となって、植民者による先住民の殺戮とゲリラ活動が激化したグアテマラやペルーのように、軍隊による先住民の虐殺が国際世論を注目させたこともある。

これらの例のあるものは経済的な動機を有している。しかし、多くは極限的な状況で噴出する民族的不寛容に裏づけられている。それは、自分たちとは異なった習俗、価値観、身体形質をもつ者を低次のものとみなし、それをいやしみ、さらに革命や内戦下での極限的暴力状況の下では、そのいやしむ相手を抹殺することも辞さない態度である。

今日のユーラシア大陸やアフリカで起きている民族紛争、アメリカ合衆国での人種抗争は、これと類似した態度に裏づけられ、あるいはそれへの反発と復讐が原因となっている。ラテンアメリカでは、先に述べたように、民族や人種が契機となって集団化することが極力抑えられているがために、他大陸、他地域に比べて民族間、人種間の抗争が起きる頻度は小さいが、そうした抗争の原因が決して完全に除去されているわけではない。今日のラテンアメリカの状況は、半世紀前に比して、宗教的、文化的な寛容度が高まったかにみえ、民族関係、人種関係は比較的緊張を欠いているかにみえるが、人間文化の多様性の肯定がどこまで浸透しているかについては、なお、疑問が残る。

四　人種関係と社会

ラテンアメリカは人種平等の世界、有色人種の天国と呼ばれることがある。そうしたときにその例として挙げられるのはサッカーの王様ペレである。貧しい黒人として生まれ育ったが、天才的なサッカー選手としてブラジルをワールド・カップで優勝に導き、国民的英雄となり、引退後もテレビのコマーシャルで引っ張りだこであり、企業家としても成功し、国民の敬愛を集め、連邦政府のスポーツ大臣にもなり、多くの美女を恋人にした。ペレほどではないが、元サンパウロ市長セルソ・ピタのように黒人の成功者はほかにもいる。しかし、一人の黒人成功者の陰に何百もの名もなく、貧しく、黒人ゆえの偏見の対象になっている黒人がいることも事実で、また、ペレの恋人がつねに白人であったことの不自然さを指摘するブラジルの人類学者もいる。ブラジルに限らずラテンアメリカでの人種の問題はきわめて微妙で、カムフラージュされており、偏見や差別の問題もアメリカ合衆国でのそれのようにあからさまではなく、その存在を意識しない人、否定する人も多い。一方では、本人が気づかずに差別行為をしていて、それが被差別者の黒人をいたく傷つけている例もある。ブラジルが生んだ世界的な地理学者で黒人でもあったミルトン・サントスは、ブラジル航空の国際線の中で、乗務員たちがビジネスクラスにブラジル黒人が乗っているはずがないという先入観があるため、つねに自分に英語で話しかけてくる、私はブラジル人だといってもなおも英語で話しかけてくることに辟易した、ミドルクラスの黒人にとってはニューヨークやパリにいる方がサンパウロにいるよりもはるかに気が楽だ、と述べている。こうした複雑で微妙なラテンアメリカでの人種間の関係の一端を以下でみることにする。

社会的概念としての人種

民族と人種を定義することは、多くの人が試みて、なお、すべての人を満足させるにいたっていない。今、ここでは、およそ次の意味で民族と人種をとらえることにする。民族は言語、文化、歴史体験など主として文化的特性によって共属感覚を抱く人々の集団である。一方、人種は、肌色、毛質、顔つき、体型などを基盤に同一の集団に属すると社会がみなしている人々の集団である。ユダヤ人、ドイツ系人、日系人という場合、それは民族を指しており、白人、黒人、黄色人種という場合、それは人種を指している。

しかし、特定の民族集団、特定の人種タイプが民族と人種の双方の範疇の中でとらえられていることもある。先住民は一義的には民族的、文化的範疇であるが、人種に力点をおいてそれをみる人もいる。メスティソは、本来、白人と先住民の混血という人種的概念であったが、それが文化的、社会的に白人支配層と先住民の中間に位するもの、さらには国民社会の多数派を構成するもの、つまり国民文化の担い手の意味をももつようになった。

白人、黒人、そしてその両者の混血であるムラトは人種的概念であるが、ラテンアメリカの人々が認識するそれらの人種タイプは、単に身体的特徴だけで分類した生物学的概念ではなく、ある程度の文化的、社会的な要素がその上に影響して、その土地での白人、黒人、ムラトの概念ができあがっている。白人と呼ばれる人たちは、純粋にヨーロッパ系の人たちだけでなく、過去に先住民の血を混じえたことがその身体的形質に表れている人（本来ならメスティソと呼ばれるべき人）で教育、富、生活様式などによって規定される社会的地位が高い人たちを含めている。過去に黒人の血を混じえたことが身体的特徴に表れている人（本来ならムラトと呼ばれるべき人）で社会的地位の高い人も、やや頻度は低くなるが、やはり白人の中に加えられている。アメリカ合衆国では逆に、身体的特質からすればほとんど白人にみえる人が過去に黒人の血を混じえているというだけで、黒人とみなされている。ラテンアメリカでもアメリカ合衆国でも、その基準は著しく違うが、その社会が白人とみなしているものが白人であり、黒人とみなしているものが黒人なのである。ここに人種関係や人種問題を論ずる場合の人種とは生物学的概念でなく、社会的概念（それは生物学的、身体的な特性に基づきながらも、個人がどの人種に属するかを最終的に決するのは社会である）であるといわれる由縁がある。

「人種民主主義」の現実

世界のあらゆる地域の中でラテンアメリカほど大規模に異人種間の混血が進行してきたところはないといわれる。もちろん、大規模な人種混淆は決してラテンアメリカだけの現象ではなく、内陸アジア、中東、アフリカの東部やサハラ砂漠の隣接地帯でもみられる現象である。それらの地域での人種関係がラテンアメリカと比較されたあとで、はじめてラテンアメリカの独自性や人類社会への貢献が語りうるものとなろう。

しかし、ラテンアメリカの知識人の中から、もっぱら欧米と自己の世界の比較から、ラテンアメリカが世界の他の多民族・多人種社会に対し融和的な人種関係の理想像を提供し、今後、人種間の接触の増大が予想される人類社会全体に対して望ましい未来像を提示していると主張する人たちが出た。その理想像や未来像の中でとくに大きな影響を与えたのが、ブラジルの社会史家ジルベルト・フレイレが一九三三年にその著作『主人の館と奴隷小屋（Casa Grande e Senzala）』で示した、家父長的なブラジル奴隷制の下で成立する寛容な人種関係と混血社会である。

フレイレがブラジルの寛容な人種関係をその著作で問うた一九三〇年代は、ナチス・ドイツがアーリア種族の純血を叫んでいた時代である。フレイレの著作の英、仏、独訳が出るのは第二次世界大戦後であるが、自分たちの文明が生んだ人種主義の罪の深さを感じていた欧米の読書層は、フレイレが描くブラジル混血社会の中に、人種主義を超克した別の文明を見出したように思った。その後ブラジルは、近年にいたるまで世界で最も融和的な人種関係を達成した国との評価をうけてきた。

こうした外からの評価に呼応しつつ、ブラジルの政府も国民も、自らの国を人種偏見がなく、各人種が社会参加の均等な機会を有す、世界に誇るべき「人種民主主義（democracia racial）」の国とみなすにいたった。人種民主主義の言葉は、前述のフレイレが第二次世界大戦直後に、ブラジルはその貴族主義と無政府主義的傾向のため政治上の民主主義は達成できなかったが、人種民主主義、すなわち、人種間の自由で平等な関係の点では、アメリカ合衆国に先んじていると述べたことに由来する。

この人種民主主義の概念は他のラテンアメリカ諸国の指導者や知識人にも影響を与え、彼らは自分たちの社会の人種関係を世界に誇るべきものと考え、人種民主主義はラテンアメリカの多くの国の国是となり、国連ではラテンアメリカ諸国の代表は率先して人種平等の決議を提案してきた。しかし、ブラジルや他のラテンアメリカ諸国の現実の人種関係は、指導者たちが述べるような自由で平等な関係だったのであろうか。

ラテンアメリカの知識人の中には人種民主主義のスローガンを欺瞞、偽善と考える人たちがいる。彼らは、有色人が社会から強いステレオタイプ化の被害をうけ、また微妙な人種差別の対象になっていることを指摘した。皮膚の色と社会階層の相関関係や人種間の経済、教育水準の格差の原因を追求した。そして、人種民主主義という支配的なイデオロギーの下で、有色人を含めて国民の大多数が、現実には存在する人種差別をありえないことと信じ込んでいるがために、アメリカ合衆国と対照的にラテンアメリカでは有色人の立場を改善する努力が全く放棄されてきたことを指摘した。人種民主主義は過去の白人支配層の家父長主義的な人種関係観、寛容ではあるが決して平等でない人種関係の延長上にある思想だとして評されたのである。

二〇年前には知識人の一部の声にすぎなかったこの人種民主主義批判は、アフリカ諸国やアメリカ合衆国黒人運動からの国際的圧力と、国内での民主化、開放化らの影響をうけて、今日では政界、文化界、ジャーナリズムで力を得つつある。しかし一方で、指導者が唱える「人種民主主義」が現実を反映していると信じ込んでいる人たちも、今日多く存在する。たしかにラテンアメリカの多くの国の最下層社会のように、人種民主主義が描いた、異なった人種の共存共棲、人種の意識化の弱さ、人種間の恐怖なき交わりの図が実現しているかにみえるところもある。だが、その同じ国でも、社会階層が上昇するにしたがって、人種の意識化が強まり、人種間の不平等が強まる。

人種関係は同じラテンアメリカの中でも、地域、国、地方、階層によって相当な違いがある。また、各人種タイプの定義も地域によって相当に異なっている。以下、その違いをみることにしよう。

アメリカ大陸の人種関係の諸類型

アメリカ合衆国の人類学者チャールズ・ワグレーはかつてアメリカ大陸の人種関係に関して次のような地域分類を試みたが、それは今日でも問題の整理を助けるところが大きい。(1) 血統(遺伝子相)を重視するアメリカ合衆国、(2) 文化的な基準を重視するメキシコ、グアテマラ、中央アンデス諸国、(3) 表現相すなわち表面に現れた身体的特徴を重視するブラジル、カリブ海地域。

第一の地域、アメリカ合衆国では基本的に血統によって社会を白人と黒人に二分しようとしてきた。表現相では白人に近い混血者も、黒人の血を引いている場合には、すべて黒人とみなされてきた。今日、ヒスパニック(ラテンアメリカ系人、それはさまざまな人種タイプと混血タイプの内包を伝統とする)の増大によって、また、他の種類の混血者の増大によってアメリカ社会を白人と黒人に二分することはしだいにむずかしくなってきているが、なお、人種グループによる分立はアメリカ社会の基本的性格でありつづけている。

第二の地域、すなわち文化的な基準が重視される地域とは先住民とメスティソが人種構成で大きな要素となっている地域である。そこでは濃い皮膚の色は社会的に低い地位と結びつけられる傾向があるものの、白人、メスティソ、先住民の区別は身体的特徴よりも文化的な特徴でなされるのがふつうである。

メキシコやグアテマラでは先住民のメスティソへの移行は中央アンデス諸国に比して容易である。どの国でも先住民は白人やメスティソからの差別と偏見の対象となっている。白人のメスティソに対する偏見もかつての中央アンデス諸国では強かった。しかし、今日、第二の地域のたいていの国では、白人とメスティソの間の溝は狭まり、この両者が結びついて国民社会を動かしている。そこでは社会はどちらかといえば先住民とそうでないものとに二分される。

この二分はアメリカ合衆国での白人・黒人の二分のように厳格でない。先住民から非先住民への移行が、住む場所を変え、社会的・文化的な価値を改めることによってある程度可能であり、出生がすべてを支配することはない。先住民の出身であり、一二歳までスペイン語を知らなかったベニト・フアレスが聡明さと好運によって弁護士となり、かつて家僕として仕えた主人の娘と結婚し、ついにはメキシコ史上で最も称えられる大統領になったのは、その著しい例である。一代の間にこれだけの社会的上昇をとげる例はそう多くはないが、第二の地域の国で、運のよい先住民が教育や富を得てメスティソに転じ、その子孫が何代かの間に地位をさらに高めて支配階級の一員となり、白人とみなされるようになった例は決して少なくない。

文化的な価値を重視するために血統のもつ意味は二次的となる。しかし、身体的特徴は微妙に意識されている。その際、伝統的に支配階級であった白人の特徴に高い価値がおかれ、それを美しく、権威あるものと考える。メスティソが最も力をもつメキシコでさえ、エリート家族は婚姻の相手に、いまだに欧米系外国人、スペイン系白人を好み、メスティソなら専門職の人か経済的上層の人しか受容したがらない事実は、その人種価値観を物語っている。

第三の地域、表面に現れた身体的特質が重視されるブラジルとカリブ海地域は、かつて黒人奴隷制によるプランテーション農業がそこでの社会の形成に大きく影響した地域である。そこでの白人・黒人間には第二の地域での先住民・非先住民間のような文化的対照はない。血統の問題もあまり重視されない。黒人と白人を両極にしてその間にさまざまな混血の人種タイプが連続をなし、かつ、それらが人種カテゴリーとして認められているから、アメリカ合衆国のように黒人・白人に社会が二分されることもない。そこにおいて個人がどの人種カテゴリーに属するかを決定するのは、表面に現れた身体的特質であり、それが個人の社会的地位によってある程度修正される。

同じかつての奴隷制プランテーション地域であっても（1）ブラジル、（2）スペイン語圏のカリブ海島嶼と環カリブ海地方、（3）イギリス、フランス、オランダ系のカリブ海地域、のそれぞれで人種関係の緊張度は相当に異なる。植民地主義の支配が最も長く直接的だった（3）において緊張度が最も高く、また、有色人の自己否認が最も多く起きているかにみえる。社会主義キューバは、人種差別撤廃と黒人の地位向上の国策を強く打ち出し、アフリカ諸国の指導者たちから好感をもって迎えられたが、国民の、寛容ではあるが不平等に根ざした伝統的人種観が革命によって本当に変わったのかどうかは、なお、明らかではない。最後にブラジルの例を簡単に紹介したい。ブラジルはラテンアメリカの中で人種関係について最も多くの、また、最も詳細な研究がなされてきたところであり、詳しくは本章末の参考文献を参照されたい。

ブラジルの人種関係――社会階層と人種意識

二〇〇〇年にブラジルの地理統計院が行ったセンサス（国勢調査）ではブラジルの人種構成（ブラジルでは人種といわずに皮膚の色 cor という言葉を人種の意味で使う）の比率は、白人五三・七%、黒人六・二%、パルド（褐色《パルド》とは混血したもの全般、その多くは黒人と白人の混血である）三八・五%、黄色人〇・五%、先住民〇・四%、申告なし〇・七%であった。白人の比率が高いが、それはこの中に多数の先住民との混血、また、少なからぬムラトを含んでいるからである。従来、一〇年毎に行われるセンサスの人種に関する質問は、白人、黒人、パルド、黄色人の四つのカテゴリーの枠組みで行なわれ、一九九一年からは、それに先住民のカテゴリーが加えられたが、ブラジル人が日常使う人種カテゴリーの名称はもっと多い。多くの地方で、そこの住民によって、白人から黒人までの間に、皮膚の色、髪の毛の色と形態、容貌などの組み合わせによって十幾つかの人種タイプが認識されており、それらが連続をなし、二つに分断されていないことが特徴である。しかも、この連続して存在する人種タイプのどれに個人が属するかは、富、職能、教育などが統合して作り上げる社会的地位によって影響される。また、対人関係の状況によって、これら人種タイプの用い方が変わることも認められる。

センサスが示すところでは、白人が所得階層の最下層（第一節でふれた階層分類の中では（4）のアンダークラスがこれにあたる）に属する確率は黒人、パルドに比して低くなるものの、なお、絶対的貧困ラインとみられる最低賃金以下に約六〇〇万人の白人がいる。一五歳以上の白人でまったく教育を受けたことのないものが三〇〇万人いる。農村での浮動労働者、日雇い労働者、あるいは都市のファヴェーラ（スラム）住民、浮浪者の中に、かなりの数の白人がいることは、多くの観察者が証言している。

貧困白人は黒人、ムラト貧困層と同じ地域に住み、同じ水準の生活をし、同様の社会的疎外や差別を上層・中間層からうけている。この事実は、黒人やムラトの最下層民に、彼らがうけている差別が人種的でなく、社会的、文化的であると信じさせる大きな効果をそなえている。それが漸次的な上昇への期待感と一緒になって彼らの人種意識を弱めている。たしかに下層社会では異なった人種の共存共棲があり、人種の意識化が弱く、「人種民主主義」が描いた人種間の恐怖なき交わりがある程度実現しているかにみえる。下層社会の黒人やムラトがアメリカ合衆国でのように集団化して白人に対抗したり、ゲットーで人種暴動化することがないのは、貧困白人との共存共棲の関係が作り出す人種意識の弱さのためである。

黒人やムラトが白人からの人種偏見を感ずるのは、彼らの一部がある程度の社会上昇を成しとげて、ホワイトカラー的職業に就こうとしたり、社交クラブに入ろうとしたり、あるいは中間層以上の白人と婚姻を結ぼうとするときである。センサスは、人種間の所得格差が教育格差よりも大きく、黒人やムラトの高い教育をうけた高資格者が、その資格の割には経済的に恵まれていないことを示している。

ブラジル社会での経済的機会の確立と社会上昇には家族、友人などの人的つながりが大きな役割を果たし、その点、伝統的支配階級とのつながりの多い白人の中・上層は有利な立場にあり、黒人・ムラトの場合は、高い教育をうけても、それがただちに経済的機会の拡大につながることはない。

このため、社会上昇をとげようとする黒人・ムラトは欲求不満を抱くことになり、また、日常生活で社会からのステレオタイプ化に当惑させられたり（たとえば黒人の医師、弁護士が顧客から守衛や受付係と間違われること）、社会生活で微妙な差別をうけ、その結果、自分の皮膚の色を強く意識するようになり、強迫観念を抱き、自己否認を起こす例もあることが報告されている。

社会流動性が小さく、身分が安定していた時代では、人種間の緊張は小さく、そこでは人種民主主義の主張は説得力があった。今日、急速な工業化と都市化が社会流動性を高め、黒人やムラトのある部分に社会上昇を促すと、それが差別の強化と被差別者側での差別の意識化が高まるという構造がみられる。こうした構造が存在しながら、他方では、今日のブラジル社会で起きている広汎な変化の中で、より平等主義的な思考が強まる可能性はあり、そのことが真の平等に基づいた人種関係への変化を促している。

近年の調査データは今日のブラジルで異人種間交婚が、白人で最高所得者層に属するものを除けば、相当広範囲に行われていることを示している。しかも過去四〇年間にその進行が速くなったことが認められている。

五　都市化と都市社会の変容

今日のラテンアメリカでは広汎な領域で変化がみられる。都市化、工業化、運輸・通信網の発達、モータリゼーション、テレビの普及、それらにともなった女性の社会参加の高まり、宗教戒律の軽視、性モラルの自由化、既成政党の権威失墜、暴力犯罪の多発などが進行している。人口移動、経済活動の変容、運輸通信の発達といった目に見える急激な変化に比べると、社会の中の価値観の変化は遅れるが、究極的にはそこにも変化は及んでいく。これらの顕在的および内在的な諸変化は、相互に刺激し、影響し合いながら進行しているが、この節では、都市化を中心にすえ、それが社会の他の面の変化とどのように関連しているかをみることにする。

都市化——農民はなぜ都市に向かうのか

ラテンアメリカは早くから都市化が進行した地域であるが、過去四〇年間、その進行はいっそう急速であった。農村人口の都市への移動が起こり、また都市人口の自然増加も加わって都市は膨張し、今日、ラテンアメリカ総人口の七八%が都市部に居住しているが、これは世界の途上地域平均の二倍近い高さである（都市人口をどのように定義するかは国によってかなり異なり、直接の比較はむずかしいが、ワシントンの人口レファレンス・ビューローが調整し推定した二〇〇三年半ばの数値による）。ブラジルでは農村部から都市部への人口の純移動は一九六〇年から一九九一年までの間に約四五〇〇万という膨大なものであった。これは各一〇年期で、総人口の一二—一三%が農村部から都市部へ移っていたことになる。他の国々では絶対数はこれより少なくなるものの、総人口の中での向都人口（農村部から都市部に移動した人口）の比率は同様に高い。

それでは農民はなぜ都市へ向かうのか。基本的には出生力が高い農村部での人口増大を受け入れるだけの雇用が農村部にないからである。しかし、ラテンアメリカ諸国での向都人口移動には、次のような経済的、社会的、文化的な要因を考慮する必要がある。工業化の進展が労働市場を創出し、それがプル要因となった国や時期もあった。しかし、ラテンアメリカ諸国の近年の工業化は資本集約的であり、大きな雇用を生み出すことなく、むしろ、農村での農業近代化が農業構造を労働集約的から資本集約的へと転換させ（たとえば、新たに導入される種子や肥料の費用に耐え得ない小農民の離農、あるいは人手のかかる基礎作物やコーヒー栽培から機械化された大豆栽培への転換）、その結果としてもともと相対的に貧困であった農村部の雇用が削減され、それが強いプッシュ要因になった。そうして流出した人口が都市のインフォーマル・セクターに加わり、そこでの生存が確立すると、それを頼りにして家族、友人が都市に向かい、農村からの人口流出がさらに進むという循環が始まる。

道路、バス輸送、テレビ、電話などの交通・情報手段の大幅な改善は物理的、心理的に農村人口の都市への移動を容易にした。また、農地改革が叫ばれた国では、農場主たちは地権を要求するかもしれぬ農民を小作人として住まわせることを止め、それを近在の町や小都市に追いやって必要なときにだけ農業労働者として雇用する行き方をとったこと、あるいは農民自体も孤立した農場で教育や医療から疎外されているよりは、町に住んでそれをうけたいとの願望を抱くようになったこと（それ自体、メディアにも影響された時代の変化、価値観の変化を反映していた）も、向都人口の移動を促す要因であった。

農民は都市部に移住することで、より大きな現金収入を得るのが一般的であったが、その実質的な生活水準は低下することが多かった。農村にいる限り、あてがわれた小さな土地で食用の作物を作ることができたが、都市とくに大都市ではそれは不可能であった。住居空間も都市に移ることで縮小し、劣悪化した。今日、ラテンアメリカで最大の貧困と飢えは、農村よりも、大都市のスラムの中にあるかにみえる。

都市環境の悪化、暴力犯罪の急増、都市社会の断片化

都市化は中小都市の成長をも促したが、人口移動の最も大きな部分は大都市圏に向かってであった。人口一〇〇万以上の大都市圏、さらに一〇〇〇万以上の巨大都市が流入人口をのみ込んで、また、都市内での自然増加に促されて膨張した。世界の巨大都市上位一五位の中の四つはラテンアメリカにある。その中でメキシコ市大都市圏とサンパウロ大都市圏は世界最大の巨大都市になろうとしている。また、多くの国で総人口の非常に高い割合（三〇―五〇％）が一つの都市に集中している。

これらの大都市圏や巨大都市の膨張は、それらの都市の性格を大きく変えた。ラテンアメリカの諸都市は、かつてはヨーロッパの都市を模倣して、調和のとれた美観と都市的なエトスに支えられ、農民を寄せつけない雰囲気があった。近年の農村部からの大きな人口流入でかつての華麗だった中心部は、これら流入農民の屋台によって占拠され、薄汚くなり、また、都市の周縁部にはスラムが発生し拡大した。都市の急激な拡大の前に公共サービスの拡大が追いつかず、とりわけ公共運輸機関の発達の遅れが都市の街路を自動車で埋めつくす結果を生み、交通渋滞、大気汚染が極端に達した都市もある（四五〇万台の自動車が街路を埋めつくしているメキシコ市やサンパウロ大都市圏）。

都市の拡大は、都市の中に無関心で誰もかまわない空間を作り出し、犯罪の行われやすい場が生まれる一方で、大都市の孤独の中で家族からも切り離され、たえず敵対的な世界におかれ、ついには人間的な情感をなくした根っからの犯罪者を生み出した。ラテンアメリカ諸国での暴力犯罪の急増は（1）大きな貧富の差、（2）家父長や教会などの伝統的な権威の低下にともなう古い時代を支えていた倫理の喪失、（3）国民間での警察や司法への根強い不信、それが個々人の銃による武装傾向を強め、それは犯罪者からの銃による先手攻撃を生み、銃砲による暴力のエスカレーションが起きていること、（4）麻薬の取引が絡んだ犯罪の急増、などの多くの要因も関連して引き

ブラジル南部クリチバ市中心部。

起こされている現象であるが、都市拡大による無関心な空間の広がりがそれに大きく影響している。コロンビアとブラジルは殺人発生率で世界最高の部類に入るようになり、その他の多くの国々でも三〇年前には少なかった強盗、かっぱらいなどの暴力犯罪がふつうにみられるようになった。

都市の多くの部分が危険となり、市民が自由に遊歩できる公共空間としての街路の役割は失われ、ガードマンが入り口を監視するショッピングセンターという私的空間が遊歩の場になる現象が生じた。かつてのラテンアメリカ都市にあった、街路における異なった階層間の接触とコミュニケーションは失われ、閉ざされた空間の中で、自分と同じ階層、同じ生活様式の人間とだけ接し、それ以外の人間には無関心になるという社会の断層化、断片化の現象が強まってきている。

よりよい都市環境と生活の質を求めて

大都市圏で起きているこれらの現象の中で暴力犯罪の発生は、中小の都市にもある程度及んできている。しかし、そこでは交通渋滞や大気汚染は限定されており、いまだ伝統的な秩序が保たれ、人々の接触と交流の機会が大きく残されている。また大都市のスラムに拡がる極端な貧困も中小都市では限られている。今日、ラテンアメリカでは大都市よりも中小都市の方が所得水準は低いにもかかわらず、生活の質は全般的に高いといってよい。そこにはかつてのラテンアメリカの大都市にあったゆとりある生活が残されており、そのことが大都市圏から中小都市への人口の還流を生みはじめている。

しかし、すべての大都市で居住の条件が悪化しているわけではない。すぐれた指導者の下、市民が協力して、世界に誇るべき居住環境を作り上げた大都市もある。ブラジル南部のクリチバ市は人口二〇〇万を越える大都市圏の中心をなしているが、広い緑地面積を確保し、公共交通機関の整備とバスを優先させた道路の使い方で交通渋滞と都市中心部の荒廃を未然に防ぎ、また、ゴミの高いリサイクル率など都市環境を改善し、しかも、それを創意によって低コストで実現した。第三世界のみならず、先進諸国からも最も望ましい都市環境を低コストで作り出したモデルとみなされている。クリチバがヨーロッパ移民の子孫が大多数を占める、比較的平等で格差が小さい社会構成であったからこそ、市民の理解と協力が得られやすく、そうした実験が成功したとみられる。しかし、創意ある、すぐれた指導力と市民の協力があれば、ラテンアメリカの他の大都市の未来も決して絶望だけではないことをクリチバの例は示しているように思われる。

【参考文献】

中川文雄／三田千代子編『ラテンアメリカ　人と社会』（新評論　一九九五年）　その2―7章は各国あるいはラテンアメリカ全体の、文化価値体系、国民性について読みやすい叙述がなされ、8―13章は人種関係と民族集団についてのユニークな論考が平易に述べられ、まとめられている。

三田千代子／奥山恭子編『ラテンアメリカ　家族と社会』（新評論　一九九二年）　ラテンアメリカにおける家族の史的な展開と現代での家族の諸相を紹介した概説書でラテンアメリカ社会の人間関係の中で家族の占める位置をよく描き出している。

国本伊代／乗浩子編『ラテンアメリカ　社会と女性』（新評論　一九八五年）　ラテンアメリカ女性史として、また、現代ラテンアメリカ社会での女性のおかれた状況の紹介としてユニークな概説書となっている。

大貫良夫編『民族交錯のアメリカ大陸』（民族の世界史一三　山川出版社　一九八四年）　アメリカ合衆国を含めてのアメリカ大陸の諸地域について、その民族関係、人間関係の歴史と現状を多数の人類学者が分担、執筆したもの。

小林致広編『メソアメリカ世界』（世界思想社　一九九五年）　メキシコ、中米地域の先住民社会が決してメスティソ社会に吸収されていくだけでなく、創造的な活力で独自のエスニシティを模索している状況を他の四人のエスノヒストリー研究者、人類学者とともに描き出している。

中川文雄「ブラジルにおける人種関係――人種デモクラシー批判台頭下での現況」（『アジア経済』第二七巻第六号　一九八六年六月　二―二五頁）ブラジルの人種関係の実態（人種カテゴリー、人種間混淆、人種アイデンティティ、人種と所得・教育水準との相関関係など）と人種関係をめぐる政治的、文化的状況を詳細な資料をもとに分析したもの。

O・パス『孤独の迷路――素顔のメキシコ人』（吉田秀太郎訳　新世界社　一九七六年）、同『孤独の迷宮――メキシコの文化と歴史』（高山智博／熊谷明子訳　法政大学出版会　一九八二年）メキシコの作家がメキシコ人の内面性を省察したエッセイで、すぐれた古典的作品。

R・ダ・マータ「社会の〈内なる〉スポーツ――国民劇・国民祭としてのフットボール」（V・ターナー／山口昌男編『見世物の人類学』三省堂　一九八三年　二四六―二八七頁）カーニバルについても日常的秩序の逆転という演劇化の視点で論じた現代ブラジルの人類学者が民衆的な演劇化としてのサッカーについて、事実の記述よりも論理的な分析に重点をおいて書いた論文。

中牧弘允編『陶酔する文化――中南米の宗教と社会』（平凡社　一九九二年）祭りとカーニバルをも含めたラテンアメリカのカトリシズムと民衆宗教についての諸相を多くの宗教学者、人類学者が紹介し論じたもの。

A・ギルバート『ラテンアメリカ入門』（山本正三訳　二宮書店　一九九六年）人文地理学者によるラテンアメリカの概説書であるが、農村社会、向都人口移動、都市のインフォーマル・セクターについての適確な叙述があり、ラテンアメリカ社会に関する英語圏で刊行された文献の紹介も有用である。

山田睦男／細野昭雄／高橋伸夫／中川文雄『ラテンアメリカの巨大都市』（二宮書店　一九九四年）メキシコ市、サンパウロ、ブエノスアイレス、リオデジャネイロに関する実地調査に基づいた研究とラテンアメリカ全般での都市化に関する論考。

服部圭郎『人間都市クリチバ』（学芸出版社　二〇〇四年）都市工学専門家によるクリチバの創造的な都市環境改善の研究。

第五章
ラテンアメリカの文化

●鈴木慎一郎・野谷文昭・加藤薫

序　ラテンアメリカの文化を視る

ラテンアメリカの文化は、多様性、雑種性、混血性などを特徴にしているとよくいわれる。サッカーやカーニバルでの熱狂にみられるような、人々の強靱な生命力も、その源は文化の混血性にあると語られることが多い。たしかに歴史上、別々の土地からやって来た人間たちがこの土地で交わり合い、メスティソ、ムラトと呼ばれる者を殖やしていったことは事実だ。混血の存在は、人間にとっての人種や民族といった事柄の意義について、再考を促す。

世界を見わたすと、人種・民族への帰属意識に起因するとされる反目や大量虐殺までもが起きている。そうした現象に心を痛める者たちは、ラテンアメリカ文化の異種混淆性の内に、とりうる思想的戦略を見出そうとする。人を単一の人種や民族のカテゴリーに押し込めて支配や抑圧に供するのが近代特有の思考様式であるのならば、異種混淆性はそうしたカテゴリー化の首尾一貫性や永続性を拒否する戦略だとされる。

メキシコの政治家・思想家であるホセ・バスコンセロスが一九二〇年代に唱えた「宇宙的人種」という概念が思い出される。彼は、ラテンアメリカの国々が人種混淆によって、過去のどの人種とも同一でなく、すべての人種のすぐれた要素を含んだ新しい人種を生むであろうとし、それを宇宙的人種と呼んだ。

しかし、異種混淆性に戦略を求めることは、しばしば難問を抱える。第一に、異種混淆性をそれが生まれてきた具体的な社会状況、すなわち植民地における支配／被支配の歴史から切り離して賛美することは、過去から現在まで続く人種・民族間の力の不均衡から目をそらさせることになりかねない。第二に、異種混淆性をラテンアメリカ文化の独自性や固有性のごとく語り、その言説を永続化させようとするのであれば、それ自体また抑圧的体制となる。第三に、支配文化によって抑圧されてきたインディオや黒人系住民の権利回復運動は、異種混淆ではなしにやはり人種や民族をアイデンティティの拠り所とする、という事実がある。

文化の多元性という事柄も、異種混淆性と同様、しばしば無批判に賛美される。たとえば、ラテンアメリカではそれぞれの民族の多様な文化が平和に共存している、という語り口がある。しかし、それが文化多元主義という〈上からの〉政策となったときには、えてして民族の過去の文化のみが参照点となる、という問題がある。たとえば、メキシコにおいて国家思想と化したインディヘニスモは、アステカ時代の古代先住民文化の引用や参照を活発に行う一方、現代の先住民文化については積極的な語り口をもたない。

われわれがこれからラテンアメリカの文化について考えるときには、文化という語の使用が現代世界ではきわめて政治的な意義をもちうることを考慮に入れ、歴史的な文脈をしっかりと見据えていくことが求められる。とりわけ、文学、音楽、映画、美術などの創造文化を論じる際にはそれは重要である。それを行ったうえで初めてわれわれは、ラテンアメリカ文化から感じとられる生命力、躍動性、美しさについて考えることができる。さもなくば、力の源を多様性や混血性に求める単純な議論の再生産になってしまうだろう。

（鈴木慎一郎）

一　ラテンアメリカの文学

ラテンアメリカの自立を表象した近代主義

ラテンアメリカ文学とは本来、プエルトリコを含めたスペイン語系一九カ国、ポルトガル語系のブラジルおよびフランス語もしくはクレオール語系のハイチの文学を指すが、一般にはスペイン語系諸国からなるイスパノアメリカの文学を意味することが多い。ここではイスパノアメリカを中心に、ラテンアメリカ文学を概観する。

イスパノアメリカ文学の歴史をふり返ると、過去いくつかの変革期があったことがわかる。詩の分野では、近代主義（モデルニスモ）の誕生する一九世紀末から二〇世紀初頭にかけてと前衛主義が台頭する一九二〇年代から三〇年代にかけて、そして小説の分野では、一般に〈ブーム〉の名で知られる一九六〇年代がそれにあたる。しかし、いずれの場合も党派的運動が主導権をとったわけではなく、制度となってマンネリ化した文学を、外国文学の要素を積極的に取り入れることで刷新しようとする、覚醒した詩人や作家の個別的試みが集まった結果、新たな潮流が生まれたとみるべきだろう。一方、ブラジルの場合、スペイン語圏の前衛主義に相当する近代主義は、サンパウロの作家・知識人による自覚的運動として、一九二〇年代から三〇年代にかけて文化全域に及ぶ広がりをみせた。

イスパノアメリカの近代主義は、フランス詩に霊感をうけつつ、言葉の純化や音楽性の導入などにより、政治的情熱のはけ口となっていたロマン主義の詩を乗り越えた。代表的作品にホセ・マルティの『素朴な詩』やルベン・ダリオの『青』、『俗なる詠唱』がある。近代主義の誕生は、政治的にはすでにスペインから独立していたイスパノアメリカが文化的にも独立したことを意味するものだった。

世紀末の近代主義は、芸術至上主義を一つの特徴としていたが、米西戦争に象徴されるアメリカ合衆国の脅威をまえに、ダリオの『生命と希望の歌』やホセ・エンリケ・ロドのエッセー『アリエル』にみられるように社会参加の姿勢を示すようになる。が、ダリオの死とともに近代主義は退潮する。これに代わって登場するのが前衛主義で、両大戦間のヨーロッパに生じたダダイズム、シュールリアリズム、超越主義などに刺激をうけ、メキシコ革命や反独裁闘争などで騒然としていた時代の感性を表現しようとした。純粋詩への反抗、定型の破壊、暗喩の大胆な使用を特徴とする前衛派の詩人には、セサル・バリェホ、パブロ・ネルーダ、ビセンテ・ウイドブロ、オクタビオ・パスらがいるが、若き日のホルヘ・ルイス・ボルヘスも前衛詩人として、スペインから超越主義をアルゼンチンにも ち帰ったのだった。この時期に起きた世界史的事件にスペイン内戦があるが、前衛派には戦場となったかつての宗主国に赴いた詩人もいた。バリェホ、ネルーダ、パスらにとり、内戦体験は決定的な意味をもっている。

イスパノアメリカは、詩は豊かだが小説は不毛であるということが長らくいわれた。もちろん実際には小説がなかったわけではなく、一九世紀以来、インディヘナの窮状を告発するインディヘニスモ小説、時代の証言となることを目指したメキシコ革命小説、密林小説やガウチョ小説を含む土地の小説もしくは郷土小説など、さまざまなサブジャンルの小説が書かれ、文明対野蛮をテーマとするロムロ・ガリェゴスの『ドニャ・バルバラ』のような作品が正典とみなされていたのである。しかし、土着的テーマを一九世紀的自然主義や写実主義に学んだリアリズムの手法で描こうとするそれらの小説の多くは現実模写の域を出ず、国家の枠組みを前提とし、その内側に向けて書かれていた。作家たちは文学者であるまえに、国の運命を憂える知識人であり、文明化の必要を説く教師だったのである。彼らにプロ意識はなかった。ここから生まれる小説は後に古い小説と呼ばれることになる。

〈ブーム〉を生んだ現代文学

ところが一九六〇年代に、状況は大きく変わる。キューバ革命の成功にともない、作家や知識人の間に大陸規模の連帯感が生まれ、世界の耳目を引いたこの時期に、ラテンアメリカのアイデンティティを探求する壮大な全体小説や遊戯性に満ちた実験小説など、大陸はもとより世界を視野に収めた、国境を無化するような作品がつぎつぎと現われるのだ。神話性や批評性、両義性を備え、ユーモアやパロディに満ちたそれらの小説は、やがて〈新しい小説〉と呼ばれることになる。そこでは外国文学や外国語の要素が盛んに取り込まれ、映画や絵画、詩など他ジャンルとの混淆も自由に行われている。反リアリズムを特徴とし、前衛的でありながら豊かな物語性を備えた作品は、欧米で〈小説の死〉ということがいわれたこの時期に、小説の面白さと可能性を再認識させた。

こうして文学史上稀にみる活況が訪れ、多くの作品が外国語に翻訳されるとともに国外で文学賞を受賞した。このような活況をジャーナリズムは〈ブーム〉と呼んだ。この時期の代表的作品としてフリオ・コルタサルの『石蹴り遊び』、マリオ・バルガス＝リョサの『緑の家』、カルロス・フエンテスの『アルテミオ・クルスの死』そしてガブリエル・ガルシア＝マルケスの『百年の孤独』が挙げられるが、それらは数ある作品のごく一部にすぎない。なかでもコロンビアのカリブ海沿岸地方の共同体とその建設者一族の年代記がラテンアメリカの歴史の縮図ともなっている『百年の孤独』は、現実と幻想が混淆するいわゆる魔術的リアリズムの作品として多くの読者を獲得した。

しかし、一九六〇年代の終わり頃からキューバ革命の評価をめぐって作家・知識人が分裂し、かつての熱気が失われるとともに〈ブーム〉は潰えることになる。とはいえ、中心的作家たちの活動は七〇年代に入っても衰えず、〈ブーム〉に刺激されて育った作家が加わるなどして、文学的活況はその後も続く。ガルシア＝マルケスの『族長の秋』、フエンテスの『テラ・ノストラ』、バルガス＝リョサの『世界終末戦争』、ホセ・ドノソの『夜のみだらな鳥』、レイナルド・アレナスの『めくるめく世界』、イサベル・アジェンデの『精霊たちの家』、ギリェルモ・カブレラ＝インファンテの『亡き王子のためのハバーナ』やマヌエル・プイグの『蜘蛛女のキス』などはこの〈ポストブーム〉期の代表作といえるだろう。また、七〇年代には『族長の秋』ばかりでなく、カルペンティエルの『方法再説』、アウグスト・ロア＝バストスの『至高の存在たる余は』のような〈独裁者小説〉が書かれている。さらに九〇年代にもトマス・エロイ・マルティネスによるエバ・ペロンの遺体にまつわるミステリー『サンタ・エビータ』やドミニカの独裁者を扱ったバルガス＝リョサの『山羊の宴』が刊行され、作者によって手法は異なるものの、一九世紀に生まれた〈独裁者小説〉が依然としてラテンアメリカ文学特有のサブジャンルであることを印象付けた。

ここで忘れてはならないのは、〈古い小説〉の全盛期に〈新しい小説〉の特徴をもつ作品をすでに書いていた先駆的作家たちの存在である。なかでも異彩を放っているのが、『伝奇集』のような形而上学的短篇で知られるボルヘス、中米先住民の神話とシュールリアリズムを組み合わせた『グアテマラ伝説集』のミゲル・アンヘル・アストゥリアス、カリブ海の黒人の魔術的世界を活写する『この世の王国』のアレホ・カルペンティエル、架空の町を舞台とする実存主義的小説『はかない人生』のフアン・カルロス・オネッティ、メキシコの農民の死生観を巧みに描く『ペドロ・パラモ』のファン・ルルフォなどである。さらにスペイン語とケチュア語の混血語によって、先住民の感性をもつ白人少年の意識を表現した『深い川』のホセ・マリア・アルゲダスの存在も欠かせない。

一方、スペイン語圏の〈ブーム〉に触発される形で、都会のカフカ的悪夢を描くクラリッセ・リスペクトールや〈奥地〉の神話的世界を壮大なスケールで描き出したジョアン・ギマランイス＝ローザのようなブラジルの作家が世界に紹介されるという現象もあった。地方主義に根ざした作品を書きつづけるジョルジェ・アマードとは対照的にコスモポリタンな作風で知られる二人は、〈ブーム〉の作家たちに劣らぬ評価をうけている。

今日の傾向

ところで、今日のイスパノアメリカ文学はどのような傾向を示しているのだろうか。これは難しい問いである。

敢えて挙げれば、まず女性作家の台頭がある。〈ブーム〉期を代表する作家に女性がいないところに窺えるように、第二次大戦後に女性詩人のガブリエラ・ミストラルがノーベル賞を受賞してはいるものの、散文の分野では女性作家の活動は極めて限られたものだった。南米ではマリア・ルイサ・ボンバルやシルビナ・オカンポ、メキシコではロサリオ・カステリャノス、エレナ・ガーロといったエリートあるいはエリートと繋がりのある作家が創作を行ってはいたが、その数は少ない。そのような環境のなかでアジェンデの『精霊たちの家』が大成功を収めたことは画期的な事件だった。しかし注目すべきは、彼女たちの作品に既にフェミニズム的傾向が窺えることだろう。この傾向はその後プエルトリコのロサリオ・フェレーや、メキシコのエレナ・ポニアトウスカ、若い世代に属するアンヘレス・マストレッタ、チリのマルセラ・セラーノらがより自覚的に示すようになるとともに、女性読者を獲得することになる。

前述の〈独裁者小説〉の多くは歴史小説と見なすことが可能だが、一九九二年前後には、コロンブス五百周年ということがきっかけとなって、シーモア・メントンが〈新しい歴史小説〉と呼ぶ主観的、寓意的なものを含め、新旧大陸に跨る歴史小説が目立った。

また一九九〇年代には、映画化もされたセネル・パスの『苺とチョコレート（原題：狼と森と新しい人間）』の成功が引き金となり、スペインの出版社からキューバの小説が相次いで刊行され、いわゆる〈キューバ文学ブーム〉が生じている。作家のリストにはレオナルド・パドゥーラのような社会派推理作家や国外で体制を批判する亡命作家ソエ・バルデスらが含まれ、〈ブーム〉の背景に影の部分を含めて社会主義キューバの現実を知りたいという外国の読者の欲求も見て取れる。

一九六〇年代から七〇年代にかけ、手法について種々の実験が行われる一方、大きな物語が盛んに書かれたため、それを踏襲しない新世代は、手法としてはリアリズムに回帰し、大きな物語に対しミニマリズムを志向する傾向がある。とりわけ女性作家はこの傾向が強い。大きく見れば、新世代の傾向も、世界文学的方向を目指すものと土地に根差した作品を書こうとするものの二つに分けることができるだろう。前者の例に欧米を舞台とするホルヘ・ボルピの時空を自由に使った『クリングソルを求めて』があり、後者の例にコロンビアのメデジンを舞台とするホルヘ・

ガルシア＝マルケス、「ニューヨーク・タイムズ」に登場、1978年7月。

フランコの『ロサリオの鋏』がある。フエンテスは〈ブーム〉期のテーマや手法を敢えて使う作家を〈ブーメラン世代〉と呼び、ボルピらの作風は〈クラック〉と呼ばれる。しかし、〈クラック〉とは過去と繋がりをもたないといった程度の意味に過ぎず、なんらかの具体的な潮流を指し示しているわけではない。その意味で新世紀を迎えたイスパノアメリカ文学は、六〇年代の〈ブーム〉から自由になり、作家たちは集団よりも個人に根差す作品を書いていると言えるだろう。都会の幻想を描くセサル・アイラとエコロジー小説で知られるルイス・セプルベダの間に共通点は見られない。ミストラルに続き、アストゥリアス、ネルーダ、ガルシア＝マルケス、パスがノーベル賞を獲得してきたラテンアメリカ文学がどこへ行こうとしているのかは分からない。だが、ボルヘスやガルシア＝マルケスの作品が世界に読者をもち、作家や思想家に影響を与え続けていることは確かである。（野谷文昭）

二　ラテンアメリカの映画

ラテンアメリカ映画の誕生と〈黄金時代〉

一九世紀末にリュミエール兄弟が開発したサイレント映画は瞬く間に全世界へと広まったが、ラテンアメリカでも一八九八年にはメキシコに最初の映画館が誕生している。以後、この地域では二〇世紀初頭から映画産業が発展しはじめるものの、国産映画を本格的に作ることができたのは、メキシコ、アルゼンチン、ブラジルのほぼ三国に限られた。というのも、黄金時代を迎えたハリウッドから大量の映画が流れ込み、映画産業の基盤すら欠いていた多くの国では国産映画が育たなかったからである。メキシコ市を例に挙げると、一九三〇年代には公開作品の約八割、一九四〇年代には約七割がアメリカ合衆国製であった。しかし今日にまで及ぶこの従属的状況は、一方でラテンアメリカ映画の個性や独自性をもたらすことにもなった。すなわち、ドキュメンタリーの手法に基づく社会参加的な映画およびマリアッチやタンゴ、サンバのような土着的大衆音楽とアクションに彩られたメロドラマを中心とする娯楽映画という二大ジャンルを生むのである。

一九三〇年代から四五年にかけては、メキシコ映画の黄金時代であった。モンタージュ手法で知られる旧ソ連のエイゼンシュテインが後の「メキシコ万歳」を撮ったこの時期に、フェルナンド・フエンテス監督はメキシコ革命をテーマとするドキュメンタリー調の「パンチョ・ビーリャとともに進め」(一九三五年)を撮るものの、興行上の見通しが立たなかった。そこで同年ミュージカル映画「ランチョ・グランデにて」を手掛けたところ大ヒットする。この成功をきっかけに国産映画は活気づき、年間三〇—四〇本が作られるとともに、いわゆる黄金時代を迎えるのだ。第二次世界大戦中、ペロンが中立政策をとったアルゼンチンとは異なりメキシコは連合国側を支持した。そのため映画産業がアメリカ合衆国の保護をうけたことも大きい。一方、フエンテスが手掛けたのは、結果的にではあるが、先に述べた二大ジャンルであり、しかも当たったのがミュージカル映画であったという事実は、メキシコ(およびラテンアメリカ)の観客の嗜好を反映してもいる。画家ダリとのコンビによるシュールリアリズム映画「アンダルシアの犬」や「黄金時代」で知られる亡命スペイン人ルイス・ブニュエルは、この地で二〇本の映画を撮っているが、メキシコ時代第一作が、ホルヘ・ネグレーテとアルゼンチン出身のリベルタ・ラマルケという二人の人気歌手が出演するミュージカル映画「グラン・カジノ」(一九四六年)であったという事実は、当時のメキシコ映画産業の要請がいかなるものであったかを示すものといえるだろう。しかしブニュエルは一九五〇年に、非行少年の群像を描くシュールリアリスティックなイメージに満ちたドキュメンタリー調の映画「忘れられた人々」を発表し、世界に衝撃を与えた。メキシコでは国辱映画として非難されたこの作品は、テーマはもとより手法に関しても、後にみる「ラテンアメリカの新しい映画」の一つの範となっている。

メキシコ映画の黄金時代を代表する監督にエミリオ・インディオ・フェルナンデスがいる。彼は人気女優ドローレス・デル゠リオやマリア・フェリックス、名カメラマン、ガブリエル・フィゲロアらと組んで「マリア・カンデラリア」（一九四四年）、「リオ・エスコンディード」（一九四八年）などを撮り、海外にもその名を知られるようになった。メキシコではこの時期、映画の制作本数が一九四〇年の二七本から五〇年の一二七本へと大幅に増加しているが、このことは当時の国産映画の活況ぶりを物語っているといえよう。

アルゼンチンでは一九〇八年に最初の映画が撮られた後、一九二〇年代には年間一〇本以上のサイレント映画が制作されるものの、実際には上映作品の九割をハリウッド映画が占めていた。この寡占状態は国産映画の危機をもたらすが、トーキーの登場にともなうミュージカルやコメディ、メロドラマに活路を見出すことで、映画産業は息を吹き返すとともに発展をみることになる。しかし、前に触れた第二次世界大戦中の中立政策がアメリカ合衆国による制裁をまねき、生フィルムの輸入が途絶えたために国産映画は麻痺状態に陥った。そして一九四五年になってようやく、ルイス・サスラフスキー監督の「幽霊貴婦人」のような作品が発表される。後にペロン夫人となるエビータが女優としていくつかの作品に出演したのは一九四一年前後のことである。また、一九五〇年代に入るとレオポルド・トーレス・ニルソンが社会派の監督として活躍し、世界に知られるようになる。

一方、ブラジルでは、二〇世紀に入るとすぐに撮影が始まり、一九二五年から三五年にかけて発展期を迎えるとともに、マリオ・ペイショト監督の「限界」（一九三〇年）やウンベルト・マウロ監督の「生のままの捨石」（一九三三年）などが生まれた。しかしその後、国産映画は振るわず、一九五二年の一億五〇〇〇万人から翌年には二億五〇〇〇万人、さらに五八年には三億人へと増えた入場者も、その八割方はハリウッド映画の観客であった。また資本の面でもその八割をハリウッドが占めるという状況は、アルゼンチンの場合と同様であった。このような状況下で成功を収めた数少ない映画に、後にハリウッドの大スターとなるカルメン・ミランダが出演した「アロー・アロー・ブラジル」（一九三四年）やリマ・バレット監督の「野性の男」（一九五二年）などがある。

〈新しい映画〉

ラテンアメリカの一九五〇年代は、キューバ革命に象徴される政治の季節であったが、この時期に映画は政治と結びつくことにより新たな展開を示すことになる。それはまた国境を越える〈ラテンアメリカ映画〉の誕生を意味した。映画は、内戦、ナショナリズムの高揚、各地域のアイデンティティの主張といった共通のテーマ群を携え、社会参加の武器あるいは現実を映し出す道具としての役割を担うようになるからである。この動きはイタリアのネオレアリズモやフランスのヌーヴェル・バーグに呼応するもので、低予算、ロケ、素人の出演者、作家主義などの特徴に加え、反米主義、ハリウッドによる市場の寡占状態への対抗という要素がみられるとともに、現実のドキュメンタリー的表現と〈もう一つの現実〉であるファンタジーの表現を特徴としていた。そこから生まれた一連の作品が、いわゆる〈ラテンアメリカの新しい映画〉である。

それらの作品は、アルゼンチンの監督フェルナンド・ビリ（「コインを投げろ！」一九六〇年）がサンタフェに創設したドキュメンタリー映画学校、ブラジルの監督ネルソン・ペレイラ＝ドス＝サントス（「リオ　セ氏四〇度」一九五五年）、グラウベル・ローシャ（「黒い神と白い悪魔」一九六七年、「アントニオ・ダス・モルテス」一九六九年）らを中心とするシネマ・ノーヴォの運動、革命キューバに創設されたキューバ映画芸術産業研究所（ＩＣＡＩＣ）などからつぎつぎと生み出された。いま挙げた以外では、アルゼンチンの監督フェルナンド・Ｅ・ソラナスの「試練の時」（一九六八年）、キューバの監督フリオ・ガルシア＝エスピノサの「キューバは踊る」（一九六〇年）、ウンベルト・ソラスの「ルシア」（一九六八年）、メキシコの監督で批評家のホミ・ガルシア＝アスコーの「空っぽのバルコニーで」（一九六二年）、同じくメキシコの監督アルトゥーロ・リプステインの「死の時」（一九六五年）、ペルーの監督アルマンド・ロブレス＝ゴドイの「緑の壁」（一九六九年）、「砂のミラージュ」（一九七四年）、ボリビアの監督ホルヘ・サンヒネスとウカマウ集団の「第一の敵」（一九七三年）などが〈新しい映画〉の代表的作品である。

一方、六〇年代にはキューバ革命が生んだ大陸規模の連帯感から作家会議が盛んに開かれたが、同様の現象が映画作家の間にもみられた。ことに一九六七年にチリのビニャデルマールで開催された映画祭は、ビリ、ローシャ、サンヒネス、ソラナスらが一堂に会し、論文や作品を通じてそれぞれの理論を紹介するという画期的なものとなった。これにより、同時多発的な運動は、その影響下に生じた新たな運動を吸収し、より大きな運動へと発展することになる。チリを例にとると、ビリに刺激をうけたセルヒオ・ブラボを中心に、ラウル・ルイス、ミゲル・リティンらが、社会的問題やナショナル・アイデンティティに関心を抱きつつ、ドキュメンタリーの制作を開始するのである。

フェルナンド・E・ソラナス監督「タンゴ――ガルデルの亡命」

亡命と再生

しかし、六〇年代末期から七〇年代にかけて、ラテンアメリカに軍事政権が相次いで生まれると、新しい映画は検閲制度の強化や上映禁止措置などさまざまな困難に直面する。その結果、自主亡命を含め多くの映画人が国外に流出し、運動は衰える。が、この状況は〈亡命映画〉と呼びうる作品を生むことになった。主な作品に、チリのエルビオ・ソト監督「サンチャゴに雨は降る」（一九七五年）、リティン監督「戒厳令下チリ潜入記」（一九八七年）、ソラナス監督「タンゴ――ガルデルの亡命」（一九八六年）などがあり、政治的ニュアンスは異なるが、いずれもラテンアメリカの現実と直接関わり合う求心性を特徴としている。これに対し、亡命体験を抽象化し、より普遍的な作品を撮るチリのラウル・ルイスのような監督がいることも忘れてはならないだろう。彼の姿勢はむしろ同じチリ出身の監督アレハンドロ・ホドロフスキーやアルゼンチン出身の監督ウーゴ・サンティアゴらの姿勢に通じるといえる。

猛威を振るった軍人政権の圧政も、八〇年代に入ると変化の兆しを示すようになる。それにともない亡命者の〈帰還の季節〉が始まる。映画人の復帰により、映画界は再生し、アルゼンチンのルイス・プエンソ監督「オフィシャル・ストーリー」（一九八五年）やソラナス監督の「タンゴ――ガルデルの亡命」、「スール」（一九八八年）などが国際映画祭で相次いで賞を獲得する。こうした成功を背景に、プエンソ、ブラジルのエクトル・バベンコ（「ピショット」一九八一年）、メキシコのアルフォンソ・アラウ（「赤い薔薇ソースの伝説」一九九二年）のようにハリウッドに進出する監督も現れている。

こうした動きの一方で、〈新しい映画〉に結集した勢力が、一九七九年にハバナで「新ラテンアメリカ映画祭」を催し、八五年に「新ラテンアメリカ映画基金」が発足、翌年「映画・テレビ国際学校」が開校している。だが六〇年代とは政治・経済状況が異なり、その行方は多難である。キューバでは、〈新しい映画〉の先駆者で自国の社会問題を鋭くえぐる作品を撮り続けてきたトマス・グティエレス＝アレアが一九九六年に亡くなるが、「苺とチョコレート」（一九九三年）で共同監督を務めたタビオ（「バスを待ちながら」二〇〇〇年）やフェルナンド・ペレス（「口笛高らかに」一九九八年、「永遠のハバナ」二〇〇三年）らが、諷刺の利いた作風を継ぐことになる。また、ブラジルのペレイラ＝ドス＝サントス、ディエゲス、バベンコ、ボリビアのサンヒネス、メキシコのリプステインら〈新しい映画〉の流れを作った人々が現役であり続けると同時に、社会派の伝統を受け継ぎながらもハリウッドや政治に対して柔軟な姿勢を示す若手が登場する。メキシコのアレハンドロ・ゴンサレス＝イニャリトゥは「アモーレス・ペロス」（一九九九年）が高い評価を得た後、ハリウッドで「２１グラム」（二〇〇三年）を撮り、「セントラル・ステーション」（一九九八年）で成功を収めたブラジルのワルター・サレスは「モーターサイクル・ダイアリーズ」（二〇〇四年）でゲバラの青春時代を描いた。さらに、ハリウッドを活動の場にしながら自国メキシコに戻って「天国の口、終りの楽園。」（二〇〇一年）を撮ったアルフォンソ・クアロンの例もある。彼らがグローバル文化としての映画とどう関わっていくか。今後が注目される。

（野谷文昭）

三　ラテンアメリカの音楽

ラテンアメリカ「らしい」音楽？

ラテンアメリカの音楽はいわゆるラテン音楽だけに限らない。初めになぜこの話をするのかというと、音楽を場所や人々に結びつける際に働く、文化的真正性をめぐる力学について、注意を促しておきたいからである。

ラテン音楽という言葉からすぐに連想されるのは多分、フォルクローレ、タンゴ、ルンバ、ボサノヴァ、サルサ、……といった個々のジャンル名であろう。レゲエやカリプソもこの連想に続くことがある。日本ではラテンアメリカという地域概念にカリブ海地域英語圏を含めることが慣用化しているからである。これらのジャンルは、各々の特徴的な音楽形式を持つとされ、各々がラテンアメリカのどこかの場所に結びつけられた形で認知されている。しかし逆説的なようだが、固有のリズムによって同定されうるジャンルは、ラテンアメリカに出自を持たない者に演奏されたとしても、ラテン音楽とみなされる可能性を持つ。

いっぽう、「ラテンアメリカの音楽」をこの地域で演奏され聴取される音楽という意味に取れば、西洋のクラシック、ジャズ、ロック、テクノや、インド音楽さえも含まれてくる。これらが、ラテンアメリカの文化や、音楽家のナショナリティやエスニシティや、さらには「ラテン性」といった感覚と、どの程度結びつくかは自明でない。例えば、「スペイン語のロック」を意味するロック・イン・エスパニョールが一九九〇年代以降、ラテンアメリカ各地だけでなくアメリカ在住のラティーノやチカーノの間でも隆盛している。メキシコでは新自由主義路線の下で外国のロック音楽家の公演が規制緩和されてから自国のロックが成長し始めたといわれる。ロック・イン・エスパニョールを音楽形式から定義するのは難しいが、それが一つのジャンルとして扱われるようになったのには、制作側の自己定義、聴き手の受容、ジャーナリズム、広告と流通のシステムなどが、相互に作用し合っている。

次のことが事態をさらに複雑にしている。ラテン音楽はラテンアメリカ内部で完結した形で展開してきたわけではない。前述のいわゆるラテン音楽の展開にとり、北アメリカやヨーロッパの大都市は、音楽制作や流通や受容の結節点として多大な役割を果たしてきた。これらの都市には、ラテン音楽に特化したレコード会社やレコード店やクラブが多数存在する。また二〇世紀以降のアメリカは複製技術時代におけるポピュラー音楽産業の世界的中心であり、ラテン音楽の多くはこのポピュラー音楽の下位ジャンルとして制作され流通してきた。アメリカのポピュラー音楽の主流において、さまざまなラテン音楽が新奇な一時的流行として消費されてきたが、しかし、ラテン音楽から被った影響によって主流の音楽も確実に変化してきた。また後述するサルサのように、ラテンアメリカ各地からアメリカの諸都市への移住という体験が新たなラテン音楽の生成変化をきたしたという例も少なくない。

ある音楽がある地域や集団の本来の文化をよく表しているという見方があるとしても、それはいつどこでも自明だとは限らない。「らしさ」を規定したりされたりという具体的な立場間の力関係の中で、そうした見方は自明性や説得性を獲得することもあれば否定されることもある。音楽を社会的文脈に即して考察する上でこうした真正性の力学への視座が求められるのは、ラテンアメリカの音楽に限ったことではない。それをふまえた上で次項では、ラテンアメリカの諸音楽の構成要素が話題となる時にしばしば言及される、三つの文化伝統についてみておきたい。

三つの文化伝統

ラテンアメリカ文化全般について用いられるキーワードに、多様性、混交などがある。音楽の場合、多様で混交した状況をなす要素として、先住民、ヨーロッパ、アフリカという、三つの文化伝統に言及がなされることが多い。おおよそどのような形式についてこれらの伝統が引き合いに出されるのかを、以下に記しておこう。もちろん、伝統といってもそれぞれが異質な諸要素を含んだ複雑で混成的なものであることに留意した上で、である。

アンデス一帯には先住民の文化伝統が比較的強く認められる音楽がある。それらは、五音音階、四音音階、三音音階など、旋律に使われる音の数が少ない。リズムは単純な二拍子系が多い。先住民起源の楽器として、葦や竹を材料とした縦笛ケーナ、葦を用いた管楽器シーク（別名サンポーニャ）、弦楽器チャランガ、太鼓ボンボなどがある。先住民はまた、ヨーロッパ人が持ち込んだハープを改変し、独自の弦楽器アルパを作り出した。

アンデス先住民の音楽文化として一九七〇年前後から広く認知されているのが、フォルクローレである。この認知には、英米圏のポピュラー音楽の主流にいた音楽家がペルー先住民の伝承曲を元にした曲「コンドルは飛んで行く」をヒットさせたという事実が大きく働いた。フォルクローレは、その旋律が醸す独特の哀愁のためか、先住民やメスティソの貧窮を歌った音楽として位置づけられることが多い。フォルクローレという語自体、「特定の個人が創始したのではなく、民衆が集団として口伝えで継承してきた文化」といった意味を持つ。今日ではフォルクローレは、アンデスを外から見た固定的イメージになっているという面も否定できない。ペルーでは、フォルクローレは観光客向けに演奏される場合が多いのに対し、先住民の間ではパーティーなどの機会に踊りを伴いつつ聴かれるワイノという音楽に人気がある。ボリビアでは、商業化したフォルクローレと区別し、民衆の生活に根ざしたものとしてアウトクトナという音楽を復興させようという動きが、七〇年代からある。

次にヨーロッパの文化伝統について。一七～一八世紀のヨーロッパで人気のあった舞曲（英国ではカントリーダンス、フランスではコントルダンス、スペインではコントラダンサ）は新大陸にも伝えられ、現地の音楽家に演奏されていくうちに新しい要素が付加されていった。ヨーロッパでのそれらの舞曲は、小節内の三つの音符が均等割りで単純に進行していくような、平坦な三拍子系のリズムからなるものが多かった。しかしラテンアメリカではリズムがより複雑化した。八分の六拍子と四分の三拍子が複合されて同時に進行していく形式や、いま述べた二種の拍子が一小節おきに交互に現れる形式や、四分の二拍子の形式をとるものなどである。例えばキューバではコントラダンサは四分の二拍子の形式へと変化していったが、その変化は後述するような黒人的な感覚との融合として形容される。ヨーロッパの文化伝統の流れを汲むものとしてはまた、スペイン系農民たちの間で伝えられてきた、キューバのムシカ・グァヒーラ、プエルトリコのヒバロ、といった音楽が挙げられる。

アフリカの文化伝統に話を移そう。ラテンアメリカの音楽についてアフリカ的または黒人的な感覚があると指摘される時、次のような形式が意味されている。第一にコール・アンド・リスポンスの形式。これは、まず独奏／独唱者の即興にかなりの程度まで委ねられた二小節のソロがあり、一定の形を持つ合奏／合唱の二小節が続き、それが終わると再びソロが……という応答の反復によって進行する。第二にリズムと打楽器の強調。同じ曲の中で複数の打楽器が異なったリズムを刻むことをポリリズムという。二拍子系のリズムは、ヨーロッパのポルカや行進曲のような、一拍や半拍ごとに規則的に進む形をあまりとらない。シンコペーションや細かい符割りによって複雑化し、跳ねる感じやうねる感じが出たものになっている。シンコペーションの効いた二拍子系のリズム・パターンの代表がクラーヴェである。このリズムはクラーヴェスという拍子木で打ち出されることが多い。クラーヴェのパターンは、サルサやルンバを始め多くのラテン音楽にとってリズムの骨格をなしている。

複雑な二拍子系リズムを特徴とするラテンアメリカの音楽ジャンルには、キューバのソン、グアラーチャ、ルンバ、マンボ、チャチャチャ、プエルトリコのボンバ、プレーナ、ドミニカ共和国のメレンゲ、ハイチのメラング、ジャマイカのスカ、レゲエ、トリニダード・トバゴのカリプソ、ソカ、マルチニークのビギン、ブラジルのサンバ、アルゼンチンのタンゴ、コロンビアのクンビア、バジェナート、などがある。これらは基本的にダンスを伴う音楽で、それぞれの名称が元々は特定のダンスの動きを指す語であったという場合も多い。

また黒人系諸集団の間では、宗教儀礼の文脈で演奏される音楽も大きな意味を持ってきた。黒人奴隷が伝えたアフリカ諸民族の宗教は、植民者のキリスト教や神観念や聖書的世界観と混ざり、シンクレティックな諸宗教が作られた。ハイチのヴドゥン、キューバのサンテリーア、ブラジルのカンドンブレ、トリニダードのシャンゴ、ジャマイカのリヴァイヴァルなどである。これらの宗教は、複数の精霊あるいは神格への信仰や、憑依や歌や音楽演奏を伴う感情表出の激しい儀礼などを特徴とする。歌はコール・アンド・リスポンスの形式をとり、音楽は複数の太鼓の演奏を中心としたものである。こうした儀礼音楽は、今日でも各地のポピュラー音楽に影響を与え続けている。

先ほどは便宜上、各音楽ジャンルの名前をそれともっともよく結びつけられる国名や地域名とともに挙げたが、もちろん各ジャンルが個々の国の内部のみで聴かれたり演奏されたりしているわけではない。先述のように、アメリカやヨーロッパの諸都市はラテン音楽の制作や流通や受容の結節点であり続けている。一九六〇年代に流行しアメリカの主流にまで飛び火したブーガルーという音楽は、ニューヨークに住むラティーノがラテン音楽に当時のロックやR&Bを取り入れて作ったものだった。またサルサは、一九七〇年前後のニューヨークで、プエルトリコ系音楽家（さらにドミニカ系、ユダヤ系も）によって作り上げられてきた。サルサは、自分たちはプエルトリコに故郷を持つけれども民族や言語や文化がせめぎ合うニューヨークという場所で生活する者たちなのである、という自己意識の傍らで生成してきた。そうしたニューヨリカン（ニューヨーク在住プエルトリコ人）意識は、プエルトリ

Bサイド・プレイヤーズのアルバム『抵抗の文化』(1999年)のジャケット。サパティスタへの共感が表明されている。

コかニューヨークのどちらかへと単一化しない、複数化したアイデンティティであるといえる。

また、自身は特にラテンアメリカに出自を持たなくとも、ラテンアメリカ出身の音楽家による生演奏や、レコードやCDといった媒体や、ラジオやテレビなどの通信メディアなどを通じてこれらの音楽に魅惑された者、さらに自らこれらの音楽を演奏するようになった者も、世界各地に数知れず存在する。比較的早期の例にタンゴがある。一九世紀から二〇世紀への転換期におけるパリやその他のヨーロッパの諸都市では、アルゼンチンから遠征してきたタンゴ楽団が人気を博し、コンチネンタル・タンゴというまた別の流れが形成されていった。このような意味での脱領土化の契機を、ラテンアメリカの音楽は常に含んできたし、またこれからも含んでいくだろう。

民衆への視点

多様性と混合、それから三つの文化伝統以外に、ラテンアメリカの音楽のさまざまな佇まいを一瞥する上である程度有効なキーワードがあるとしたら、民衆という語がその一つではないだろうか。もちろんその語をあくまで注意深く取り扱うという条件付きで、である。

ラテンアメリカの民衆文化はしばしば、圧倒的な力関係の中で人々が自律性を得ようとする時の拠り所になってきた。例えば、今日ではトリニダード・トバゴの国民的楽器という地位にまで高められているスティールパンがある。カーニヴァルでアフリカ由来の太鼓を使うことを植民地政府に禁止された英領時代のトリニダード人たちが金属製の廃品を打ち鳴らし始めたのが、その始まりである。また一九六〇年代のヌエバ・カンシオンという運動は、当時の軍事政権やアメリカの覇権を直截に批判するシンガー・ソングライターたちの、歌による抗議行動であったといえる。現代のラテンアメリカを席巻する新自由主義に対し明確に異議を唱える音楽家や、サパティスタへの共感を表明し歌にする音楽家もいる。そうした者の多くが、ステレオタイプ化されたラテン音楽ではなく、ファンクやラップやレゲエやその他のスタイルも取り入れたきわめて混成的な音楽をやっていることも、注目に値する。

音楽は、すでにあるとされる（人種、民族、地域、階級などに基づく）共同体の示差性の指標とされがちだが、それだけではない。音楽によって情動を引き起こされた人々が、一時的であれ、また互いに属性を共有していない関係であっても、意識の上で一つの共同体を構成することがあり、それが具体的行動につながることもある。ラテンアメリカの諸音楽は、しばしばそうした共同体を媒介してきたし、今後もその可能性を持っているといえる。

（鈴木慎一郎）

四　ラテンアメリカの美術

美術で知るラテンアメリカ

「ラテンアメリカの美術」という言葉から読者はどのようなイメージを浮かべるだろうか。ＴＶ番組などに登場するマヤやアステカ、インカといった古代の文化遺産を想起する人もいれば、美術の教科書でも紹介されるシケイロス、オロスコ、リベラといった二〇世紀初頭のメキシコ壁画作家たちのことを思い出す人もいるだろう。あるいは原色豊かな織物や民芸品に魅せられている人もいるはずだ。

そういったラテンアメリカ美術の様々な表象はアメリカ大陸の人々の固有の表現であり、非文字表象に託されたラテンアメリカ独自の感性と発想に満ちている。ラテンアメリカ美術の範囲は建築から工芸品までと広いが、いずれを対象にするにせよそういった美術作品を知ることはラテンアメリカの歴史と現実の理解への指標となるだろうし、世界の美術現象の広さと深さを知るきっかけとなる。

二一世紀の国際的美術市場で顕著に見られる現象としては、従来西洋や東洋の美術蒐集に従事してきた美術館や財団などもラテンアメリカ美術関連のコレクション充実に力を注ぎ始め、市場を活性化させている。また欧米へのラテンアメリカからの移民、難民が増加するに従い、そういった非ラテンアメリカ地域における「ラティーノ美術」の研究や美術作品評価の気運も高まっている。その理由は異種文化の混淆性や多元文化社会に積極的な価値を見出そうという発想にあるのだが、政治戦略と文化の消費への欲望と裏表の関係にある点を見逃してはいけない。

以下、「先スペイン時代」、「植民地時代」、「一九世紀」、「二〇世紀」という時系列に沿って、ラテンアメリカ美術の主な研究対象と見方の事例を簡潔に紹介する。

先スペイン時代の美術

コロンブスの到達以前に新大陸で発展してきた美術の総称で、「先コロンブス時代の美術」とか「先住民時代の美術」とも呼ばれる。すでに終わった過去の遺物というわけではなく、この時代の遺物に見られる伝統表現やシンボル、素材、技術などは後に続く植民地時代美術から現代美術の中に継承されたり、参照、引用された事例は多く、ラテンアメリカ美術の核であると同時にその個性の拠り所にもなっており、創造の源泉であり続けている。

ラテンアメリカ最古の美術作品としては、紀元前六〜七〇〇〇年に遡る動物の狩や飼育場面を描いた彩色洞窟画がある。また変形された頭蓋骨などから現代の美容整形に繋がる美意識があったことも窺える。紀元前三〇〇〇年頃になるとラテンアメリカ各地で農業の発展が見られ、紀元前二〇〇〇年頃から宗教や社会組織を持った共同体が形成された。巨大な祭祀センターや土器、石像、織物がつくられるようになった。メソアメリカでは〈母なる文明〉と呼ばれ、巨石人頭を生んだオルメカ文化が紀元年前後まで多大な影響を残し、アンデス山脈太平洋側海岸部ではチャビンがドーナツ型の注口を持つ土器の意匠を普及させた。

紀元後のラテンアメリカでは地域毎に特徴ある美術文化が生まれた。現メキシコ市の近くで壮大な都市建設を果たしたテオティワカンのピラミッド意匠は、メキシコ南部からベリーズ、グアテマラ、ホンジュラス、エルサルバドルにまたがる地域で発展したマヤ建造物にも見られる。アンデス地域では謎とされる一筆描きの地上絵を残したナスカ、日乾レンガで巨大な神殿を築いた軍事色の強いモチェ、古くから重要性が指摘されながらも未だ全貌解明に遠いチチカカ湖畔で発展したティワナコ文化などが挙げられる。

スペイン人が遭遇したのはこういった地域発展を遂げた諸文化の政治的統合を基盤に、さらに発展途上にあったアステカとインカという二大帝国組織だったのである。征服者たちは貴金属製品の美的価値は一瞥もせず、溶かして延べ棒にして持ち去った。現在でも盗掘などで相変わらず貴重な文化遺産が破壊されているが、一方では生態系への負荷が小さく持続可能な開発のための未来への遺産として、遺跡や美術品の復元、保存、展示などが考えられるようになってきている。なかでも西欧征服者たちによって一度消された過去の文化遺産を、現代に生存する先住民の末裔に語らせる術をもたらす試みは注目される。

植民地時代の美術

コロンブスの到達以来、ラテンアメリカ諸国が独立してゆく一九世紀までの約三百年間に花咲いた美術を総称する。極めて創造性に富んだ美術であったにもかかわらず、長らく西欧美術の亜流とか変種であると低く考えられてきた。しかし美術の西欧中心主義的発想が是正されるに従って再評価の動きも顕著になってきている。

一六世紀の新大陸で最も画期的であったのは格子状の街路を持つ都市の出現であった。明確な機能性と造型上の理念に基いた計画都市は、同時代の西欧内部には現実には存在しなかったもので、その意味では全く新しい理想の空間の創出であった。数少ないカトリック聖職者たちが膨大な先住民を改宗するにあたっては、屋根の無い屋外空間で新規信者へのミサを実施する「屋外教会堂」を設置したが、これも西欧内には存在しない建造物であった。またこういった西欧移入の建造物の装飾には土着伝統のモチーフが混在することも多く、混血の産物となっている。この混血性は褐色の肌をしたグアダルーペの聖母像で象徴されるようになった。

ラテンアメリカ植民地からもたらされる金銀や砂糖、コーヒーなどのおかげで西欧の経済生活は豊かなものになり、一七世紀には豪華絢爛なバロック美術を生んだ。その美術様式はラテンアメリカにも移入されたが、ラテンアメリカのバロック美術は西欧バロックを凌駕する多彩な装飾性、逸脱の形態に見られる表現力、それに強い地方色を備えた別個のものとなっている。こういった非西欧的な、つまりラテンアメリカ色の強い属性を捉えて南米では「メスティソ・バロック」の名称も生まれた。建築では視線を上下に動かす動感あふれる螺旋状のサロモニコ円柱や、構造的には不安定に見える逆三角形意匠のエスティピテ柱の導入、壁面を織物のように覆ってしまう平面装飾模様がラテンアメリカ・バロックの指標となり、絵画では画面の遠近構図に関係なく平面的に金箔装飾をかけてしまう手法が特色的である。こういった平面志向は西欧美術の基本を理解できなかったラテンアメリカ知性の限界として西欧研究者には否定的に理解されてきたが、最近では西欧権力に抵抗する脱ヘゲモニー性の表象とも解釈され、またクレオール主義の萌芽とも捉えられている。

一九世紀のラテンアメリカ美術

一九世紀に次々と独立を果たしたラテンアメリカ諸国の近代化の指標となったのは、西欧では宮廷文化の産物であり、正統なものとされた新古典主義であった。近代化を西欧化と考えた国家の指導者たちは、ギリシャ・ローマ美術の規範を継承する新古典主義を模倣することが西欧と対等に並ぶ早道と考えたのであるが、ラテンアメリカ美術のアイデンティティ形成という課題に対しては同時代の西欧で発生したロマン主義思想の方が重要であった。未知の世界、珍奇な風物を求めてラテンアメリカにやってきたコストゥンブリスタ（風俗画家）たちがジャングルを踏み分け、埋もれた先スペイン時代の遺物の発見に驚喜し、風景や日常の光景を写し取る行動を通じて明らかになったのは、ギリシャ・ローマの神話や聖書主題について何も知らなくとも、西欧伝統の技法や素材知識を習得せずとも、ラテンアメリカの現実を表現すればそれがそのまま美術作品となり、価値を生むという事実であった。やがて扱う主題や題材も政治問題から家庭の日常生活など、幅広いものになった。信仰の確認や生活の潤い、楽しみのために、普段の生活環境により身近になった美術品を購入する国内市場も広がり、一九世紀末には新古典主義やアカデミズムとは無縁な素朴画、民芸彫刻、そして民衆の姿や心情を民衆の目で観察し、わかりやすく表現するグラフィック・アートが興隆した。こうしてラテンアメリカならではの独創的な美術、ラテンアメリカ出身者によるラテンアメリカ諸国民のための美術を創ろうという意識が生まれた。

二〇世紀の美術

二〇世紀前半の現代美術の展開を俯瞰すると、大きく国際主義的な流れと、インディヘニスモ的流れに大別できる。「国際主義」とは、西欧現代美術の前衛主義に加担しながら、その動きに追いつき、追い越すことによってラテンアメリカ美術の創造力の強さや独自性を構築しようというものだった。また、熱帯から高山まで多様な自然環境を有するラテンアメリカでは、進歩する科学技術の成果の有効利用によって世界のどのような環境でも成立する普遍的な建築をめざす国際主義の壮大な実験場ともなった。

インディヘニスモとは、植民地時代以降無視されてきたラテンアメリカに残る非西欧的文化伝統の再評価、先スペイン時代の美術史の再構築によって、東洋とも西洋とも異なる真にラテンアメリカ的な美術の確立を願うもので、一九二二年に始まるメキシコ壁画運動によって具体化された。メキシコ壁画運動はブルジョア社会の美術観を反映したタブロー画を否定し、美術のための美術という前衛主義を否定し、無料で大衆がいつでも好きなだけ鑑賞できる建造物の壁に社会的なテーマをわかりやすく描いた。美術は一部知識人エリートのものでなく広く社会のものであり、享受するのは国民であるという発想は、国民文化の創生という課題を抱えた他のラテンアメリカ諸国や多くの第三世界諸国の支持を得た。メキシコ壁画運動は　またメキシコ革命の成果の一つとして挙げられるが、それまでまともな教育を受けられなかった人々にもメキシコ、あるいはラテンアメリカの歴史を伝え残すという教育面も担った。二〇世紀現代美術の歴史を振り返って見た時、非西欧社会から生まれて国際的評価を獲得した唯一無二の美術運動だったと言える。

二〇世紀後半になると、フェミニズム運動興隆の流れに対応してフリーダ・カーロなど女性美術作家の再評価の気運が高まる。八〇年代以降の西欧現代美術は前衛主義に疲れ、明らかに停滞した。この病理現象への処方箋がキューバに求められた。キューバは長らくアメリカ合衆国の経済制裁下にあり、国際的な美術市場からも無視されてきたが、その故に西欧資本主義の悪弊に毒されていない無垢な存在であるとの思いが一般化した。その妥当性はともかくも、現象としてはキューバ現代美術の再評価が進んでいる。またエスニック志向と先進諸国が二〇世紀に失ったものへの普遍的ノスタルジアを反映して、ハイチやニカラグアのナイーヴ・アートへの評価も高まっている。建築分野でもポストモダン思想の影響で、土着の素材や工法、生活スタイルに積極的価値を見出す実質的な機能面が考慮されるようになってきた。また先進諸国におけるラティーノが発信する美術表象やメッセージを真剣に受け止める気運も増してきた。先スペイン時代、植民地時代、近・現代を問わず、ラテンアメリカはこのように今日の美術世界の様々な課題に対して最も刺激的な材料を提供する場となっている。

（加藤薫）

【参考文献】

・序　文化論

石塚道子編『カリブ海世界』（世界思想社　一九九一年）　カリブ海地域の低開発、先住民、黒人奴隷の文化、農民社会、アイデンティティに関する論集。

中牧弘允編『陶酔する文化――中南米の宗教と社会』（平凡社　一九九二年）　現地調査の成果をトランス、カーニバル、シンクレティズムという三つの鍵概念から考察した論集。

J・ベルナベ／P・シャモワゾー／R・コンフィアン『クレオール礼賛』（恒川邦夫訳　平凡社　一九九七年）　マルチニークの知識人による、新世界文化の混交性にもとづいたアイデンティティの宣言。

・一　文学

J・ジョゼ『ラテンアメリカ文学史』（高見英一／鼓直訳　白水社　一九七五年）　モデルニスモを中心に植民地時代から現代までを扱った概説的文学史。六〇年代以降の記述が足りないが、流れを知るのに便利。

J・ドノソ『ラテンアメリカ文学の〈ブーム〉』(内田吉彦訳　東海大学出版局　一九八三年)〈ブーム〉の誕生から終焉までを体験的に綴った、チリの作家によるエッセイ。主観的ではあるが、創作や出版の状況が活写され、資料的価値もある。

野谷文昭『越境するラテンアメリカ』(パルコ出版　一九八九年)ガルシア＝マルケス、ボルヘス、パスらに関する作品・作家論、一九二〇年代のペルーの思想状況を論じた評論等を収録。

野谷文昭『ラテンにキスせよ』(自由国民社　一九九四年)状況論をはじめ〈ブーム〉の作家を論じたエッセイ、プイグおよびドノソのインタヴュー等を収録している。

野谷文昭／旦敬介編著『ラテンアメリカ文学案内』(冬樹社　一九八四年)日本の研究者・批評家による論考、パス、カルペンティエル、ロア＝バストスの評論などのほかにコラム、年表を収録しているが、現在は絶版。

杉山晃『南のざわめき』(現代企画室　一九九四年)書評・コラムを中心とする、初心者に手頃な読書案内。

『ラテンアメリカの文学』(全一八巻　集英社　一九八三―八四年)ガルシア＝マルケス『族長の秋』、マヌエル・プイグ『蜘蛛女のキス』など六〇―七〇年代の代表的長編小説を収録。

『ラテンアメリカの文学選集』(全一五巻　現代企画室　一九九〇―九六年)アベル・ポッセ『楽園の犬』、ホセ・マリア・アルゲダス『深い川』といった小説のほかに、ガルシア＝マルケス『ジャーナリズム作品集』などを収録。

田村さと子編訳『ラテンアメリカ詩集』(土曜美術社　一九八四年)現代の代表的詩人の作品を集めたアンソロジー。

Foster, David William ed. *Handbook of Latin American Literature* (2nd ed., New York & London : Garland Publishing, 1992) 各国別の文学案内。第二版はラティーノ文学、副文学、映画の項目を収録。

●二　映画

野谷文昭／石井康史「ラテン・アメリカ映画」(『ラテン・アメリカ事典』ラテン・アメリカ協会　一九九六年)リュミエール映画の到来から八〇年代までの映画史を概観している。

飯島みどり「ラテン・アメリカ映画」(『ラテン・アメリカ事典』ラテン・アメリカ協会　一九九六年)一九八〇年代後半から約一〇年間の映画の動向を概観。チカーノ映画にまで触れている。

今福龍太「亡命と革命のまじわるところ――ラテンアメリカ映画の現在」(『遠い挿話』青弓社　一九九四年)主に〈新しい映画〉の運動の担い手について論じたエッセイ。

野谷文昭『ラテンにキスせよ』(自由国民社　一九九四年)劇場用プログラムに寄せたエッセイや映画評論を収録している。

Pick, Zuzana M. *The New Latin American Cinema : A Continental Project*（Austin : University of Texas Press, 1933）〈新しい映画〉の歴史やその特徴、担い手などについて書かれた研究書。

野谷文昭「ワールド・シネマの地域状況：中南米」（『ワールド・シネマ』フィルム・アート社　一九九九年）二〇世紀後半のラテンアメリカ映画の流れを主要国に焦点を当てつつ概観している。

・三　音楽

竹村淳／河村要助『ラテン音楽パラダイス』（日本放送出版協会　一九九二年）ラテンアメリカやカリブ海の音楽を、背景について学びながら味わおうという人に適した案内。

平井雅／長嶺修共編『カリブ海の音楽』（冨山房　一九九五年）カリブ海世界の史的形成と国々の音楽事情を概観。全体像を見すえつつ多様性を探る。ＣＤガイド・用語解説有。

中村とうよう『なんだかんだでルンバにマンボ』（ミュージック・マガジン　一九九二年）国・地域別の各論は洞察が深い。その他に音楽家のインタヴュー・評伝、重要な作品の紹介、紀行文など。

Manuel, Peter, et. al. *Caribbean Currents*（Philadelphia : Temple University Press, 1995）多国籍企業やジェンダーなど今日的な問題を含めながらカリブ海の音楽を論じている。

ラテンアメリカの音楽と楽器編集委員会編『ラテンアメリカの音楽と楽器』（ＮＨＫきんきメディアプラン　一九九五年）国立民族学博物館での企画展にあわせた書。総論、現地調査経験者による各論の他、楽器の写真・解説が豊富。

・四　美術

加藤薫『ラテンアメリカ美術史』（現代企画室　一九八七年）古代、植民地時代、近代以降の三部からなり、ラテンアメリカ全域の美術を扱った概説書。

加藤薫『メキシコ壁画運動』（現代図書　二〇〇三年）リベラ、オロスコ、シケイロスを中心にメキシコ壁画運動の全貌を明らかにしたラテンアメリカ現代美術の入門書。

加藤薫『キューバ現代美術の流れ』（スカイドア　二〇〇二年）ラテンアメリカの国別に編纂された美術通史は少ないが、その数少ない文献例。

Lucy-Smith, Edward. *Latin American Art of the 20 th Century*（New York : Thames and Hudson, 1993）英文で書かれたラテンアメリカ二〇世紀美術の簡潔な概説書。

第六章　メキシコ

●国本 伊代

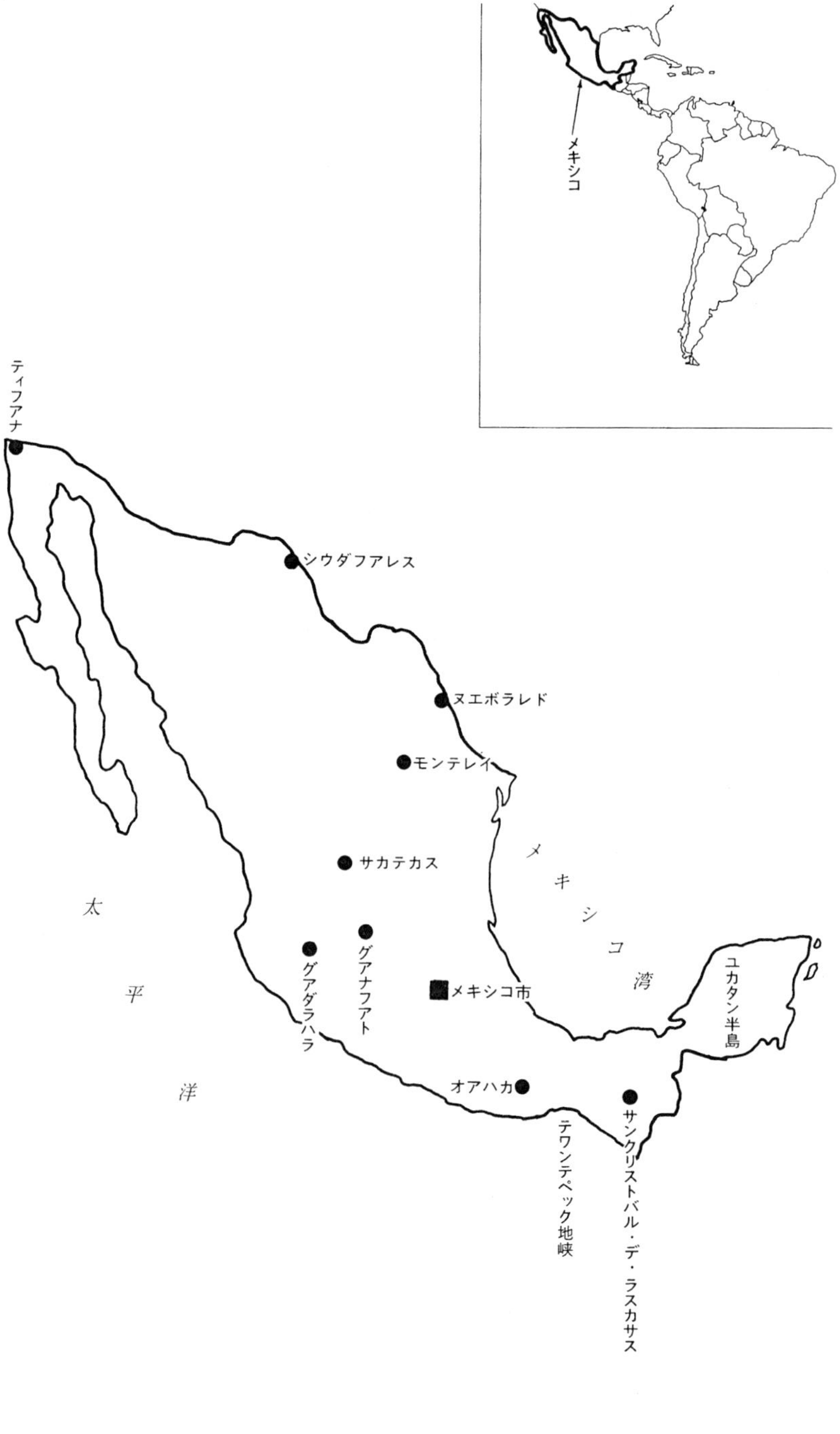

メキシコ
ティフアナ
シウダフアレス
ヌエボラレド
モンテレイ
サカテカス
グアナフアト
グアダラハラ
メキシコ市
オアハカ
サンクリストバル・デ・ラスカサス
テワンテペック地峡
ユカタン半島
メキシコ湾
太平洋

序　現代メキシコをみる二つの視座

躍進する「中進国」の現実

ラテンアメリカはふつう発展途上地域として分類されるが、そのような一般化された分類に当てはまらないのがメキシコである。ラテンアメリカ諸国の中でもアルゼンチン、ブラジル、チリなどとともにメキシコは発展途上国ではなく、明らかに「中進国」（本書第三章参照）であるからだ。そのうえメキシコは、一九九四年から別名「先進国クラブ」とも呼ばれる経済協力開発機構（ＯＥＣＤ）のメンバーでもある。

ただしメキシコが発展途上国とされる理由もまた、明らかに存在する。極端な貧富の格差と国民の三〇％を占める極貧層の存在である。職を求めて都市に流入する多数の失業者、豊かなアメリカ合衆国に不法入国しようとする人々の群れ、路上で生活する汚れきった幼い子供たちの姿、ダンボールで囲っただけの小屋が密集する都市周辺のスラム地区の凄惨さなどは、発展途上国メキシコの姿を映し出している現実でもある。近年では土地をもたない農民たちによる農地占拠事件の頻発や南部諸州におけるゲリラ勢力の活動が、メキシコの抱える問題を鮮明にしている。貧困の撲滅がこれまで見過ごされてきた社会的不公正の是正、人権問題への取り組み、社会正義の実現などと不可分であることを、これらの反社会的活動を通して明らかにしているからである。

メキシコは大国である。国土面積一九七万平方キロメートルという、日本の五倍強の面積に一億を超す人口を擁

する この国は、豊かな天然資源と人的資源に恵まれているだけではない。生産量世界第一位の銀をはじめとして、石油、天然ガス、銅、石炭、亜鉛などの鉱物資源に恵まれている。一九四〇年代から五〇年代にかけて強力に推進された輸入代替工業化政策により、メキシコの工業生産力は著しく向上した。その結果、資源大国であるメキシコの輸出総額の半分は工業製品となっており、石油化学コンビナート、鉄鋼コンビナート、原子力発電所など、高度な科学技術を要する重化学工業とプラントをメキシコは有している。

政治的にみたメキシコは、ラテンアメリカ諸国の中で最も安定した国である。一九二〇年以来クーデターによる政権交代を一度も経験していない。軍部が長期にわたり政治に対して不干渉主義を貫いてきているが、これは軍事クーデターをたびたび経験してきたラテンアメリカ諸国の中では例外である。このような政治の安定と比較的順調に推移してきた経済発展を可能にしたのは、一九一〇年に勃発する「メキシコ革命」後に形成された新しい政治勢力による統治であった。現代メキシコの基礎は、「メキシコ革命」にある。

「メキシコ革命」が建設した現代メキシコ

「メキシコ革命」については第二節で取り上げるので、ここで紹介するのは現代メキシコに受け継がれている革命が築き上げた諸相の概観である。

一九一〇年に勃発した「メキシコ革命」は、一〇年に及ぶ内乱を経たのち約二〇年にわたって取り組まれた諸改革によって、この国の在り方を大きく変えた。現行憲法でもある一九一七年に制定された「革命憲法」は、私有財産制と議会民主制を基盤としながらも国家による私権への介入を大幅に認めた、新しい国造りの基軸となった。大規模な農地改革が実施され、伝統的な大農園アシエンダが解体されて、個々の農民の耕作権のみを認める農村共同体エヒードが創設された。革命直前に国土の三〇％を所有していたと推定される外国資本の土地所有も厳しく制限された。一方、労働者の組織化が進み、組織労働者の労働条件が改善された。また義務教育の普及がはかられ、国民の識字率も著しく向上した。同時に植民地時代から強力な影響力を保持してきたカトリック教会の活動が厳しく制限され、政教分離と教会資産の国有化が徹底された。そして国民統合へ向けた教育と意識改革の取り組みは、メキシコ・ナショナリズムを高揚させたのである。

「メキシコ革命」が達成した成果の一つは、一八二一年の独立からほぼ一世紀を経たのちにはじめて積極的に取り組むことになった国民統合への努力である。独立後も厳しい階層社会が温存され国民の枠外におかれたままの先住民は、一九世紀後半の近代資本主義経済の発達とともに農奴に等しい身分に陥った。しかし革命を通じて形成されたナショナリズムは、先住民の伝統と文化にメキシコのアイデンティティをおき、先住民の国民国家への統合を促した。一九二〇年代に推進された壁画運動に代表されるような国民統合の理念は、やがて一九六〇年代以降には多元文化の容認へと変質した。さらに一九九〇年代になると、それは多民族多元文化国家としてのメキシコの新たな枠組みの模索へと発展的に変容している。

一　メキシコの自然環境と社会

モザイク的自然環境

日本の国土面積の五倍強の広さをもつメキシコの国土の多様性は、温帯から亜熱帯そして熱帯へと広がっているだけではない。険しい山脈によって国土が各地で分断されているため、著しく多様な気候と自然環境に恵まれている。同時に現在でも五六の言語に分類される一〇〇〇万人近いインディヘナと総称される先住民が存在しており、その伝統文化を基盤とする地方文化が多様な風土の中にモザイクのようにメキシコの国土を覆っている。まさに自然環境からみても、居住する人々からみても、メキシコはモザイク模様をなす国である。

メキシコの自然環境は著しく多様である。逆三角形をした国土を海岸に沿って南北に走っている東シエラマドレ山脈と西シエラマドレ山脈という二つの大山脈が、国土の大部分を大きく縦に三分割している。東側のメキシコ湾岸では比較的幅の広い低地が海岸に沿って開けているが、西側の太平洋岸は細長い帯のような狭い海岸地帯となっている。東・西シエラマドレ山脈に囲まれた中間部分は、北部では標高がほぼ一〇〇〇メートルある比較的平坦な台地となっており、サボテンに象徴される荒涼とした乾燥地帯である。

東・西両シエラマドレ山脈がV字形に先端を狭めていく南部に位置するメキシコ中央部は、海抜一〇〇〇メートル級から二〇〇〇メートル級のいくつもの高原盆地が険しい山脈に取り囲まれるようにして存在し、全体として複雑な地形をした地域となっている。ここには五〇〇〇メートルを超す高峰も集中している。雨量があるため樹木が育ち、全般的に温暖な常春の気候に恵まれている。一年中ブーゲンビリアが咲き乱れ、緑なす樹木の中に埋もれるようにたたずまう町や村と、荒々しく大地を剥出しにしたサボテンの荒野が、交互に現れるような、実に変化に富んだ地域である。首都メキシコ市をはじめ多くの主要都市がこの中央部に位置している。現在では近代的な高速道路が都市を結んでいる。

南部メキシコとユカタン半島は、高温多湿の熱帯性気候で、密林に覆われている。ただしカリブ海に突き出すように東に延びたユカタン半島は、ジャングルを想像するような熱帯密林地帯ではない。石灰岩からなる地表のために樹木が高く成長せず、明るい森林が平坦な半島を覆っている。一方、テワンテペック地峡に向けて幅を急速に狭めていく南部は熱帯雨林地帯と高原盆地からなっている。

以上のような地理的特徴をもつメキシコは、ユカタン半島を除いて、全体として山国である。国土は山脈や渓谷によって寸断されており、海岸地帯の平地は狭い。気候も緯度とともに高度による影響を強くうけており、雨量も気温もそれによって変化し、動植物の生態系なども地域によってさまざまである。三一ある州毎に独自の自然があるといわれるほど、変化に富んだ国土をもつのがメキシコである。約三〇〇年間続いた植民地時代のスペイン化政策にもかかわらず、多様な先住民集団が独自の伝統文化を今日にいたるまで保持してきたのも、このように多様な自然環境に助けられている。しかし一九六〇年代以降に進んだ道路網の整備によって、現在これらの先住民集団の生活環境は急激に変わってきた。

メスティソ社会

メキシコはメスティソの国であるとよくいわれる。メスティソとは、コロンブスのアメリカ大陸到達以降にヨーロッパから来た白人とアメリカ大陸の先住民との混血を指すスペイン語である。人口の八〇％が混血メスティソからなるとされるメキシコは、人種的にも文化的にもまさにメスティソの国である。

混血メスティソの出現はスペイン人の到来とともに始まり、時代が進むにつれてその数は増大した。一九世紀初期の独立時にはすでに人口の半分がメスティソとなっていた。しかしメスティソが文化的にメキシコを代表するようになるのは二〇世紀になってからである。一九一〇年に勃発し全国を血みどろな武力闘争にまき込んだ「メキシコ革命」が、はじめて国民文化のシンボルとして先住民の伝統文化とメスティソ的なものをメキシコ国民のアイデンティティとしたからである。一九二一年に革命政権が設置した文部省の初代文部大臣となった思想家ホセ・バスコンセロスは「宇宙的人種」と称するメキシコの新しい国民像を提唱して、メキシコ・ナショナリズムの形成に貢献した。これは三〇〇年にわたる植民地時代を通じて支配文化であったスペイン文化と独立後の近代文化すなわちスペイン以外の欧米諸国の文化の影響を断ち切り、メキシコの新しい文化を創造するための劇的なアイデンティティの転換であった。

新しいメスティソ文化は革命政権の積極的な後押しにより、さまざまな分野で花開き、メキシコ民族主義運動の基軸となった。バスコンセロス文部大臣が積極的に推進した壁画運動では、リベラ、オロスコ、シケイロスなど世界的に有名となったメキシコの画家たちによって先住民の歴史や民衆の生活の様子が公共建造物の壁に描かれ、メキシコ・ナショナリズムを高揚させた。こうして従来ほとんど無視された大衆文化が、はじめて国民文化の中心におかれることになったのである。

先住民族集団の伝統文化を自国のアイデンティティとしてナショナリズムを形成してきた「メキシコ革命」以降の国家の文化政策は、先住民の文化を強烈に意識した、色鮮やかなメキシコ独自の文化を作り上げた。その実質的な担い手は、人口の圧倒的多数を占めるメスティソである。

オトミ族の村サンパブリートの子供たち。

インディヘナと総称される先住民

人口に占める割合からみて少数派とはいえ、メキシコを著しく特徴づけているのは多様な先住民族集団の存在である。一四九二年にコロンブスがアメリカ大陸に到達した直後から一〇〇年以上にわたって人口を激減させた南北アメリカ大陸の先住民人口は、現在三〇〇〇万から四〇〇〇万人とされる。そのうちの約四分の一がメキシコに居住しており、メキシコは南北アメリカ大陸で最大の先住民人口を擁する国となっている。

メキシコでインディヘナと一般に呼ばれるモンゴロイド系先住民は、実際には多様な民族集団である。彼らの祖先は一六世紀初めにスペイン人に征服されて以来、人口を激減させ、スペイン王室の植民地政策によってカトリック教徒に改宗させられて、著しくスペイン化された。しかし今日でも五六の言語集団が存在していることからもわかるように、彼らは土着的要素を現在まで根強く保持し、すでに述べたように現代メキシコのナショナリズムの源泉としての先住民文化と伝統を保有している。

最新の国勢調査（二〇〇〇年）によると、五歳以上の話者人口として把握された先住民人口は、総人口の約七・一％であった。彼らの圧倒的多数は、中央部に集中しているアステカ族の一四四万（五歳以上人口）と南部のオアハカ州、チアパス州およびユカタン半島の諸州に分散しているマヤ系民族一四〇万（五歳以上人口）である。しかし五六の言語集団のうち一五の言語集団は人口一万人以下の絶対的少数民族で、中部と北部の険しい孤立した山岳地帯で生活しており、その多くが極限の貧しさの中で生きている。

「メキシコ革命」の精神を受け継いだ歴代政府が推進してきたものは、メキシコ・ナショナリズムの根源をメソアメリカの古代文明に求める政策であった。それはすでに紹介したような一九二〇年代に始まった壁画運動によって推進され、やがて古代遺跡の発掘と展示などによって先住民の歴史と文化が華々しく紹介されてきた。現在、メキシコのどの地方に出かけても、土着性を強調した地方文化を保存しようとする強い傾向が認められる。

しかしそのような輝かしい古代文明を築き上げた人々の末裔としての現代メキシコにおける先住民の多くは、貧困と抑圧の中で生活している。歴代革命政権は先住民の国民統合を目指して、農村教育・識字運動・僻地における公衆衛生の改善などに力を注いできた。それにもかかわらず、約一〇〇〇万人前後と推定される先住民の九〇%は、一日一ドル以下の極貧状態の中で暮らしており、先住民は現代メキシコにおける貧困の代名詞となっている。

二　近現代史を貫く三つの革命

独立革命と建国

一八二一年にスペインから独立を達成したメキシコの近現代史を貫いているのは、三つの革命である。それらは、独立革命(一八一〇—二一年)、レフォルマ革命(一八五四—六七年)およびメキシコ革命(一九一〇—四〇年)で、いずれも大量の血を流して闘われた事件であり、メキシコ近現代史の流れを方向づけた、歴史上の転換期である。

独立革命は、一〇年に及ぶ武力闘争を経てメキシコが達成したスペインからの独立闘争である。「独立の父」とされるミゲル・イダルゴ神父の率いる武装蜂起が一八一〇年九月に起こった。武装蜂起は約一〇カ月で鎮圧されイダルゴ神父を含む指導者は処刑されたが、各地で受け継がれた独立運動はスペイン副王軍との長い戦いの末の一八二一年にその目的を達成した。その直後にメキシコは一時君主制をとったが、一八二四年に連邦共和国となった。同年に公布された憲法は自由と平等をかかげ、主権在民と三権分立をうたった民主的な憲法であった。植民地時代の封建的人種別身分制は解体され、住民は法律のうえでは平等になった。

しかし独立国家メキシコが歩み出した近代史は、全人口の五%を占めるにすぎない白人クリオーリョを中心とする、限定的な民主制国家の建設の歴史であった。教育をうけたこともなく、自分が生活する狭い地域社会以外の世界を知らないインディオもメスティソの大多数も、国民国家の成員としての役割を担うことはできず、独立は為政者を替えただけで、経済構造も社会の仕組みもほとんど変わらなかったからである。スペイン人に代わって権力を握ったクリオーリョたちは、権力の争奪戦を繰り返してたびたび内乱を招き、政治と経済の混乱を長びかせた。同時に植民地時代を通じて最も封建的な存在であったカトリック教会の特権と影響力が温存されたことによって、メキシコの独立国家建設の過程は国家と教会の熾烈な闘いの歴史となった。

まず独立当時国土の約半分と莫大な富を所有していたカトリック教会の資産解体は、自由な経済活動の進展に不可欠な条件であると考えられた。また信教の自由の確立は、非カトリック信者のヨーロッパ移民の誘致政策にとって不可欠であった。非スペイン化こそ近代化の鍵であるとして脱スペイン化を目指した自由主義者たちは、一八二四年の憲法がカトリックを国教とし、その排他的な宗教活動と特権を容認したことに、反対しつづけたのである。しかし一八三〇年代に教会資産の解体と教育の非カトリック化を目指した自由主義派政権は改革の政治を進めたが失敗し、カトリック教会の支配する状況を変えることはできなかった。カトリック教会を含めた大土地所有者層からなる保守派と自由主義派の権力闘争は、住民の九〇%以上が文字の読めない社会を根本的に変革して近代国家の基盤を整備するどころか、独立当時あった四一〇万平方キロメートルの国土の半分をテキサスの独立（一八三六年）とメキシコ・アメリカ戦争（一八四六―四八年）の敗北でアメリカ合衆国に割譲するという、メキシコの悲劇を招く結果となったのである。

レフォルマ革命

レフォルマ革命は、独立革命が残存させた封建的勢力としての教会を解体し、自由主義理念に基づく国家建設を目指した革命である。一八五四年から一八六七年にいたる一四年間に、三年続いた内戦時代と四年にわたったフランスの干渉時代を経験した、メキシコ近代史上、最も波乱に富んだ激動の時代であった。

一八五〇年代初め、メキシコ・アメリカ戦争に敗れ、国土のほぼ半分を失ったメキシコは、深刻な政治危機に陥っていた。戦後の再建に腐心する知識人の多くは、やがてメキシコがさらなる膨張を企てるアメリカ合衆国に吸収されることを恐れ、フランスやイギリスとの同盟計画を議論した。この保守派による再建策を非難する反対派は、戦後の混乱した秩序を回復するため一八五三年に決起した。「アユトラ事変」として知られる自由主義派勢力が実権を掌握したこの事件は、内戦時代（一八五七―五九年）とフランスの干渉時代（一八六三―六七年）を招くが、一九一〇年の革命勃発にいたるまでメキシコ政治を支配することになる自由主義勢力の時代の幕開けとなった。

レフォルマ革命の特徴を集約しているのが、一八五七年の憲法とその前後に公布された改革諸法と呼ばれる一連の自由主義的改革を目指して制定された法律である。まず一八五五年にカトリック教会が保持してきた諸権益を制限する「フアレス法」が公布され、次いで五六年には共同体やカトリック教会が保有していた不動産の解体を規定した「レルド法」が公布された。つづいて一八五七年には、共和体制、連邦制、代議制など一八二四年の憲法を受け継ぎながら、急進的な自由主義の理念を盛り込んだ憲法が制定された。とくに第一条から二九条に盛り込まれた個人の諸権利とその保障に関する部分は、きわめて斬新であった。制憲議会で最も激しい論争となった信教の自由は、妥協が成立せず憲法に盛り込むことができなかったが、のちの憲法改正で追加されている。反カトリック教会主義は一八五七年憲法の神髄であった。

メキシコの歴史と社会を理解するにあたり最も重要なテーマの一つは、カトリック教会である。なぜならカトリック教会は単なる宗教組織ではなく、メキシコの政治、経済、社会すべてに関わる一種の権力であったからである。教会は、植民地時代にはスペインの植民地統治機関の一端を担い、メキシコ市に置かれた異端審問所を中心にして、生まれてから死ぬまでのあらゆる段階で住民の行動と思想を管理した。さらに莫大な富を蓄積しかつ有能な人材を保有したカトリック教会は、独立後も政治勢力として大きな力を保っていた。すでに述べたように独立当時のカトリック教会は、国土のほぼ半分を所有していた。教会は大量の都市不動産も所有し、一種の金融機関の機能も果たしていた。また植民地時代に引きつづいて、教会は庶民一般の教育、思想管理、社会道徳・規範の取り締まりなどで重要な役割と影響力を保有していた。レフォルマ革命は、このような経済力と政治力および国民の精神生活を含めた社会的影響力を教会から剥奪することを目指し、植民地体制の解体を目的とした第二の独立革命となった。レフォルマ時代の大半を担ったフアレス政権（一八五七―七二年）が政教分離と教会権力の徹底的剥奪を目的として公布した法律と政令には、教会財産の国有化を規定した「教会財産接収法」、結婚や戸籍登録を教会の任務から役所に移した「婚姻民事化法」と「住民登録民事化法」、「墓地民事化法」、「信教の自由に関する法」および「宗教祝祭日低減令」などがある。

これに対してカトリック教会は国内の保守勢力と結託して別に政権を樹立し、一八五七―五九年の三年間フアレス政府軍と戦った。三年戦争と呼ばれるこの内戦で、フアレス政権は辛うじて勝利した。しかし内戦が終結したときには、国土は荒廃し、国家財政は破綻していた。一八六一年に外債の支払い猶予を要請したメキシコに対してフランスは軍隊を派遣し、やがてメキシコの保守派と手を結んだフランスはハプスブルク家のマキシミリアン大公をメキシコ皇帝として送り込んで、メキシコ近代史上二回目で最後の帝政を出現させた。その結果、レフォルマ革命は反教会闘争から反仏闘争へとその性格を拡大した。フランスの干渉は、マキシミリアン皇帝がフアレス政府軍によって捕らえられ銃殺された一八六七年に終結した。

一九一〇年革命

ふつう「メキシコ革命」とほとんど固有名詞で使われる一九一〇年の革命は、「独立革命」と「レフォルマ革命」が目指した民主的市民社会の形成過程で生じた諸矛盾から発生した。とくに一八七六年に武力で実権を掌握し一九一一年まで権力を握った独裁者ポルフィリオ・ディアスの下で急テンポで進展した経済成長と近代化は社会の歪みを極大化した。かつてフアレスとともに戦った自由主義派の実力者の一人であったディアスの下で少数からなる特権的グループが形成され、富と権力が独占されていった。同時に外国資本を導入して経済開発を促進したディアス政権は、一九世紀末から二〇世紀初期にかけてメキシコに未曾有の経済繁栄をもたらした。しかし同時に貧富の格差を拡大させ、多くの反乱や蜂起を引き起こした。また国内の特権グループの独占的な権力支配から排除された富裕層や民族主義者の間に、反発と反感を生んだ。

このようなディアス時代の政治経済状況の中で一九一〇年の革命勃発の直接的原因となったのは、ディアスの独裁政治に対して民主化を要求した中間層の反政府運動であった。しかし同時期には、ディアス時代の急激な経済発展の過程で大農園に土地を奪われた農民たちが蜂起し、外国資本が牛耳る鉱山・鉄道・繊維産業でも労働運動とストライキがすでに激化していた。一九〇六年にはアメリカ資本が開発するカナネア銅山でストライキが発生し、鎮圧のために派遣された軍隊と労働者が衝突して多数の死者を出す事件が起こった。翌年にはベラクルス州のリオブランコにある紡績工場で起こったストライキに、同じく軍隊が派遣されて死者を出した。一方農村では、一九世紀末から二〇世紀初頭にかけて砂糖の主要な生産地帯として急変したモレロス州で、エミリアノ・サパタらの率いる農民集団が大農園に奪われた村落共有地の奪還を目指して武装蜂起した。

一九一〇年の大統領選挙をめぐるフランシスコ・マデロの武装蜂起に始まる革命の勃発から一九一六年にかけて、全国で血みどろな武装闘争がさまざまな武装勢力の間で繰り広げられた。そしてこの内乱にまき込まれて損害を被った諸外国がメキシコに干渉した。とくにアメリカ合衆国は露骨な武力干渉を展開して、メキシコ人の反米感情を刺激した。このように各勢力が熾烈な戦いを展開する中から全国を制覇したのは、一八五七年憲法の擁護を掲げて台頭したベヌスティアノ・カランサの率いる護憲派勢力である。しかしこの護憲派政府の下で一九一六年から一七年にかけて審議さ

移動する革命軍の兵士と女たち。

れ、制定された「革命憲法」は、改良主義的な護憲派の主張にとどまらず、農民および労働者の要求に応えた、急進的な憲法となった。「革命憲法」に集約された根本的な変革のための理念は、その後一九四〇年までその実現に向けて精力的に取り組まれた諸政策の原点となった。「メキシコ革命」は一九四〇年に終結したとされ、その後のメキシコは国民統合と経済発展を目指す新たな時代を迎えることになる。

三　現代メキシコ

高度経済成長期とメキシコ

革命による変革期を経たのち、第二次世界大戦を転機として加速化したメキシコの経済成長は、一九六〇年代末まで順調に続いた。年平均でみた経済成長率は、一九四〇年代で六・七％、五〇年代で五・八％、六〇年代で七・〇％という高度成長を記録し、「メキシコの奇跡」と呼ばれた。この間にインフレはほとんど顕在化せず、持続的な経済成長の下で中産階級の規模は人口の三分の一に達した。

一九六八年にメキシコ市で開催されたオリンピックはこのような経済発展を背景として実現したが、メキシコの高度経済成長期の最後を飾る分岐点ともなった。オリンピックの開催直前になって、いまだメキシコは貧困問題を抱えオリンピックの開催は不当であるとして反対する学生たちが引き起こした流血の反政府運動は、政府が出動させた軍隊による強行手段によって多くの死者を出すという惨事を引き起こす結果となった。これを契機として国内に鬱積していた不満がさまざまなところで顕在化した。この状況を重視したエチェベリア政権（一九七〇―七六年）は、「革命」の理念に立ち戻った経済・社会の改革に取り組んだ。経済活動への政府の参画が拡大され、外国資本の規制が一段と厳しくなり、すでに発達していた工業のメキシコ化が促された。農業部門では農地改革法が改正されて、農地の再分配をはじめとする農村の社会経済開発を促すさまざまな政策がとられた。またメキシコを第三世界に位置づけ、先進諸国による第三世界の資源開発に対して積極的に発言し、エチェベリア大統領は第三世界のリーダーとしてのメキシコを世界にアピールした。エチェベリア政権に続くロペス・ポルティリョ政権（一九七六―八二年）もまた、オイル・ショックに続く石油開発ブームにのって国外から莫大な資金を借り入れ、メキシコの重工業化を促した。

しかし一九八二年に陥った累積債務危機を端緒に、メキシコは経済の混乱期に突入した。世界銀行をはじめとする国際的な支援の下でこの危機を乗り切ると、デラマドリド政権（一九八二―八八年）とサリナス政権（一九八八―九四年）の一二年間に、メキシコ経済は混合経済体制から自由主義経済体制へと大きく転換した。

民主化を模索する政治

メキシコの政治体制は議会民主制をとる連邦国家である。三一州は独自の憲法をはじめとする法体系をもち、軍および外交を除く立法、司法、行政の三権が連邦国家権力から分立している。しかし実態としては大統領に権力が集中しており、各州の自立性は必ずしも確立していない。ただし近年では連邦制のあるべき姿である州の自治権回復が進んでおり、政治環境が大きく変わろうとしている。

現代メキシコの枠組みを規定しているのは、すでに紹介した一九一七年に制定された革命憲法である。同憲法は国家元首であり行政府の長でもある大統領に広範な権限を与えているため、任期中の大統領は「六年間の帝王」といわれるほど強大な権限と影響力をもっている。ただし大統領の再選は絶対的に禁止されている。大統領のもつ広範囲な人事権には人口の五分の一が集中する首都メキシコ市（連邦特別区）の市長にあたる特別区長官の指名が含まれていたが、一九九七年に住民による直接選挙へ移行した。

このような強力な大統領の座を一九二〇年以来二〇〇〇年まで独占したのが、一九一〇年代の内戦と内乱を制覇して根本的な改革の政治を目指したかつての護憲派勢力の制度的革命党（ＰＲＩ《プリ》）である。ＰＲＩ《プリ》は、一九二九年に国民革命党として正式に結党され、一九三四年に再編されてその名をメキシコ革命党と変え、四一年に現在の名称であるＰＲＩ《プリ》となった。この過程で国民は、農民・労働者・若者にいたるまで党組織に組み込まれ、国民の直接選挙で選出される大統領選挙では圧倒的支持率でＰＲＩ《プリ》の候補者を大統領に選出してきた。同時に立法府においてもＰＲＩ《プリ》が議席をほぼ独占してきた。ただし一党独裁体制への批判と民主化を求める国民の声が高まった一九八八年と九四年の二回の大統領選挙でＰＲＩ《プリ》候補は辛うじて投票総数の過半数を獲得して当選したものの、二〇〇〇年の選挙では国民行動党（ＰＡＮ《パン》）が擁立したビセンテ・フォックス候補がＰＲＩ《プリ》候補を破って当選した。連邦議会においてもＰＲＩ《プリ》の独占はすでに過去のものとなり、二〇〇三年の中間選挙でＰＲＩ《プリ》が獲得した下院の議席は過半数に及ばない二二四議席であった。一方、一九八二年に最初の野党知事が誕生するまでＰＲＩ《プリ》が独占してきた三一州の知事のポストも、二〇〇四年末の時点でＰＲＩ《プリ》知事が実権を握っているのは一七州にすぎない。しかも一九九七年まで大統領が指名してきた首都メキシコ市長が選挙で選ばれるようになってから二代の市長のポストは中道左派の民主革命党によって握られている。

このような流れの中で国民の政治意識も、急速に変化しつつある。選挙の不正と腐敗を監視するために、一九九一年には連邦選挙管理委員会が独立機関として設立された。一九九四年の選挙で国民が自発的に組織した選挙監視委員会はその後の選挙においても目覚ましい活躍をしている。

市場主義経済体制への転換

現行憲法でもある一九一七年に制定された革命憲法は、個人の自由と権利を尊重しながらも国家権力に大きな権限を与え、メキシコ・ナショナリズムを全面的に出した国家基本法である。農地改革と外国資本の接収およびカトリック教会財産の国有化政策に法的根拠を与えた第二七条、労働者の権利と保障を詳細に明記した第一二三条、カトリック教会を完全に国家の管理下に置くことになった第一三〇条は、革命憲法の神髄を示すものとして一九九二年の憲法改正まで大きな変更はなされなかった。この間、憲法に表明された革命の目標を実現するための努力が歴代政権下で続けられ、現代メキシコは大きな変革を経験した。そして一九八〇年代に着手された混合経済体制から市場主義経済体制への移行に始まる新たなる変革の波は、二一世紀のメキシコを大きく変化させている。

まず最初に取り組まれたのが経済構造の改変である。一九七六年の選挙で大統領の座に就いたロペス・ポルティリョ政権を含めて歴代革命政権は、大統領個人の思想により急進的改革指向から保守的性向までかなりの幅があったが、全体としては国家主導の強い、民族主義的な経済政策をとってきた。しかし一九八二年に経験した累積債務問題に端を発する金融危機を克服する過程で、デラマドリド政権とサリナス政権は世界銀行と国際通貨基金（ＩＭＦ）の指導の下でメキシコ経済の構造改革を断行した。混合経済体制は市場経済を重視する新自由主義経済体制へと移行し、国営企業の民営化と外国資本に対する規制の撤廃が大幅に進展している。またメキシコはカナダとアメリカ合衆国との間で一九九四年に発足させた北米自由貿易協定（ＮＡＦＴＡ）により市場の開放を急速に進め、二〇〇四年には日本とも自由貿易協定を結んだ。

チアパスの密林でメキシコの内外から支援者を招き会議を開いたサパティィスタ民族解放軍。

この間に農村では、新しい体制から見離された貧しい農民が実力行使に訴えて土地を占拠したり、武装蜂起する事態を生んでいる。農地改革は、一九三四—四〇年に大統領の座にあったカルデナス時代に大規模に実施され、アシエンダが解体され、エヒードと呼ばれる村落共有地を基盤とする新しい農村共同体が建設された。同時に農村の近代化を目指した技術指導・公衆衛生の普及・農村学校の建設と識字運動などが取り組まれた。しかし一九九二年の憲法第二七条の改正によってエヒードは実質的に解体され、外国資本の農地所有が可能となり、農村の状況は急速に変わりはじめた。その結果、一九九四年元旦のＮＡＦＴＡ発効に合わせて、南部チアパス州ではＮＡＦＴＡ反対と抑圧されている先住民の自由と解放を求めたサパティィスタ民族解放軍が武装蜂起した。市場経済主義がメキシコ経済を活性化し国民生活を向上させるまえに、政府は国内の一部から強力な反発をうけ、ゲリラ勢力と政府軍が対峙する硬直状態が現在まで一〇年以上にわたって続いている。

　反米主義を基調とするメキシコ民族主義も、大きく変化しつつある。一九世紀半ばに国土の半分を奪われたことへの恨み、アメリカ合衆国の度重なる干渉政策への怒り、豊かなアメリカ社会に出稼ぎに行かざるをえない貧しいメキシコ人の群れに対する絶望感などからくるメキシコの反米感情は、メキシコ・ナショナリズムの大きな特徴であった。しかしこのようなメキシコの対米感情は、一九八〇年代から顕著に変わりはじめている。メキシコの若者の多くがアメリカで高等教育をうけてきたが、彼らが帰国して国内の専門職に就くことのできる状況が出現したことによるところが大きい。とくに一九八二年から二〇〇〇年にいたる三人のＰＲＩ《プリ》の大統領がいずれもアメリカ東部の名門私大の大学院を出ていることに象徴されるように、権力の中枢を固めるエリートの多くがアメリカの名門大学で大学院教育をうけている。これらの知米派エリートは、アメリカ社会の合理性と活力を肌で学んできたと同時に、輸出入の八〇％以上をアメリカに依存し、アメリカ経済の動向に左右される自国の経済体質を熟知している。彼らはＮＡＦＴＡに参加し、カナダとアメリカという世界の先進国と一体化してメキシコの経済発展を目指すことを決意した。と同時に、国民の間にもアメリカ人と共存することを全面的に容認する雰囲気が生まれており、英語習得熱をはじめとするアングロアメリカ文化への急速な接近がみられる。

　二〇〇〇年七月に行なわれた選挙で、七一年間という長期にわたり実権を握ってきたＰＲＩ《プリ》の大統領候補が敗れ、ＰＡＮ《パン》が擁立したビセンテ・フォックスが大統領となった。フォックス政権への国民の期待は大きく、民主主義の確立と変革への期待が高まった。しかし経済のグローバル化が進む一方で、国内政治の改革と国民生活の向上は一向に進展していない。フォックス政権の前半（二〇〇〇～〇三年）は平均〇・三％という低い成長率によって経済の改善は見られず、貧富の格差が一段と広がり、高い失業率と多発する犯罪によって、大都市ばかりでなく地方においても治安の悪化が著しい。

　しかし協調と対話重視を強調するフォックス政権の下で、さまざまな政策に反対する国民の抗議運動が平和的に行なわれており、過去の政府による強圧的な国民弾圧の実態が解明されようとしているなど、民主主義体制へメキシコは明らかに移行しつつある。

【参考文献】

F・ウェイミュレール『メキシコ史』（染田秀藤／篠原愛人訳 ［文庫クセジュ］白水社 一九九九年） スペインによる征服から一九七〇年前後までを扱ったメキシコ史概説書の日本語版。添付された日本語で読めるメキシコ関係の参考文献リストが有用。

国本伊代『メキシコ1994年』（近代文芸社 一九九五年） 大きな転換期にあたる時期の中でも、政治的・経済的に重大な事件が多発した一九九四年を通じて現地で体験・観察したメキシコ事情を綴った、現代メキシコの解説書。

国本伊代『メキシコの歴史』（新評論 二〇〇二年） 多民族国家メキシコの古代から二〇世紀までの歴史を、多くの写真と図版と共にビジュアルに解説したメキシコ史入門書。

E・クラウセ『メキシコの百年 1810-1910――権力者の列伝』（大垣貴志郎訳 現代企画室 二〇〇四年） 独立運動の勃発からメキシコ革命勃発にいたる一〇〇年の歴史に登場した権力者たちを独自の視点で描いた力作。

小林致広編『メソアメリカ世界』（世界思想社 一九九五年） メキシコ中央部からユカタン半島およびグアテマラに広がるメソアメリカ地域の先住民社会について、五人の歴史学・文化人類学・民族学の専門家が独自のテーマで取り組んだ論文集。

清水透『エル・チチョンの怒り――メキシコにおける近代とアイデンティティ』（東京大学出版会 一九八八年） 南部チアパス州の高地にある先住民の村チャムーラを舞台にして、メキシコの近代化を生きぬいた先住民社会の姿を現地調査をふまえて記述した書。

E・セーモ『メキシコ資本主義史――その起源一五二一―一七六三年』（原田金一郎監訳 大村書店 一九九四年） スペイン植民地時代に発達したメキシコ経済の歴史を多角的に分析した、定評ある歴史書の翻訳本。

恒川恵市『従属の政治経済学 メキシコ』（東京大学出版会 一九八八年） 対外経済依存がもたらす国内への影響について、メキシコの自動車産業の発展過程および国家・労働組合関係を事例研究を通じて実証的に分析した研究書。

並木芳治『メキシコ・サリナス革命――北米自由貿易協定に賭けた大統領』（日本図書刊行会 一九九九年） メキシコのグローバル化を大胆に進めたカルロス・サリナス大統領（一九八八～九四年）の改革の政治を分析した書。

G・F・マルガダン『メキシコ法発展論』（中川和彦訳　アジア経済研究所　一九九三年）　先スペイン時代から現代までをカバーしたメキシコの法制史入門書として定評のある書の日本語訳。

メキシコ大学院大学編『メキシコの歴史』（村江四郎訳　新潮社　一九七八年）　第一線の歴史家たちによって書かれたメキシコ国民一般向けのテレビ教養番組用テキストの日本語翻訳書。古代史に多くの紙面を割き、メキシコ・ナショナリズムを強く打ち出した簡約な通史である。

山﨑眞次『メキシコ　民族の誇りと闘い――多民族共存社会のナショナリズム形成史』（新評論　二〇〇四年）　古代から現代までのメキシコ人の民族意識と歴史観の形成過程を多角的に扱った書。

山崎春成『メキシコ・シティ』（大阪市立大学経済研究所編『世界の大都市』3　東京大学出版会　一九八六年）　五〇〇年以上にわたって首都の座を占めてきた巨大都市の一つであるメキシコ市について、その歴史から現代抱える都市問題までを扱った研究書。

山本純一『メキシコから世界が見える』（集英社　二〇〇四年）　南部チアパス州のサパティスタ民族解放軍の活動地域と北のアメリカとの国境沿いに発達したマキラドール地帯を現地視察してまとめたルポルタージュ。

吉田栄人編『メキシコを知るための60章』（明石書店　二〇〇五年）　各章ごとにテーマを設定してメキシコの伝統文化を中心にまとめたメキシコ紹介書。最後の一〇章分で経済関係が取り上げられている。

Gran historia de México ilustrada (5 tomos; México, D. F.: Editorial Planeta Mexicana, 2001)　多数の写真と図版を挿入し、八〇人を超す各分野の専門家が執筆した、古代から二一世紀初頭までのメキシコの歴史を解説した五巻からなる大作。

第七章　中米地域

●田中　高

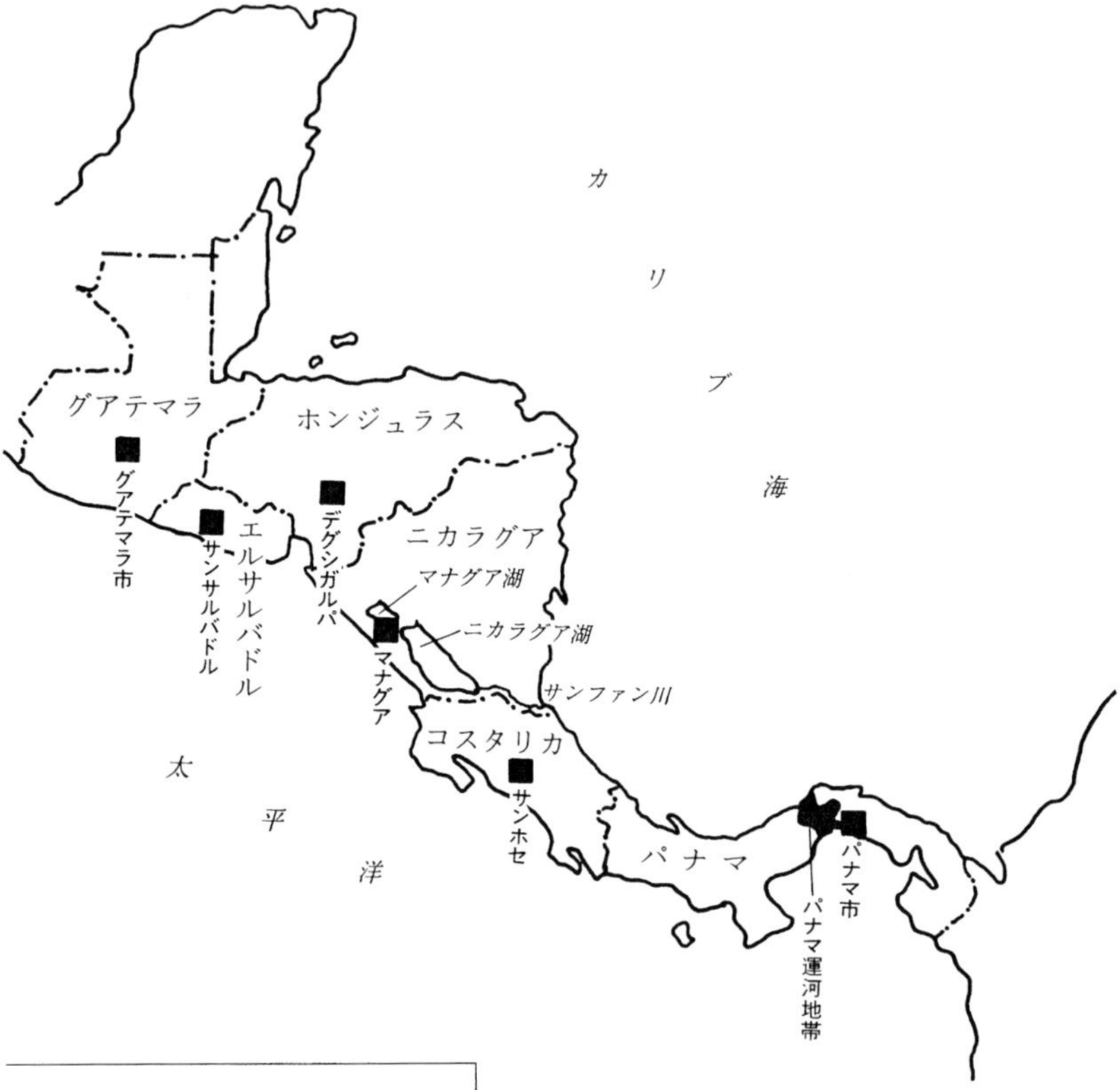
カリブ海
グアテマラ
ホンジュラス
グアテマラ市
エルサルバドル
サンサルバドル
デグシガルパ
ニカラグア
マナグア湖
ニカラグア湖
マナグア
サンファン川
コスタリカ
サンホセ
太平洋
パナマ
パナマ市
パナマ運河地帯

中米地域

序　現代中米諸国をみる視点

中米は南北両大陸を結ぶ鎖

南北アメリカ大陸を結ぶ、ちょうど鎖のような役目を果たしている細長い地峡に、中米諸国は位置する。地峡の東側は西欧列強が植民地争奪戦を繰り広げたカリブ海に面している。一方、西側には広大な太平洋が横たわっている。中米諸国は、南北アメリカ大陸を分断するアングロサクソン文化とイベロアメリカ文化、アジアとヨーロッパを隔てる太平洋と大西洋（カリブ海）の交錯地点＝十字路でもある。この地理上のユニークな特徴が、中米諸国の文化、社会、政治、経済などにさまざまな影響を及ぼしてきた。また現代国際関係の潮流となりつつある、グローバリズムとリージョナリズムという二つのベクトルが交錯する場でもある。

一般に中米諸国とは北からグアテマラ、ホンジュラス、エルサルバドル、ニカラグア、コスタリカ、パナマの六カ国を指す。しかしパナマを除く場合もある。後に述べるように植民地時代の行政区分でパナマが別であったこと、一九六〇年代に発足した中米共同市場には関心が薄く不参加であったことなどによる。なお中米地峡には一九八一年にイギリスから独立したベリーズがある。近年ベリーズは中米諸国との外交関係を強化しつつある。したがってこれを中米諸国に入れる場合もあるが、多くの場合カリブ海諸国として扱っている。本章では中米諸国を慣例に習って前記の六カ国とする。

パナマ運河

先に、中米地峡は南北アメリカ大陸をつなぐ鎖のような役目を果たしていると述べた。より厳密に言うならば、南北両大陸は地続きではなく、パナマ運河により分断されている。運河は閘門《こうもん》と呼ばれる水のエスカレーターのような装置により、船舶の航行を可能にしている。この閘門の幅は三三・五メートルある。両大陸はこの幅の分だけ、切り離されているわけである。

パナマが有するこの地理上の特殊要件は、この国、ひいては中米諸国にも陰に陽に影響を与えてきた。植民地時代にはペルーやボリビアで産出された金と銀がパナマを通ってスペインに向かった。この輸送路は、カミノ・レアル（王の道）として知られている。一九世紀末には、帝国主義的な膨張を続けていたアメリカ合衆国がフランス人レセップスの事業を引き継ぎ、カリブ海と太平洋を結ぶ海上交通路の要として、パナマ運河の建設に乗り出した。

ここでパナマ独立のプロセスについて簡述しておこう。パナマがコロンビアから独立したのは一九〇三年一一月である。当時アメリカは建設が中断していたパナマ運河を、自国の支配下に置くことを強く望んでいた。アメリカはコロンビア政府と運河建設を取り決めた条約を締結したが、コロンビアの議会が批准しなかった。そこでアメリカは当時独立を目指していたパナマ地域の動きを利用して独立を促し、独立を達成したパナマ政府との間で、自国に有利な運河条約を締結したのである。

ニカラグア運河

興味深いことは、一九一四年八月にパナマ運河が完成する以前、両大洋を結ぶ交通ルートとしてニカラグアが果たした役割である。一八四八年にカリフォルニアで金鉱が発見されると、アメリカでは東海岸から西海岸へ人と物の移動が急増した。大陸横断鉄道が開通する六九年までの約二〇年間、ニカラグアは輸送ルートとして重要な役目を果たした。ニカラグアがこの大陸横断ルートに選ばれた最大の理由は、ニカラグア湖を利用した海上輸送の至便性であった。実際カリブ海側からこのニカラグア湖には、川幅四〇メートルのサンファン川を蒸気船で上り、いったんニカラグア湖に入った後に、太平洋岸の港のあるサンファンデルスルにほど近い港サンホルヘまで船で行くことが可能であった。この港からサンファンデルスルまでは、わずかに地上一二キロメートルの距離である。

極端に言えばパナマ運河を利用しなくても、船舶による大陸横断はこの陸地一二キロメートルを除けば可能であった。実際この大陸横断ルートを利用した、ニカラグア運河建設構想がパナマ運河建設に先立って存在した。この構想はパナマ運河推進派の圧力や折悪く火山が爆発したことなどが重なり、アメリカ上院で反対され頓挫した。一九七九年にニカラグアで社会主義革命政権が成立すると、新政権はふたたびニカラグア運河構想をもち出し調査が開始された。九六年ニカラグア政府の運河調査委員会は地上運河（船積された貨物をいったん陸揚げし、高速鉄道で陸送した後、再度船積するもの。カナル・セコと呼ばれる）の建設を正式決定した。ホンジュラスにも同様の計画がある。近い将来パナマ運河一辺倒の、両大洋間輸送体制は大きく変化する可能性もある。

中米の先住民

中米はグアテマラを除いて先住民の人口比率はさほど大きくない。グアテマラではキチェ、カクチケル、ケクチ、マムなどのマヤ系言語の使用人口は、全人口の約六割に上ると推定されている。キチェ・マヤの闘士リゴベルタ・メンチューは一九九二年にノーベル平和賞を受賞した。一九九六年に合意した和平協定には、「先住民族のアイデンティティと権利協定」が盛り込まれているが、その履行には問題が山積している。グアテマラ国内では依然としてマヤ系先住民に対する差別・抑圧が存在し、隣国メキシコに難民として滞留しているケースも多い。エルサルバドルにはごく少数のピピルと呼ばれる先住民族が存在するが、話題になることは少ない。ニカラグアでは太平洋岸にミスキト、スム、ガリフォノ、ラマ族と呼ばれる先住民が居住している。これらの先住民は通常ミスキトと総称され、従来から中央政府による統治に反発し、自治を求めている。一九八〇年代の革命政権時代には両者の関係が

ノーベル平和賞を受賞したグアテマラのリゴベルタ・メンチュー。

緊張し、ミスキトの中から反政府ゲリラに参加する者もあった。しかし九〇年にチャモロ政権が発足した後は融和策がとられている。現在大西洋岸の先住民居住地域は北部と南部の二つの自治政府に分かれており、それぞれ選挙により選出された議会を有している。従来から自治政府と中央政府は天然資源開発権について対立していた。しかし九五年の修正憲法では天然資源の開発に関しては原則として、自治政府議会の承認が必要であると明記している。

コスタリカでは先住民人口は全人口の二%を占める程度で、大きな国内問題とはなっていない。カベカル、ブリブリ、グアイミなどの諸族が主に国内東部に居住している。コスタリカは法制面での先住民問題への取り組みは進んでおり、一九七七年公布の先住民法では、先住民の土地所有の公的な保障や居住環境の保護などが規定されている。また先住民の権利と利益を守るための政府機関として、国家先住民関係委員会が設置されている。パナマにはクナ、グアイミなどの先住民が存在する。前者は自治権の獲得などに成功している。なおホンジュラスにはニカラグアと同様ミスキト族が独自の文化を有しながら太平洋岸に居住している。先住民ではないが、コロンブスのアメリカ大陸到達後にアフリカから連れてこられた黒人奴隷を祖先とする黒人系人口が、近年ホンジュラスでは民族集団として連帯しつつある。ホンジュラスの黒人系人口は二〇万人に上る。ホンジュラスのマヤ系先住民人口は総人口の約六%である。彼等の言語はチョルティ語と呼ばれるマヤ系言語のひとつであるが、現在ではほとんど使用されていない。

一　中米地峡の自然環境と文化

火山と地震の国々

中米地峡は熱帯気候に属し、年間の気温差は六度以下と少ない。国によって時期は若干ずれるが、雨期（五月から一一月）と乾期（一二月から四月）の二つの季節がある。現地では前者を冬、後者を夏と呼ぶこともある。雨量はカリブ海側で年間二〇〇〇から八〇〇〇ミリメートルに達する。内陸の盆地と太平洋側では五〇〇から二〇〇〇ミリメートルである。

中米諸国の首都の中で最も雨量が多いのはコスタリカのサンホセである。サンホセは海抜一一五〇メートルに位置し、年間降雨量は一九〇〇ミリメートルに達する。サンホセは東京の年間降雨量一四〇〇ミリメートルを大きく上回っている。雨期にコスタリカの首都を訪れる人は、住宅地で人目につかないように気を使いながらも、大量に洗濯物を干している光景に出くわす。

中米は火山と地震の土地として知られている。太平洋側には大小二〇〇を越える活火山と休火山が緩やかな弧を描いて配列している。中米の最高峰はグアテマラのタフムルコ山で標高四二二二メートルである。またコスタリカのチリポ山（三八三七メートル）やパナマのチリキ山（三四二三メートル）などの美しい形の高山が多い。火山活動が活発なのはグアテマラ（フエゴ山）、エルサルバドル（イサルコ山）、ニカラグア（モモトンボ山）、コスタリカ（ポアス山）などである。その多くは太平洋岸に面している。

中米地峡にはアンティル山系とアンデス山系という二つの異なる造山系が複雑に入り組んでいる。これを地震との関係でみると、ちょうどほぼ太平洋岸に沿って火山脈が走っている。しかもほとんどの国の首都がこの上に建設され、これまでに何度となく大地震の被害に見舞われてきた。最近の主だったものだけでも、マナグアが一九七二年、グアテマラ市が一九七六年、サンサルバドルが一九八六年、二〇〇一年、コスタリカが一九九一年に地震の被害をうけている。一九七二年末に起きたニカラグア大地震は、マグニチュード六・二五の直下型の大地震で、首都マナグアを直撃し壊滅させた。死者は推定で一万人とされている。マナグア市街は現在も再建されないままで、首都としての機能は周辺に分散している。

中米諸国は火山帯に位置するというハンディを負いながらも、皮肉なことに火山灰という地味豊かな土壌を享受している。中米においては火山性の土壌が、コーヒーや綿花などの農作物栽培の天然の肥料として役立ってきた。かつては中米の主要輸出産品であった綿花は世界最高の生産性を誇り、日本がその大部分を輸入していた。しかしアメリカ産綿花との価格競争に破れ、現在ではほとんど生産されなくなってしまった。

小国家群誕生の理由

中米諸国の特徴は何と言っても国が小さいことである。多くの読者はなぜこんなに狭い地峡に、六カ国もの小国家がひしめきあっているのか、不思議に思うに違いない。パナマを除く五カ国が独立したのは一八二一年九月一五日であった。前述のようにパナマの場合は運河建設とアメリカとの特殊な関係によって独立の時期は大幅に遅れ、一九〇三年一一月五日にずれ込んだ。中米五カ国はスペインの植民地時代には、グアテマラにある総監府の管轄下にあった。またパナマは現在のコロンビアの首都ボゴタに置かれたヌエバ・グラナダ副王領の管轄下に置かれたり、グランコロンビア共和国（現在のコロンビア、ベネズエラ、エクアドル）に統合されたりした。

中米五カ国が独立するきっかけとなったのは、一八二一年九月のメキシコの独立であった。いったんスペインから独立したのち、五カ国は一八二二年にメキシコに統合された。しかしすぐにメキシコから分離して、一八二三年には中米連合が結成された。そして翌二四年には憲法が公布され、中米連邦共和国が樹立された。連邦共和国とはいえ、五つの地方（国）はそれぞれ自律的で対立しており、連邦政府の強力な統治は確立しなかった。一八三八年中米連邦共和国は瓦解した。

このようにもともと中米五カ国は統合と分離の動きを内包していた。中米における連合政府形成への動きは、中米諸国が繰り返しそれに挑戦したにもかかわらず、結局は成功しなかった。中米諸国が細分化・分離し、小国家の道を歩んだ背景については次のような説明がある。

まず中米地峡の地理上の問題がある。グアテマラにある総監府からコスタリカの当時の首都カルタゴまでの距離は一四〇〇キロメートルである。しかし途中険しい山岳地帯を通ったり、道路事情が悪く乾期でも片道一カ月半を要した。雨期には通行が不可能となった。こうして総監府の実際の行政権の及ぶ範囲は著しく限られていた。このような事情により各地方は自律的な地域社会を形成し、独自裁量で行動していた。次にスペイン植民地時代の統治のあり方が挙げられる。宗主国スペインにとっては、中米地峡はこれという貴金属や香辛料などの農産品が採れたわけではなく、植民地経営上大して魅力のある土地ではなかったから、統治もゆるやかだった。もし魅力的な土地であればスペインは中米から富を引き出すべく、道路や港湾にもっと投資し、厳格に支配したであろう。

それぞれに多様な文化をもつ中米諸国

中米の小国家群が独立国家として存続しつづけた背景については、以上のような植民地時代の行政上の理由に加えて、中米諸国に文化や国民性なり生活習慣に相違点のあることも指摘できる。宗教はどの国もカトリックが主体で、公用語はスペイン語である。しかし人種的には先住民人口の多いグアテマラと、白人系人口の多いコスタリカでは国民性、ひいては社会構造に大きな違いがある。エルサルバドルはこの二カ国の中間でありメスティソが多くなるが、社会構造ではグアテマラに近い。ホンジュラス、ニカラグアの場合は基本的にはエルサルバドル型の人種、社会構造を有している。しかし両国はカリブ海にも面しているため、人種構成はよりバラエティーに富んでいる。一部の地域では黒人人口も多く、スペイン語と英語が通じる。

グアテマラの場合文化集団としては大きくインディオ文化、ラディーノ文化の二つに分類される。ラディーノ文化は一般にはインディオではない、スペイン語を母語とする人々全体を指し、全人口の約四割を占めている。なおこのラディーノという用語は主にグアテマラで使用され、他の中米諸国ではメスティソが使われている。

文化圏としてはホンジュラス、エルサルバドル、ニカラグアはメスティソ文化が中心である。社会構成は白人を中心とする一部の富裕層が上部にあり、その下には膨大なメスティソ人口が存在する。ただしホンジュラス、ニカラグア、コスタリカのカリブ海側には、逃亡黒人奴隷を先祖とする、独特のアフリカ文化を受容したエスニック・グループが居住している。コスタリカは白人とメスティソ人口が全体の九七％を占めており、人種的にはヨーロッパ系に近い。パナマの文化はインディオ、メスティソ、アフリカ、ヨーロッパのほかに中近東、インド、中国など世界の雑多な文化が入り交じり、コスモポリタンな雰囲気を有する。このように雑多な文化が存在するのは、運河建設の労働力として黒人や中国人を利用したこと。また運河のもつ運輸、金融の拠点としての役割があるからである。

二　政治統合の破綻と経済統合の進展

中米統合の夢と現実

一八三八年に中米連邦共和国が瓦解した後も、中米諸国の統合への動きは消えたわけではなかった。一八四二年には連邦が一時的に復活したし、一九〇七年にはアメリカの首都ワシントンに中米各国の代表が集まり、中米連合の発足には失敗したものの、中米和平会議と中米裁判所の創設に合意した。一九五一年には中米諸国の政治、経済、社会の広範囲にわたる共同体の形成を目指した中米機構が設立された。しかしこうした試みのいずれもが現在までのところ、中米連邦の再建には成功していない。

一九七〇年代後半から八〇年代にかけて中米は地域紛争の真っ只中におかれ、地域統合への動きは一時的にストップしていた。八七年八月には後述の第二回中米サミットで中米和平合意が成立し、域内紛争が急速に鎮静化に向かうと、統合への動きも活発化した。九一年には中米統合機構の設立が決議され、中米機構は発展的に解消することとなった。中米統合機構（ＳＩＣＡ）は本部をエルサルバドルの首都サンサルバドルに置き、次に述べる一連の中米サミットのフォローアップなどを行っている。なおパナマは中米機構には不参加であったが、SICAには参加している。

一九八〇年代後半からの中米地域の政治面での大きな変化は、各国の大統領が会合する中米サミットが定期的に開催されるようになったことである。第一回サミットは八六年五月にグアテマラで開催された。各国首脳は中米紛争の平和的な解決に向けて、熱心な討議を行った。翌八七年八月にグアテマラで開かれた第二回中米サミットでは、コスタリカのオスカル・アリアス＝サンチェス大統領の熱心な和平努力もあり、中米和平合意が成立した。同年アリアス大統領はこの功績により、ノーベル平和賞を受賞した。

中米サミットはその後も年に一ないし二回の割合で開催されている。九六年五月にはニカラグアの観光地モンテリマールが会場となり、域内の観光政策について討議した。また中米議会がグアテマラに置かれているが、立法権を持たない上に、財政上の理由もあり、近年ではあまり活動は行っていない。

経済統合への道

中米諸国は一九六〇年代に地域経済統合を推進すべく、中米共同市場（以下共同市場）を結成した。共同市場創設の基本条約となったのは、六〇年一二月、マナグアで調印された中米経済統合に関する一般条約（マナグア条約）である。共同市場に当初参加したのは、グアテマラ、エルサルバドル、ホンジュラス、ニカラグアの四カ国で、コスタリカは六二年に調印した。なおパナマは共同市場には不参加であった。パナマが域内の経済統合の動きに積極的に参加するのは、一九八〇年代後半以降である。一九六〇年には共同市場加盟国の均衡のとれた経済発展、地域統合の推進のために中米経済統合銀行がホンジュラスの首都テグシガルパに設立された。

共同市場は域内の関税を引き下げ、対外共通関税を設定し、域内の貿易を増加させることや、中米統合産業と呼ばれる戦略的な産業を育成することを目指した。また農産物生産・価格安定のために各国が協調政策をとることも実施された。この結果六〇年から六七年の間に中米諸国間の輸入額は七倍、中米五カ国全体の輸入総額は約二倍に増加した。また経済成長についても、共同市場発足の前後で明らかにプラスの効果が現れた。五七年から六二年、六二年から六七年の五年間の平均を比較すると、コスタリカを除いた四カ国で成長率はほぼ二倍前後に増加した。

このように一九六〇年代を通して共同市場加盟五カ国は高い経済成長を達成した。またパナマが六〇—七〇年の一〇年間に達成した年平均の経済成長率も八%弱に達していた。この間にパンアメリカン・ハイウェーなどの道路網や、港湾施設、電力、通信、上水道などの社会インフラがめざましく整備された。また平均寿命や乳幼児死亡率などの保健衛生、教育の分野で、ある程度の改善のあったことを確認できる。

しかしながら共同市場参加国間の貿易不均衡や、六九年に勃発したエルサルバドル・ホンジュラス間の戦争（サッカー戦争とも呼ばれる）により、域内の経済活動は著しく停滞した。七〇年代に入り共同市場は事実上機能停止状態となった。

輸入代替工業化を柱とした開発戦略にはまた、鋭い批判も投げかけられた。従来の開発戦略は、封建的な社会経済構造を温存したまま外国経済依存型の開発を進め、富の偏在をもたらし、大衆の生活はかえって苦しくなったと指摘されている。実際、教育、公衆衛生、失業者数、貧困層などの社会経済指標は若干の改善はあったものの、どれをみても劣悪な水準のままであった。ちなみに七〇年の各国の非識字率を見るとグアテマラ五二%、エルサルバドル四〇%、ホンジュラス四八%、ニカラグア四七%、コスタリカ一〇%、パナマ二〇%となっている。コスタリカとパナマの二カ国を例外とすると、中米諸国の多くの国民は、共同市場のもたらした経済成長の利益を十分に享受したとはいえない。このような従来の開発戦略の影の部分が、八〇年代の中米紛争（後述参照）の一因になったことは明白である。

経済自由化政策の推進

一九九〇年代に入り中米諸国は他の発展途上国と同様に、国際金融機関が強力に指導する、構造調整と輸出指向型の経済自由化政策を採用している。こうした一連の動きの中で、パナマを含む中米六カ国は九三年一〇月、グアテマラで開催された第一四回中米サミットで、新しい域内の経済統合の枠組みを定めた中米経済統合条約（以下新統合条約）に調印した。新統合条約が六〇年に発足した共同市場と相違する点は、従来の「内向き」の輸入代替工業化から、「外向き」の輸出指向工業化へと転換したことである。

特定の地域がブロック化するリージョナリズムと広く地球規模で交流しようとするグローバリズムという縦横の二つの潮流の中で、世界経済全体が新しい経済環境への変容を経験している。中米の場合、リージョナリズムは中米サミットや経済統合の活発化など域内諸国の一連の共同行動を指している。またグローバリズムの中で、中米経済はかつてない市場開放、経済自由化に直面している。中米諸国は対外関税を引き下げ、輸入規制を撤廃し、市場原理に任せる経済政策をとるようになってきた。その結果アジア諸国からの製品も、大量に市場に出回るようになった。よい意味で世界経済との一体化が進んでいる。しかしながら行きすぎた自由化が、もともと脆弱であった中米の産業基盤そのものを脅かすのではないかという一抹の不安が残っている。こうしたなかで、二〇〇三年にはアメリカとの間で中米（ドミニカ共和国を含む）・米自由貿易協定（ＣＡＦＴＡ）が合意されている。

三　軍事政権の系譜と民主化の進展

なぜ多くの独裁者が中米を支配したのか

コスタリカを除く中米諸国では、軍部が頻繁に政治に介入しただけでなく、独裁者が長年にわたって国家権力を牛耳り、国民の運命を左右してきた。一八三八年の中米連邦の崩壊後、各国で頻繁にクーデターが起こり、つぎつぎと独裁者が出現した。グアテマラでは、一八三九年から一九四四年までの一〇五年間のうち実に七六年間を四人の独裁者がこの国を支配した。ニカラグアではソモサ一族が父子三人で一九三六年から七九年にいたる四三年間この国を支配した。独裁者が出現しなかった時期には、軍事クーデターによって政権が頻繁に交代した。

中米ではなぜこのような独裁者と軍部が実権を独占したのだろうか。まず第一の要因はこの地域が独立後も少数の勢力によって支配されつづけたことにある。これらの寡頭勢力の間で実権の争奪戦が繰り広げられ、軍部もまた利権をめぐって政治に介入したからである。第二の要因はアメリカの介入である。すでに紹介したように一九世紀末から中米に進出しはじめたアメリカは、国益と自国民の利益保全に都合のよい中米諸国の権力者を支援した。第三の要因は、第二次世界大戦後の冷戦構造の中でアメリカが反共を掲げる政権を擁護しつづけ、結果として軍事独裁政権を長期にわたって存続させたことである。このように長年にわたる軍事政権下の抑圧体制は、国民の政治参加の機会を制約し、民主化を大幅に遅らせた。

しかしここで留意しておきたいのは、中米六カ国の政治発展に見られる多様性である。コスタリカはこの間文民政権が続いているし、パナマでも形のうえでは民政が維持された。独裁政権の中身も、ニカラグアのソモサ一族の家産的な支配と、エルサルバドルやホンジュラスの軍事政権では、その統治スタイルは大きく異なっている。このように中米の政治は共通点も多いが、同時に国により多様でもあることを考慮に入れておく必要がある。

グアテマラの場合

すでに指摘したようにグアテマラは独裁者が輩出した国である。この国では一九三一年から四四年まで、ホルヘ・ウビコ将軍の政権が続いた。しかしウビコ大統領は四四年、政権の経済政策、抑圧政策に反対する、知識人により指導された広範な大衆運動の前に退陣した。その後四四年から五四年の一〇年間、グアテマラでは教育者であったフアン・ホセ・アレバロとハコボ・アルベンス＝グスマン陸軍中佐という二人の社会民主主義型の改革指向の強い政権が続いた。しかしアルベンス政権が強力に進めていた農地改革（グアテマラ革命とも呼ばれる）が、ユナイテッド・フルーツ社の既得権益を脅かすようになると、アメリカのアイゼンハワー政権は露骨な介入策をとるようになった。五四年、アメリカ中央情報局の支援をうけたカルロス・カスティジョ＝アルマス大佐が、アルベンス政権を武力により倒した。グアテマラの政治はこの後、度重なる軍事クーデターと軍部の弾圧政策により、民主化からは遊離したものとなった。

形のうえで民政に復帰するのは、八六年にセレソ文民政権が誕生したときである。このときまでグアテマラは軍部の抑圧的な体制下におかれ、経済面では成長政策を推進しながらも、政治面では反政府勢力への弾圧が続いた。ある調査では、右派テログループによる先住民などの犠牲者数は、六〇年から八四年だけでも一〇万人に上るとしている。グアテマラは中米のみならずラテンアメリカで、最も激しい人権侵害が発生した国となった。

一九九六年一月に発足したアルスー政権以後、民主化が進んでいる。今後の政局を見るうえで重要な点は、反政府ゲリラ勢力のグアテマラ民族革命連合との和平合意の内容がどこまで実行に移されるかである。こうしたなかで、二〇〇〇年にはポルティージョ政権、〇四年にはベルシェ政権が発足した。

ホンジュラスの場合

ホンジュラスでもグアテマラと同様に、第二次世界大戦後軍事政権が続いた。一九三三年に政権の座に就いたティブルシオ・カリアス＝アンディーノ将軍は、一五年間にわたり独裁者として君臨し四八年に退陣した。カリアス大統領は配下のフアン・マヌエル・ガルベスを後継者に選んだ。ガルベス政権以降ホンジュラスでは軍部のクーデターが繰り返され、政権がたらい回しにされて、民政移管が実現する八二年一月まで軍部支配の政治が続いた。

ホンジュラスの特徴は、比較的穏健な社会改良型の政策を取る軍事政権が多かったことである。たとえば六三年から七一年、七二年から七五年の二度にわたり政権の座にあったオスワルド・ロペス将軍は農地改革に積極的で、土地分配について地主層と激しく対立した。しかしロペス大統領は「バナナ・ゲート」と呼ばれる汚職スキャンダルにまき込まれて、辞職を余儀なくされた。ホンジュラスでは八二年に発足したロベルト・スアソ・コルドバ政権以後、自由党と国民党の二大政党制の下で比較的安定した民政が続いている。九三年に発足したカルロス・ロベルト・レイナ政権は、依然として影響力をもつ軍部と人権問題で対立したり、前政権時代のパスポート不正売却などの汚職事件の処理に追われた。しかしこれらの事件は政権の根幹を覆すにはいたらなかった。なお北西部の町コマヤグアには、もっぱら麻薬取り締まりのための米軍基地が存在する。ホンジュラスは伝統的にアメリカの外交政策に協力的である。九八年にはフローレス大統領が就任した。〇二年には野党国民党のマドゥーロ元中央銀行総裁が大統領に就任した。

エルサルバドルの場合

エルサルバドルでは一九三一年にマキシミリアノ・エルナンデス・マルティネス将軍がクーデターによって政権の座に就いてから、半世紀にわたり軍事政権が続いた。七九年一〇月に軍部内若手改革派による第一回軍民評議会政権が発足し、八二年には民政移管への手続きを策定するための制憲議会選挙が実施された。この間エルサルバドル政府軍と、武装闘争による政権奪取を目指した左派ゲリラ組織であるファラブンド・マルティ民族解放戦線との間で激しい戦闘が繰り広げられた。

エルサルバドル政府軍内部には伝統的に保守派、中間派、改革派の三つの大きな流れが混在している。軍事政権時代はこれらのグループが主導権争いを演じてクーデターが頻発した。民政への完全移管は八四年六月に発足した、ホセ・ナポレオン・ドゥアルテ政権以後である。八九年六月に発足した国民共和同盟（ARENA）のアルフレド・クリスティアニ政権時代の九二年一月、紛争当事者の和平努力と国連やメキシコなどの近隣諸国の強い働きかけが功を奏して和平合意が成立し、エルサルバドル内戦は終結した。内戦の犠牲者は七万五〇〇〇人に上り、国内の主要な橋梁はすべて破壊されるなど、国内経済に与えた損害は数十億ドルに達する。九四年の内戦終結後初の総選挙には、日本からも国連選挙監視員が派遣された。決選投票の結果ARENAのアルマンド・カルデロンが大統領に選出された。カルデロン政権は和平合意の履行を公約している。しかし土地の分配や戦争犠牲者の補償などで、合意内容を完全に履行したとは言えず、完全な解決には時間がかかるとみられる。九九年にはフローレス政権が発足した。二〇〇四年にはサカ大統領が就任した。クリスティアニ政権からサカ政権まで、ARENAが政権政党となっている。

ニカラグアの場合

ニカラグアでは一九三〇年代からソモサ一族による独裁政治が続いていた。一九二〇年代後半から三〇年代にかけて、ニカラグアの民族解放運動の英雄であるアウグスト・セサール・サンディーノは、二〇年間にわたって駐留していたアメリカ海兵隊に反対する、反米武装ゲリラ活動を指導した。この間ソモサはアメリカ政府に巧みに取り入りながら権力基盤を固め、一九三三年、サンディーノの暗殺に成功した。しかしサンディーノの名前はその後も受け継がれ、六一年にはサンディニスタ民族解放戦線が結成され、七九年の革命の主力勢力となった。ソモサ王朝とも呼ばれ長期にわたってニカラグアを支配したソモサ独裁体制の基盤を築いたのは、アナスタシオ・ソモサ＝ガルシア将軍である。国家警備隊の隊長であったソモサは、三六年から暗殺される五六年までの二〇年間、ごくわずかの期間を除いて大統領職にあった。しかもソモサ独裁政権はその後もソモサの長男ルイス・ソモサ（一九五六―六三年、大統領）、二男のアナスタシオ・ソモサ将軍（一九六七―七九年、大統領）へと引き継がれ、父子三代にわたる支配は四三年に及んだ。

反ソモサ運動が一気に盛り上がるきっかけとなったのは、一九七八年一月の反政府系日刊紙『ラ・プレンサ』のペドロ・ホアキン・チャモロ社主の暗殺で、七九年に社会主義革命（サンディニスタ革命）を迎えた。革命政権ではダニエル・オルテガ＝サアベドラが事実上の大統領職に就き、複数政党制、非同盟外交、混合経済体制の三原則を掲げながらも、社会主義に近い体制への移行が進んだ。アメリカはニカラグアの革命政権を発足直後から敵視した。このために反革命右派ゲリラ勢力コントラを支援し、ニカラグア国内は内戦状態におかれた。ニカラグアが民政に移管するのは、一九九〇年の総選挙の結果発足したチャモロ政権以後である。なお先述のチャモロ社主はビオレタ・バリオス・デ・チャモロ大統領（一九九〇―九六年在職）の亡夫でもある。

チャモロ政権は六年間の任期中、山積していた問題の解決におおよその筋道をつけた。社会主義政権敗退後の混乱を考えると、同政権の達成した成果は評価されるべきであろう。年率三万％の異常なインフレは収束し、食料の配給を受けるために炎天下に数時間も行列するという姿は消えた。アメリカをはじめとする西側諸国との関係改善につとめた。特筆すべきは、社会主義国キューバとの外交関係も良好に維持していることである。野党第一党となったサンディニスタ民族解放戦線との融和・協調政策にも成功した。

一九九六年一〇月のニカラグア大統領選挙では、保守系候補のアルノルド・アレマン元マナグア市長がオルテガ元大統領を大差で破った。二〇〇二年にはボラーニョス政権が発足した。アレマン前大統領は汚職の罪で自宅軟禁状態にあり、政局は不安定である。

コスタリカの中央選挙管理機構の本部

コスタリカの場合

コスタリカは軍事政権の伝統が強いラテンアメリカ諸国の中では、民政が守られてきた異色の国である。同国では一九四九年一一月に施行された現行憲法第一二条により、非武装を宣言している。加えて一九八三年一一月には永世中立国を宣言した。非武装宣言のきっかけとなったのは、四八年の大統領選挙であった。選挙結果を巡り社会民主主義的な政策を掲げる与党国民共和党と、やや保守的な国民統一党との間で衝突が起きた。コスタリカは約一カ月間にわたり内乱状態に陥った。内乱の犠牲者は五〇〇〇人と推計されている。

事態を複雑にしたのは、その後コスタリカ政治に重要な足跡を残し「ドン・ペペ」として国民に親しまれたホセ・フィゲレスが反政府武装闘争を開始したことである。またニカラグアのソモサ独裁政権は政府軍を支援し、パナマに駐留していた米軍もこの内乱に介入する動きをみせた。結局内乱は暫定政権の成立、軍備廃棄を盛り込んだ新憲法施行の手続きを経て、正常化へと向かった。なおフィゲレスはその後三回にわたり大統領を務めている。九四年五月、大統領に就任したホセマリア・フィゲレスは、「ドン・ペペ」の子息である。

一九四八年の内乱後コスタリカでは国民解放党（PLN）、キリスト教社会連合党（PUSC）の二大政党制が定着している。コスタリカの民政の定着の理由については、多くの研究者の関心の的となった。その議論の大方を要約すると、コスタリカではコーヒー農家を中心として独立自営農が発達してきた。したがって貧富の差があまり激しくない。白人人口が多かったので、比較的同質な人種構成である。その結果として社会的な緊張が少ない。また最近の研究は四九年の平和憲法そのものに、政治的な安定の要因があると指摘している。たしかにコスタリカは米軍が駐留するパナマと、ソモサ軍事独裁政権下のニカラグアに挟まれていた。非武装中立が賢明な選択であったことは、歴史的にも証明されたといえよう。九八年にはロドリゲス政権が発足した。〇二年にはPUSCのパチェコ大統領が就任したが、この間歴代大統領の汚職問題が表面化した。

パナマの場合

パナマを見ていく際に、どうしても切り離せない要因はすでに取り上げた運河の存在である。中米諸国はアメリカと「特殊な関係」にあると表現されることが多いが、パナマほどこの言葉が当てはまる国はほかにないであろう。アメリカは運河を「保護」するために、長年にわたり運河地帯に広大な基地を維持してきた。パナマではアメリカのドル紙幣がそのまま流通している。パナマを訪れたことのある人ならば誰もが、米軍基地の威容と、それを取り囲む雑然とした市街のコントラストに目を奪われるであろう。

パナマ政治史を振り返ってみると、ナショナリズムの強い息吹を感じることができる。一九四六年三月には労働法、税制改革などの社会改革を盛り込んだ新憲法が制定された。四九年にはアルヌルホ・アリアスが二期目の大統領に就任した。アリアスは政治家としては当初アメリカとの対決姿勢を鮮明に打ち出し、国民のナショナリズムを鼓舞しながら支持を伸ばした。しかし六八年に三期目の政権に就いたとき、国家警備隊の人事刷新をはかり軍の反発を招き、亡命を余儀なくされた。六八年一〇月に発足した軍事委員会の実権を握っていたのは、オマール・トリホス国家警備隊司令官であった。トリホスはエルサルバドルの士官学校で教育をうけた生粋の軍人であった。彼は八一年に謎の飛行機事故で不慮の死をとげるまでの一四年間、パナマの最高実力者として君臨した。

トリホスは国内的にはポピュリズムの政治スタイルで国民の支持を強めた。雄弁でカリスマ性に満ちあふれ、社会改革に取り組んだ。特筆すべきは一九九九年末に返還されることが決まった、カーター大統領とのパナマ運河交渉である。トリホスの粘り強い交渉術はカーターをして「トリホスは歴史に残る政治家で、彼とでなければ交渉は成功しなかっただろう」とまで言わせている。

一九八三年にトリホスの後を継いだのは、長年彼の下で治安・諜報部門の責任者を務めていたマヌエル・アントニオ・ノリエガ将軍であった。ノリエガはコロンビアの麻薬カルテル、カストロ首相、アメリカ中央情報局などの各方面と関係をもっていた。八九年、米軍はパナマに軍事侵攻し、ノリエガ将軍を麻薬取り引きの疑いで逮捕し、マイアミ連邦地裁に強制出頭させた。同時に八九年五月の総選挙に出馬し、事実上勝利していたエンダラが米軍基地内で大統領に就任した。九九年には女性のモスコソが大統領に就任した。二〇〇〇年にはオマール・トリホスの子息であるマルティン・トリホスが大統領となった。

四　中米諸国とアメリカ合衆国

アメリカの裏庭化された中米地域

中米諸国へはマイアミから飛行機でわずか二時間程度で到着する。ニューヨークに行くよりも近い。八〇年代中米紛争が世界の注目を集めた頃、時のアメリカの大統領ロナルド・レーガンはしばしば中米を「われわれの裏庭」と表現した。裏庭という言葉の語感はどちらかというと暗い。この言葉から推察されるのは、アメリカという巨大な国に隠れた、人目には触れない、それでいて密接な関係を有する土地というニュアンスである。

一七七六年に独立したアメリカ合衆国にとってカリブ海と中米地峡は、最も利害関係の深い地域であった。とくにパナマ運河はアメリカの生命線ともいえるほど重要な存在であった。既述のようにパナマ独立自体が、多分にアメリカの思惑の絡んだものである。
しかしパナマ運河より早く、アメリカ人はニカラグアで活発に行動していた。一八五六年に国内政治の混乱に乗じて、アメリカ人ウイリアム・ウォーカーが同国の大統領を名乗るという稀有な出来事が起きた。ウォーカーはアメリカ南部資本家の資金援助をうけ、ニカラグアの公用語を英語にし、強制労働と奴隷制を合法化すると宣言した。ウォーカーはほどなくニカラグアから追放され、その後イギリス軍に捕えられ、一八六〇年にホンジュラス軍により処刑されたが、当時の中米のおかれた状況を如実に示している。

二〇世紀に入るとアメリカにとっての中米地峡の重要性は、パナマを例外としてもっぱらバナナなどの一次産品供給地の役割にあった。一八九九年に設立されたユナイテッド・フルーツ社（現ユナイテッド・ブランズ社）は、カリブ・中米で巨大なバナナ帝国を築いた。同社は世界最大のアグリ・ビジネス会社で、グアテマラ、ホンジュラス、コスタリカ、パナマでバナナ・プランテーション経営に乗り出した。中米はしだいにアメリカの経済圏に取り込まれた。のみならず鉄道建設の引き替えに、各国政府は無償・有償でアグリ・ビジネスに土地を提供した。関税比率や賦課義務の有無などは、権力者の裁量で判断された。アグリ・ビジネスと各国政府の政治家や官僚との癒着関係が生じることになった。

こうしてアメリカは第二次世界大戦前、パナマとは運河をめぐって特殊な関係を築き、これ以外の中米諸国とはもっぱらバナナなどの輸出農産品を通して自国の経済圏に取り込んでいった。しかしこの時期には中米ではコーヒー生産も急増加していた。とくにバナナのプランテーション型生産が行われなかったエルサルバドルでは、コーヒー輸出経済体制が確立した。バナナとコーヒー生産の特徴を比べると、前者は資本集約的なプランテーションで生産される。プランテーションは平地で行われることが多い。平地では土地の集中が進み、少数の監督が大量の農業労働者を見張ることが可能であった。それだけ労働条件は厳しく、厳然とした職能制度が存在した。これに比べるとコーヒー生産は山地で行われ、播種から摘み取りまで労働集約的な要素が強い。経営単位も、中小の独立自営農民の参入する度合いが大きかった。簡単にいえば、コーヒーは自分たちの手で栽培し、販売することが可能であった。その結果、コーヒー生産はアメリカを中心とする外国資本の影響をそれほどうけずに済んだのである。

冷戦下の中米地域とアメリカ

第二次世界大戦中、中米諸国は連合国側についた。中米諸国は戦勝国となっただけでなく、輸出が増加して経済的には繁栄した。しかし一九五〇年代になると冷戦の影響が中米にも影を落とすようになる。五九年のキューバ革命を契機として、アメリカは新たな対ラテンアメリカ政策の必要に迫られた。こうした中で六一年三月、ケネディ大統領は対ラテンアメリカ経済援助の新しい枠組みとして「進歩のための同盟」を発表した。平行して中米経済統合銀行などの域内の金融機関が設立され、中米共同市場が発足した。アメリカは豊富な資金力を背景に経済援助を行い、中米の経済成長をはかりつつ、共産主義の温床となる貧困を撲滅する方針を立てたのである。このようなアメリカの経済援助外交は、一定の成果を収めたものの、先述のように共同市場が頓挫したことにより転換を余儀なくされた。

その後一九七七年に発足したカーター大統領政権は「人権外交」を推進した。中米ではその一環として、パナマ運河返還交渉が開始された。またアメリカ政府は、グアテマラ軍事政権の人権侵害を告発した。こうした一連の人権重視の外交政策は、中米の軍事政権には疎ましく映った。のみならずアメリカ内でもカーター外交を「弱腰」と非難する勢力が力を増しつつあった。

一九八一年に発足したレーガン政権は、カーター前政権の諸政策のアンチテーゼとして支持を得たといっても過言ではない。外交政策については従来の「人権」から「反共」が全面に現れるようになった。レーガン政権は共産主義が周辺諸国を蚕食するという「ドミノ」理論を援用して、七九年に成立したニカラグアのサンディニスタ革命政府、エルサルバドルやグアテマラの左派ゲリラに対決姿勢で臨んだ。キューバやソ連・東欧諸国は中米の左派ゲリラ活動を支援した。こうして中米地峡全体に戦禍が広がり、中米紛争が起きることとなった。中米紛争は多くの尊い人命を奪い、経済的には「失われた一〇年」をもたらした。

レーガン政権時代に中米紛争は国際的な関心を集めた。アメリカはニカラグアの反政府右派ゲリラ「コントラ」を最大限に支援した。そして全面戦争には至らないが、さまざまな手段で相手を攻撃する「低強度」の軍事介入を強めた。イランへの違法な武器輸出を、コントラの支援に流用するイラン・コントラ事件も発生した。エルサルバドルには大量の軍事援助が流れ込み、アメリカの軍事顧問団が政府軍の作戦立案にまで参加していた。一方、ニカラグアではソ連・東欧から大量の軍事物資と人員が入り込んでいた。町にはキューバ人やロシア人があふれ、世界中の社会主義共鳴者が連帯のために滞在していた。

和平への道

中米危機が叫ばれる中で、近隣諸国の和平努力も続けられていた。既述のように話し合いによる紛争解決を目指す動きは一九八七年八月に実を結び、「中米和平合意」が成立した。以後、紛争は収束に向かった。ニカラグアでは九〇年二月、オルテガ大統領が選挙で敗退して親米的なチャモロ政権が発足し、さらに九六年一〇月の選挙で保守派のアレマン候補がオルテガ元大統領に大差をつけて当選した。九二年にはエルサルバドルでも政府とファラブンド・マルティ民族解放戦線との間で和平合意が成立した。グアテマラでは九六年一二月に、政府とグアテマラ民族革命連合との間で最終的な和平合意が調印された。こうして中米諸国の紛争はすべて終結した。

このような和平への動きと前後して、八九年に発足したブッシュ（父）政権は九〇年に「新中南米支援構想」を発表した。これは西半球全体の経済再建を目指した、遠大な経済統合計画である。その基本戦略は、かつての内向きの輸入代替工業化戦略からより競争力のある、外向きの輸出指向工業化への転換である。また国内的には市場の役割を重視する、新自由主義に基づく一連の経済政策を促した。中米では国営企業の民営化が順次進められている。

二〇〇五年に発足した第二期ブッシュ（子）政権には、ネオコン（新保守主義）の影響が強まった。コントラ支援に関与していたとされるネグロポンテ（前ホンジュラス大使）は国家情報長官に、エーブラムス（前米州担当国務次官補）は大統領副補佐官に、それぞれ就任した。

激変する中米を取り巻く国際環境

グローバリズムとリージョナリズム。この言葉は一九九〇年代以降の国際関係をみていく際のキーワードである。そして中米ほどこの言葉がマッチする地域は、世界中でおそらくほかにないであろう。以下その理由を説明しよう。

グローバルという観点では、中米がアメリカ経済に依存する度合いは依然として大きいものの、従来のアメリカの「裏庭」という認識は急速に崩れつつある。近年日本、韓国、台湾などのアジア太平洋諸国やカナダ、チリ、メキシコ、コロンビア、ヨーロッパ諸国との関係が劇的に拡大している。

一九九六年八月の橋本総理大臣のコスタリカ訪問の直後、韓国の金泳三大統領がグアテマラを訪問した。韓国は中米経済統合銀行へ五七〇〇万ドルの拠出を表明している。台湾はベリーズを含むすべての中米諸国と外交関係を結んでおり、台湾外交にとり中米は死活的に重要な地域となっている。中米各国の首脳を頻繁に台北に招待し、台湾の国連復帰を働きかけている。また韓国、台湾の企業は近年積極的に中米進出をはかっており、経済面での結びつきも強化されつつある。日本企業はやや成熟化しすぎたことやアジア重視の立場から、中米進出にはあまり熱心とはいえない。むしろ観光や環境保全での政府間協力が全面に打ち出されている。

リージョナリズムという点では、中米諸国が経済、政治、国防、外交政策などでこれほど協調して行動することは以前にはなかった。その一例として「地域連合型」外交がある。これは外国政府の首脳が中米を訪問する際には、中米域内の首脳も一堂に会して行動することや、国際金融機関と合同して交渉することを指している。交渉相手にとっては都合がよい面があるし、中米諸国にとってもより強力なバーゲニング・パワーを行使できるメリットがある。こうした「地域連合型」外交は、リージョナリズムが具体化したもので、中米紛争後の際立った傾向といえよう。

近年の中米諸国の関心は、犯罪の増加への対策である。「マラ」などと呼ばれる不良グループが殺人事件を起こしている。このため、統合地域警察隊を設立する動きが出ている。

二〇〇五年は、パナマを除く中米五カ国と日本との外交関係樹立七〇周年を迎える年となり、各地で記念行事が行なわれた。

【参考文献】

細野昭雄／遅野井茂雄／田中高『中米・カリブ危機の構図』（有斐閣　一九八七年）中米・カリブ地域を包括的に扱ったもので、八〇年代の中米紛争の歴史的な要因と現地の様子、アメリカの対中米政策について詳述している。

武部昇「中米地域統合の新しい展開」（石井章編『冷戦後の中米』アジア経済研究所　一九九六年）中米経済統合研究の専門家によるもので、中米紛争後の経済統合の動きについて、簡潔にまとめている。

小泉潤二「境界を分析する」（黒田悦子『民族の出会うかたち』朝日新聞社　一九九四年）著者は長年にわたりグアテマラのマヤ系先住民の共同体でフィールド・ワークを続けており、本論文はその貴重な成果の一部である。

黒田悦子「先住民と国民社会」（中川文雄／三田千代子『ラテンアメリカ 人と社会』新評論　一九九五年）ラテンアメリカの先住民と、その国家における立場について扱う比較的新しい論文である。中米の事例も紹介されている。

河合恒生『パナマ運河史』（教育社　一九八〇年）パナマ運河の通史を知るうえで有用である。また参考文献が充実しており、研究を深めるのに役立つ。

若槻泰雄『バナナの経済学』（玉川大学出版会　一九七六年）バナナ・プランテーションの入門書であるが、前半部は中米のユナイテッド・フルーツ社の歴史について詳述している。

加茂雄三／細野昭雄／原田金一郎『転換期の中米地域』（大村書店　一九九〇年）中米の歴史、政治、経済、女性問題、アメリカとの関係についての論文を掲載している。和平合意の和訳や年表なども収めてある。

田中高『日本紡績業の中米進出』（古今書院　一九九七年）中米に進出した日系紡績工場の歴史を、多国籍企業、綿花貿易、経済のグローバル化などの諸側面から分析したもの。

田中高（編著）『エルサルバドル、ホンジュラス、ニカラグアを知るための45章』（明石書店　二〇〇四年）
国本伊代（編著）『コスタリカを知るための55章』（明石書店　二〇〇四年）
国本伊代・小林志郎・小澤卓也『パナマを知るための55章』（明石書店　二〇〇四年）
Bulmer Thomas, Victor. *Political Economy of Central America since 1920*（Cambridge : Cambridge University Press, 1987）　中米研究の金字塔ともいえる作品で、この地域について研究を深めていく際の、必読文献である。
Bethell, Leslie (ed.). *Central America since Independence*（Cambridge : Cambridge University Press, 1991）　ラルフ・ウッドワード、シロ・カルドーゾ、エデルベルト・トレス・リバス、ジェームス・ダンカリーなど、中米研究の第一人者たちの論文を収めている。

第八章　カリブ海地域

●志柿　光浩

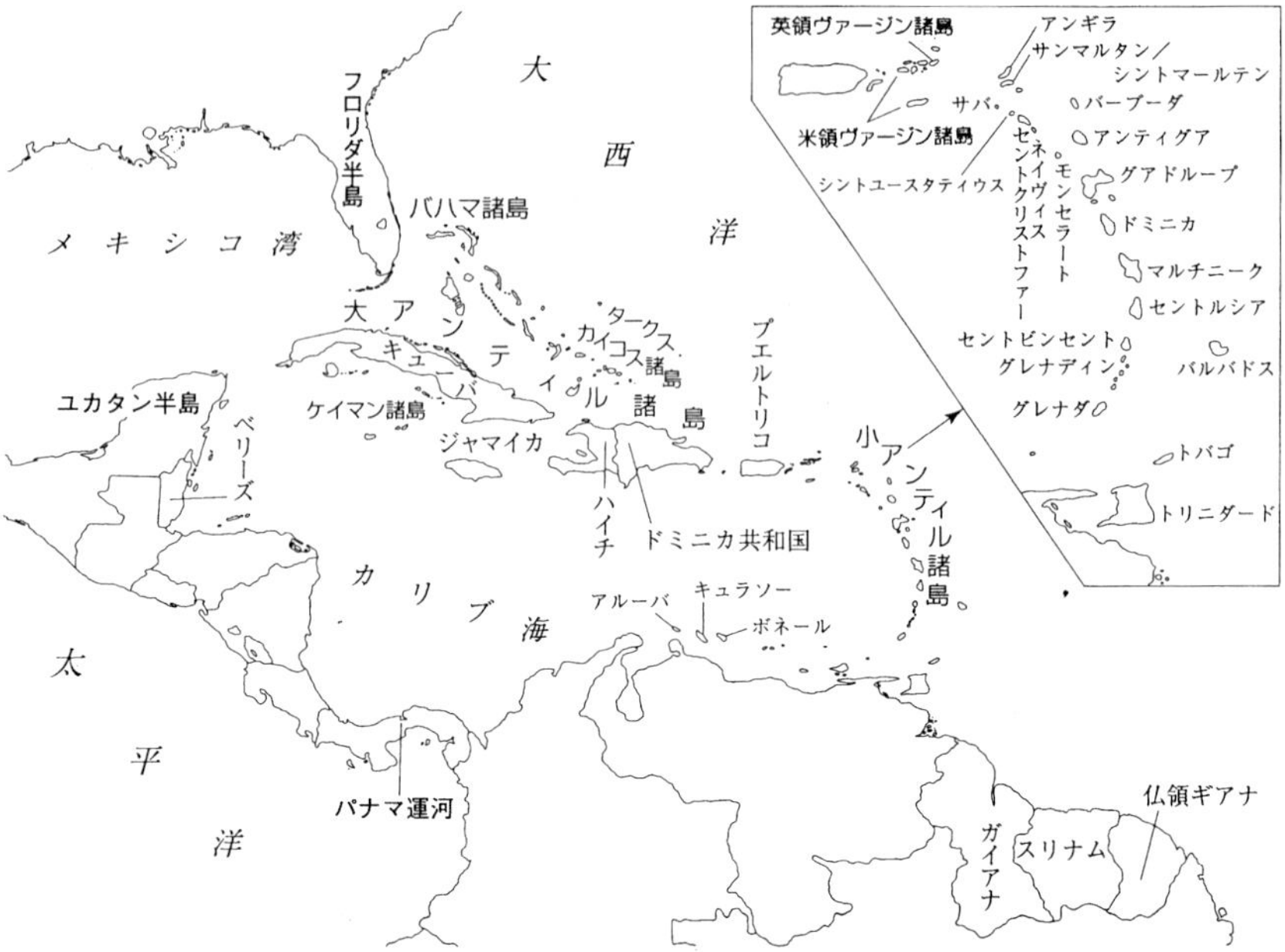
フロリダ半島
大
西
洋
メキシコ湾
バハマ諸島
大アンティル諸島
タークス・カイコス諸島
キューバ
ケイマン諸島
ユカタン半島
ベリーズ
ジャマイカ
ハイチ
ドミニカ共和国
プエルトリコ
小アンティル諸島
カリブ海
アルーバ
キュラソー
ボネール
太平洋
パナマ運河
ガイアナ
スリナム
仏領ギアナ
英領ヴァージン諸島
米領ヴァージン諸島
アンギラ
サンマルタン／シントマールテン
サバ
シントユースタティウス
セントクリストファー
ネイヴィス
モンセラート
バーブーダ
アンティグア
グアドループ
ドミニカ
マルチニーク
セントルシア
セントビンセント
グレナディン
バルバドス
グレナダ
トバゴ
トリニダード

本章で扱うカリブ海地域

序　カリブ海地域を視る

日本からカリブ海地域を視る

一般に日本人がカリブ海地域について思い浮かべるイメージは、「青い海、白い砂浜」、「カリブの海賊」、「アメリカ合衆国の裏庭」といったものではないだろうか。また最近は、レゲエ、サルサ、メレンゲなどの大衆音楽を通してこの地域に対する関心をもつ人も増えている。

「青い海、白い砂浜」というイメージは、たしかにカリブ海地域の島々の風景を象徴している。この地域の歴史はカリブ海という海の存在によって条件づけられ、人々の生活は島国という環境の中で営まれてきた。さらに今日のカリブ海地域の経済発展にとって、青い海と白い砂浜はきわめて重要な観光資源となっている。

「カリブの海賊」も、この地域の過去の一面をとらえている。この地域は一六世紀から一八世紀にかけて、スペイン、オランダ、フランス、イギリスといったヨーロッパ国家間の抗争の舞台となったが、カリブの海賊たちは財宝の獲得を動機としながらも、そういった近代覇権国家間の抗争の手先として利用されたのだった。

「アメリカ合衆国の裏庭」というイメージも、カリブ海地域の現実の一面を象徴している。一六世紀から一八世紀まで続いたヨーロッパ勢力間の抗争に代わって、一九世紀以降はアメリカ合衆国がこの地域における一大勢力として登場し、二〇世紀に入ってその覇権を確立する。アメリカ合衆国によるこの地域に対する軍事介入の事例は、枚挙にいとまがない。

音楽に眼を向けてみても、レゲエはジャマイカにおけるアフリカ的アイデンティティの問題と深く関わっているし、サルサは多くのキューバ人やプエルトリコ人たちがニューヨークに移住せざるをえなかったという状況の中から生まれた。これら日本でもファンの多い大衆音楽にしても、それぞれにこの地域の政治・経済・社会・文化的状況を背景として発展してきたのである。

しかし、このように日本の多くの人々が抱いているであろうカリブ海地域のイメージは、それぞれを関係づけることが容易でないために、断片的なものにとどまりがちである。本章では、青い空と白い砂浜というイメージの向こうで繰り広げられてきたこの地域の人々の過去と現在のドラマについて、一つの全体像を描く努力をしてみよう。

カリブ海地域の定義

ところでカリブ海地域とは、具体的にはどこを指しているのだろうか。ここでは大小のカリブの島々とバハマ諸島、ケイマン諸島、タークス・カイコス諸島のほか、大西洋上のバミューダ諸島ならびに中央アメリカに飛び地のように存在する旧イギリス領のベリーズ、南アメリカ大陸の北東沿岸部ギアナ地方に位置する旧イギリス領ガイアナ、旧オランダ領スリナム、フランスの海外県ギアナを含めて扱うことにする。

カリブの島々はアンティル諸島とも呼ばれ、このうちキューバ島、ハイチとドミニカ共和国のあるエスパニョーラ島、ジャマイカ島、プエルトリコ島は大アンティル諸島、そこからベネズエラ沿岸のトリニダード島まで弧を描いて連なる小さな島々を小アンティル諸島と呼ぶ。アンティルという呼称は大西洋のかなたに存在すると信じられていたヨーロッパの伝説上の島アンティリアにちなんでつけられた。ちなみにカリブという地名は、ヨーロッパ人たちが到来した当時、この地域に住んでいた先住民集団の呼称が地名に転化したものである。このほか、カリブ海地域の島々を指して西インド諸島という呼称も使われるが、これはコロンブスらが当初、この地域をアジアと間違えたことに由来している。

表1　カリブ海地域の国と地域

国・地域名	独立年（旧宗主国）・政治的地位
ハイチ	1804年（フランス）
ドミニカ共和国	1844年*（スペイン）
キューバ	1902年（スペイン）
ジャマイカ	1962年（イギリス）
トリニダード・トバゴ	1962年（イギリス）
バルバドス	1966年（イギリス）
ガイアナ	1966年（イギリス）
バハマ	1973年（イギリス）
グレナダ	1974年（イギリス）
ドミニカ	1978年（イギリス）
セントルシア	1979年（イギリス）
セントヴィンセント・グレナディン諸島	1979年（イギリス）
アンティグア・バーブーダ	1981年（イギリス）
ベリーズ	1981年（イギリス）
セントクリストファー・ネイヴィス	1983年（イギリス）
スリナム	1975年（オランダ）
プエルトリコ	アメリカ合衆国自由連合州
アメリカ領ヴァージン諸島	アメリカ合衆国領土
タークス・カイコス諸島	イギリス領土
ケイマン諸島	イギリス領土
イギリス領ヴァージン諸島	イギリス領土
バミューダ諸島	イギリス領土
アンギラ	イギリス領土
モントセラート	イギリス領土
グアドループ	フランス海外県
マルチニーク	フランス海外県
フランス領ギアナ	フランス海外県
オランダ領アンティル諸島	オランダ王国の一部
キュラソー、ボネール、サバ、シントマールテン、シントユースタティウス	
アルーバ	オランダ王国内の自治地域

*ハイチより独立（本文参照）。

一方、カリブ海そのものは地形学上、これら大小のアンティル諸島の描く弧と、南アメリカ大陸沿岸から中央アメリカ地峡、さらにユカタン半島東岸によって囲まれた海域を指す。キューバ島の北西側に広がる海域はメキシコ湾であり、またアンティル諸島が描く弧の外側は大西洋である。しかし海事史や歴史地理学の観点からは、この狭義のカリブ海のほかに、カリブ海に隣接する大西洋の一定の海域やメキシコ湾も含めて一体的にとらえる必要がある。

現在、カリブ海地域には一六の独立国家が存在し、またこのほかに多くの非独立地域が存在する（**表1**参照）。

近代欧米世界の拡大の過程がもたらした多様性

このようにカリブ海地域にはスペイン、オランダ、イギリス、フランス、アメリカ合衆国の旧植民地や領土が混在しており、本書が対象としている各地域の中で最も多様性に富んだ地域となっている。その多様さは、宗主国の多様さにとどまらない。かつてはモンゴロイドの先住民が住み、一五世紀末にヨーロッパ人たちが到来し、やがてアフリカの人々が奴隷として連れて来られ、奴隷制廃止後はアジアからの労働者がやってきた。カリブ海地域は、アメリカ、ヨーロッパ、アフリカ、アジアという世界各地の人々とその文化が交錯して形成されてきた地域であるという意味でも、きわめて特色ある地域である。

またカリブ海地域は、コロンブスらによる「発見」以降先住民人口が激減したために、近代世界に稀にみる人口の「入れ替え」が行われた地域でもある。先住民の文化が残したものも少なくないが、現在のカリブ海地域は、基本的に域外の覇権勢力の支配下で、域外から流入した人間たちによって作られた地域だということができる。そして、これら域外からの人間集団がしだいに土着化し、互いに影響を与えながら独自の社会・文化をこの地域に形成してきた。以下、そのような地域形成の過程を、自然環境と社会・文化、域外勢力による支配の歴史、地域内部からの動き、という枠組みの中で概観していくことにしよう。

一　カリブ海地域の自然環境と文化

カリブ海地域の戦略的・経済的重要性

地球儀を大西洋の上から眺めてみると、カリブ海は大西洋の中央西側、南北両アメリカ大陸の懐に抱かれるようにして、大西洋に向かって開かれていることがわかる。大西洋の北半球部には時計回りの大きな海流の流れがあるが、それはカリブ海にも流れ込んでいる。海流システムと重なるように、赤道付近では北東からの貿易風が、また大西洋北部では偏西風が吹いている。カリブ海は大西洋という一大海洋システムの一部であり、同時に、アメリカ大陸の大西洋に向けた自然の玄関口となっている。

その玄関口を入った奥には中央アメリカ地峡があり、一六世紀以降、大西洋世界と太平洋沿岸地域との交通の結節点となった。カリブ海地域は、そこに至るシーレーンを抱えるという意味でも戦略的に重要な役割を担ってきた。

その役割は、二〇世紀初頭にパナマ運河が開通し、大西洋と太平洋がつながったことによって格段に重要性を増す。さらにアメリカ合衆国が大陸国家から海洋国家へと拡大していく過程では、この二〇世紀の覇権国家に隣接していることが、この地域の政治・経済・文化の発展に大きく影響してきた。

このような戦略的重要性ゆえに、この海域に浮かぶ島々もそれぞれに戦略的な機能を担わされてきた。早くも一六世紀の頃からカリブ海地域の島々は、スペインにとっては新大陸貿易のためのシーレーン防衛の拠点、オランダ、イギリス、フランスにとってはその攻撃拠点という役割を与えられた。二〇世紀に入ってからアメリカ合衆国が執拗にこの地域の島々に軍事干渉を行ってきたのも、敵対勢力がこの地域に軍事拠点をもつ可能性を排除する目的があったからである。

海の存在は、この地域の気候にも直接の影響を及ぼしている。カリブ海地域はほぼ赤道と北回帰線の間に位置しており、暖かい赤道海流が南東方向から流れ込むとともに、一年を通じて北東からの貿易風が吹き、大西洋の高温で湿潤な空気が運ばれてくる。その結果この地域の気候は熱帯海洋性気候に分類され、年平均気温が二五度を超えるところがほとんどである。しかし、冬には北アメリカ大陸からの冷たい北西風、夏には南アメリカ大陸からの高温で乾燥した南風の影響をうけ、一定の季節差もみられる。

このような気候ゆえにカリブ海地域は、世界市場向けの商品作物の生産地として、欧米諸国にとって経済的にも重要な地域となった。その中でもサトウキビの栽培と砂糖の生産は、ヨーロッパ人たちがこの地に導入して以来、この地域の基幹産業として、経済・社会・文化のすべてにわたって重要な意味をもってきた。サトウキビは、成長期の比較的長い期間に水分を多く要し、その後は乾燥した状態におかれることによって糖度を増すという特性をもつ。一年を通して高温で降雨量も多く、同時に十分な日照も得られるというカリブ海地域の気候はサトウキビの栽培に適しており、多くの富が生み出されてきた。

このほか海の存在に規定されたこの地域の気候の特徴として、ハリケーンの存在を忘れることができない。ハリケーンは、台風と同じく熱帯低気圧が発達したもので、カリブ海域東方の大西洋海上やカリブ海南部海上などで発生し、規模の大きいものは上陸した島の農業生産や観光業に打撃を与え、社会経済構造にも影響するほどの被害をもたらすことがある。

島と大陸沿岸部の自然環境

以上のようにこの地域の自然環境は、カリブ海という海の存在によって大きく規定されているが、それぞれの国や地域の自然条件は決して一様ではない。

まず第一に、島と大陸部との違いがある。南アメリカ大陸部ギアナ地方の各地域は比較的面積が大きい。ガイアナが二一万五〇〇〇平方キロメートルで、日本の面積の六割弱、次いでスリナムが一六万四〇〇〇平方キロメートル、フランス領ギアナが九万平方キロメートルである。一方、島嶼部では島の大きさもさまざまである。最も大きいキューバが一一万平方キロメートルで、本州の約半分の大きさ、またエスパニョーラ島は北海道とほぼ同じ面積だが、これをハイチとドミニカ共和国で東西に分けている。一方、小アンティル諸島の島々は沖縄本島よりも小さいものがほとんどである。

それぞれの国や地域の人口規模もさまざまで、最大の面積をもつガイアナの人口はわずかに七〇万人程度（二〇〇四年推計、以下同じ）で、一平方キロメートルあたりの人口密度は三人ときわめて小さい。一方、人口が比較的多いのは大アンティル諸島で、キューバ約一一〇〇万人、ドミニカ共和国約八八〇万人、ハイチ約七七〇万人、プエルトリコ約三九〇万人、ジャマイカ約二七〇万人となっている。しかしそれ以外では、約一一〇万人の人口を擁するトリニダード・トバゴを除いては五〇万人以下で、総人口が一〇万人に満たない国や地域も多い。独立国家の中で最も小さいセントクリストファー・ネイヴィスは、二つの島を合わせても面積は二六九平方キロメートル、人口はわずか四万人程度である。

このように面積や人口規模の小さな地域が行政や経済活動の単位となっていることがこの地域の地理的環境の一つの特徴となっているが、その結果、第二次世界大戦後に進んだ脱植民地化の過程では、多くの小国家がこの地域に誕生することになった。それぞれの島ごとに微妙に異なる独自の文化が形成され、ナショナリズムが醸成される傾向が強いのである。

また、それぞれの国や地域の中での地域差にも注目する必要がある。大規模なプランテーション経営には開けた土地が必要であることから、サトウキビ栽培は沿岸平野部に発達した。一方、大アンティルの島々の山間部の斜面ではある程度低い気温を好むコーヒーの栽培が、また谷間の平地では中小規模の経営でも耕作の容易なタバコなどの栽培が行われてきた。さらにジャマイカなどでは、山間地域は奴隷がプランテーションから逃げ込むための格好の場所となり、マルーンと呼ばれるこれら逃亡奴隷の共同体が形成された。

ギアナ地方の各地域では、領土の大部分が熱帯雨林に覆われており、平野部は沿岸の帯状の部分と内陸部にみられるサバンナ地帯に限られるが、人口と経済活動は海岸平野部に集中している。一方、ベリーズの国土の大部分は森林地帯と低湿地帯で、森林を開墾した耕作地におけるサトウキビやバナナなどの栽培のほか、林業が盛んである。

カリブ海沿岸は石油資源の豊かな地域であるが、アメリカ合衆国テキサス州、メキシコ、ベネズエラ沿岸に集中しており、本章で取り上げている国や地域でめぼしい量の原油を産出するのはトリニダードのみである。このほかジャマイカやギアナ地方のボーキサイト、ギアナ地方の金、キューバのニッケルなどが重要な地下資源となっている。

混血し土着化して形成された社会・文化

カリブ海地域の文化の特徴を表現する際に、「クレオール（créole）」という概念がしばしば用いられる。この言葉は、もともとは「新大陸生まれの」という意味だったが、フランス語圏の知識人たちによって、植民地本国やアフリカの言語文化が混血し、土着化して形成されたカリブ海地域独特の文化の特質を指して使われるようになり、「混血性」の意味も合わせもつようになった。以下、「土着性」、「混血性」という言葉をキーワードにして、カリブ海地域各社会のプロフィールをみてみよう。

アメリカ領ヴァージン諸島で見かけた母と娘。

すでに述べたように、ヨーロッパ人の侵入以前からこの地域に住んでいた先住民の血を引く人々の数は、今はもう限られている。ベリーズ、ドミニカ島、セントヴィンセント島にそれぞれカリブ系先住民の末裔とされる人口集団が残っている。しかし、その多くは逃亡奴隷などのアフリカ系黒人の血を引いており、黒人系の人々と同様のクレオール語を話すなど、他の人口集団と同様に土着化、混血化が進んでいる。このほかにギアナ地方やベリーズ地方に、いくつかの先住民集団が居住している。

現在のカリブ海地域のほとんどの社会は、ヨーロッパ系の白人、アフリカ系の黒人、両者の混血の人々から構成されている。ただし、歴史的背景の違いからその割合は異なっており、奴隷制プランテーションの拡大開始が遅かった旧スペイン領のプエルトリコ、キューバ、ドミニカ共和国では、他の社会に比べて白人の比率が高い。カリブ海地域のその他の社会では、混血層および黒人層が人口の大多数を占める。

このほかに一九世紀に砂糖生産が盛んだった地域では、奴隷制廃止後、代替労働力として中国やインドなどから多くの人々が年季奉公労働者として導入され、複雑な人種構成をもつ社会が形成された。ガイアナ、スリナム、トリニダードなどがその顕著な例で、ガイアナではインド系の住民が人口の半数以上を占める。また旧オランダ領スリナムの場合には、同じくオランダ領であったジャワ系の住民が多い。一九世紀にプランテーション型の砂糖生産が拡大したキューバなどには、中国人年季奉公労働者が導入された。キューバには第二次世界大戦前から日本人が移住した歴史もある。戦後はドミニカ共和国を対象にして日本人移住事業が行われたが、ハイチ国境近くの乾燥地帯に割り当てられた入植地の過酷な状況が知らされないままに移住が進められたため、多くの人々が帰国したり入植地を離れる結果となった。踏みとどまった人々は、その後、米や野菜の生産を軌道に乗せ、現在ではこの国の農業生産に大きく貢献するにいたっている。

多様な言語と宗教

このように世界のさまざまな地域から移住して来たり連れて来られたりした人々とその子孫たちによって形作られてきただけに、それぞれの社会で話されている言語や信仰されている宗教もさまざまで、これに土着化や混血化の現象が加わって、カリブ海地域の社会・文化は極めて興味深い様相を示すに至っている（**表2参照**）。

まず言語についてみると、公用語は基本的に旧植民地本国の言語、すなわちスペイン語、オランダ語、英語、フランス語がそれぞれの社会で使われている。しかしスペイン語圏以外では、公用語とは別に、土着化・混血化してできたクレオール（混成語）が話されることが多い。マルチニーク、グアドループ、フランス領ギアナなどのフランス領の地域やハイチでは、フランス語を基にアフリカの言語の要素が加わって変形されたフランス語系クレオール諸語が使われている。ハイチの場合には、クレオールはフランス語とならんで公用語である。また英語圏の各地域では、英語を基としながらもアフリカの言語やポルトガル語、スペイン語、オランダ語などの影響をうけた英語系クレオール諸語が使われている。このほかキュラソー、アルーバなどではオランダ語のほかに、スペイン語やポルトガル語を基に変形して形成されたパピアメントが、インド系の住民の多いスリナムではヒンディー語が重要な言語である。また、フランス領だったことのあるドミニカ島やセントルシアなどでは、英語のほかにフランス語系クレオールが使われるなど、言語使用状況は複雑である。

宗教についてみてみると、スペイン語圏とフランス語圏ではローマ・カトリック教会が、英語圏では一般にイギリス国教会およびメソジストなどのプロテスタント各派が主流である。またドミニカやセントルシアではローマ・カトリックの信者が多い。オランダ領アンティル諸島やアルーバでもローマ・カトリックの信者が多いが、キュラソーには一八世紀初頭に建てられたシナゴーグがあり、ユダヤ教のコミュニティもみられる。このほかスリナム、ガイアナ、トリニダード・トバゴなどのインド系住民やジャワ系住民の間ではヒンドゥー教やイスラム教が信仰されている。

また言語の場合と同様、これらの既成宗教のほかに、土着化し、混成してできた信仰体系もみられる。とくにカ

表2　カリブ海地域の言語と宗教

言語圏	国・地域	言語	宗教
スペイン語圏	ドミニカ共和国、キューバ、プエルトリコ	スペイン語。ドミニカ共和国ではハイチ系住民の間でフランス語系クレオール。プエルトリコでは英語話者も多い。	ローマ・カトリック。キューバでは無宗教者が多いほか、サンテリーアなどのアフリカ系信仰も残る。
フランス語圏	ハイチ、グアドループ、マルチニーク、フランス領ギアナ	フランス語およびフランス語系クレオール。	ローマ・カトリック。ハイチではヴードゥーも広く浸透。
英語圏	ジャマイカ、バルバドス、バハマ、アンティグア・バーブーダ、セントクリストファー・ネイヴィス、バミューダ諸島、アンギラ、タークス・カイコス諸島、ケイマン諸島、イギリス領ヴァージン諸島、モンセラート、セントヴィンセント・グレナディン諸島、アメリカ領ヴァージン諸島	英語および英語系クレオール。クレオールが話されない国や地域もある。	イギリス国教会およびプロテスタント。国や地域によってはローマ・カトリックの信者も多い。
	トリニダード・トバゴ	英語、ヒンディー語、英語系クレオール、フランス語系クレオール。	ローマ・カトリック、ヒンドゥー教、イギリス国教会、プロテスタント、イスラム教。
	グレナダ	英語、英語系クレオール、フランス語系クレオール。	ローマ・カトリックが主。そのほかイギリス国教会、プロテスタント。
	ドミニカ、セントルシア	英語、フランス語系クレオール。	ローマ・カトリックが主。そのほかプロテスタントおよびイギリス国教会。
	ベリーズ	英語、スペイン語、英語系クレオール、マヤ系言語、カリブ族の言語。	ローマ・カトリック、イギリス国教会、プロテスタント。
	ガイアナ	英語および英語系クレオール。このほかヒンディー語、カリブ族の言語など。	ヒンドゥー教、プロテスタント、イギリス国教会、ローマ・カトリック、イスラム教。
オランダ語圏	スリナム	オランダ語、英語系クレオール、ヒンディー語、ジャワ系言語など。	プロテスタント、ローマ・カトリック、イギリス国教会、イスラム教、ヒンドゥー教。
	オランダ領アンティル諸島、アルーバ	オランダ語、パピアメント、英語、英語系クレオール。	ローマ・カトリック、プロテスタント。

注：言語や宗教の実態を正確に把握することは容易ではない。この表は、読者の理解を助けるために作成したもので、一つの参考として利用していただきたい。本表の作成にあたって、言語については *Ethnologue : Languages of the World*（SIL International, 2004）at http : //www.ethnologue.com/web.asp、宗教については David B. Barrett, ed., *World Christian Encyclopedia*（Nairobi : Oxford University Press, 1982）を参照した。

トリシズムとアフリカの諸宗教との習合の結果生み出されてきたものに特徴があり、ハイチにおけるヴードゥー、キューバにおけるサンテリーアなどがその例である。またレゲエ・ミュージックを生み出したジャマイカのラスタファリ運動は、キリスト教聖書の教義に拠りながらも、エチオピア皇帝であったハイレ・セラシエを神格化しアフリカへの帰還を目指すなど、ルーツを断たれ抑圧されてきた黒人のアイデンティティの確立を訴えており、新しい型の民衆宗教運動だといえる。

このようにカリブ海地域では、海の存在を基盤とする自然環境の下で、他のラテンアメリカ諸地域とは異なる歴史の展開がみられ、土着化、混血化を通して多様性に富む独自の社会・文化が形成されてきた。次節では、その歴史展開の過程を、まず欧米世界による支配の視点からたどってみることにしよう。

二　近代世界史とカリブ海地域

先住民たちの作っていた世界

一五世紀末にヨーロッパ人たちがやってくる以前のカリブ海地域については十分なことは明らかになっていないが、カリブ海地域島嶼部に人間が住むようになったのは今から六〇〇〇年前頃であったと推定される。中央アメリカからキューバ島へのルートと、南アメリカ大陸から現在の小アンティル諸島を島づたいに移動する二つのルートを通って大陸部からの移住が行われた可能性が高い。これら最初の人間集団は、小動物や魚介類を獲物とした狩猟採集生活をしていたものと見られる。その後も大陸部からの移住の波が繰り返されたと考えられるが、ヨーロッパ人到達時までの四〇〇〇年ほどの間に何が起きたかは分かっていない。

時が過ぎ、今から五〇〇年前にヨーロッパ人達が見たこの地域の先住民達は、農耕定住生活を行い、一定の領域を支配する族長の下に統合された社会を形成していた。当時の記録からは、この地域の人口密度はアメリカ大陸部の他の地域と比べても比較的高かったことがわかる。その人口の多くは現在のエスパニョーラ島とプエルトリコ島に住んでおり、これらの島々には広範囲の領域を支配する族長達が存在していた。なお、これらの人々はカリブ族、アラワク族、タイノ族といった名称をつけられ、国によっては国民性の象徴となっている場合もあるが、このような名称のもとに多様な先住民集団を分類することはできないというのが現在の考古学や民族誌学の見方である。

ヨーロッパ人達が到来した当時、どのくらいの数の人々がこの地域に住んでいたのか、研究者によってさまざまな推計がなされており定説はない。いずれにしても、先住民達の作っていた世界にヨーロッパ人達が突然到来した後、殺戮、苛酷な強制労働、新たにもたらされた病原菌などのために先住民人口は急激に減少し、代わってヨーロッパ、アフリカ、アジアからやって来たり、連れて来られた人々が、カリブ海地域の住民となっていった。

近代ヨーロッパ諸国の覇権抗争とカリブ海地域

近代世界は、一六世紀に最盛期を迎えたスペイン帝国がしだいに勢力を弱め、これに対して一七世紀にまずオランダが通商国家として台頭し、その後一八世紀にはイギリスとフランスが世界貿易における覇権を争い、ついに一九世紀にはイギリスが覇者となり、さらに二〇世紀にはアメリカ合衆国がイギリスに代わって世界的な覇権を獲得するという大きな流れを経験してきた。一五世紀末のヨーロッパ人たちの侵入後、カリブ海地域は、そのような近代世界における欧米覇権国家間の抗争の直接の舞台となってきた。

コロンブス以後、まずスペイン人コンキスタドール（征服者）たちが各島の征服と植民地建設を行い、その活動を大陸沿岸部へと拡大していった。しかし、そのようなコンキスタドールの一人であったエルナン・コルテスによるメキシコ征服（一五二一年）の結果、新世界におけるスペインの植民活動の中心は、カリブ海地域から大陸部へと移ることになった。これ以後カリブ海地域は、スペイン本国にとって、新大陸の植民地との間の通信・輸送上の通路としての性格を強めていく。スペインは、戦略上重要な点と線のみを維持する政策をとり、サントドミンゴ、ハバナ、サンフアンといった主要な港に要塞を作っていったが、それ以上の積極的な植民活動は行わず、オランダ、イギリス、フランスがこの地域へ進出することを許す結果となった。

カリブ海地域におけるスペインの覇権に最初に挑戦したのはオランダであった。オランダがこの地域で覇権を誇ったのは一六世紀後半から一七世紀後半にかけての約一世紀の間で、これはオランダがスペイン王室による支配からの独立を達成し、世界的な商業国家として繁栄した時期にあたる。オランダは他国の植民地との貿易活動の拡大をはかり、小アンティル諸島北部や現在のベネズエラ沖合いの島々を占領して奴隷貿易などの活動の拠点としていった。一六四八年のウェストファリア条約でスペインは、オランダの独立とともにこれらの島々におけるオランダの主権を認めたが、これはスペインがカリブ海地域において外国の主権を認めた初めてのケースであった。オランダは、一七世紀後半の軍事抗争の末にイギリスおよびフランスという新興の世界帝国の手に覇権を譲ることになるが、その後もニュー・アムステルダム（現在のニューヨーク）と交換にスリナムを獲得するなど、カリブ海地域における植民地経営は今世紀まで続けられた。

一方、イギリス人たちは、当初、小アンティル諸島や現在のベリーズにあたる中央アメリカ地峡の一部やギアナ地方など、スペインの実効的支配の及んでいなかった地域で、白人年季奉公人を労働力としたタバコ栽培や酪農などの入植活動に専念していた。しかし一七世紀半ば、ピューリタン革命の中で実権を握ったオリバー・クロムウェルは重商主義政策を強め、オランダの覇権に対する挑戦を開始する。自国貿易からのオランダの排除を目的として一六五〇年以降、航海条例が相次いで制定され、これに抵抗するオランダとの間で戦われた英蘭戦争は、海軍力を増強したイギリスの勝利に終わった。

クロムウェルはさらに、カリブ海植民地におけるイギリスの主権とスペイン領植民地との交易権をスペインに承認させるために、「西方計画」と称してエスパニョーラ島の占領を企てた。しかし、サントドミンゴ攻略に失敗、一転してスペイン軍の守備が手薄だったジャマイカを襲撃して一六五五年にこれを占領し、以後イギリスはジャマイカを拠点に、ヘンリー・モーガンなどの海賊を利用しながら、カリブ海地域の制海権を確立していった。

フランス人たちも、すでに一七世紀前半までにはマルチニーク島、グアドループ島、エスパニョーラ島北西部など、スペインの実効的支配の届いていなかった地域へ入植していた。しかし、フランスが国家としてカリブ海地域での植民地活動に乗り出すのは、ルイ一四世の片腕としてフランス重商主義の代名詞となったジャン・バプティスト・コルベールが、カリブ海地域における植民活動に乗り出して後のことである。アメリカ諸島会社が設立され、国家による植民地貿易独占体制が確立されていった。一六七〇年に始まる対オランダ戦争にフランスは勝利し、自領植民地貿易からオランダを完全に排除した。

フランスはさらに、カリブ海地域のスペイン領拠点を襲撃して新大陸におけるフランスの交易権を認めさせ、次いでイギリスに対してはジャマイカ攻撃を行ってライスウィック条約を一六九七年に締結し、エスパニョーラ島西半分（サンドマング）のフランス領有を承認させた。こうして絶対主義王制下のフランスは、カリブ海地域に帝国の支配を確保し、その主たる植民地サンドマングは、一八世紀末までの一世紀にわたり、カリブ海地域最大の砂糖生産地として多くの富をフランスにもたらすことになった。

この後も、小アンティル諸島の領有権をめぐってイギリスとフランス間で小競り合いは続くが、基本的には一八世紀末までにヨーロッパ覇権国家によるカリブ海地域の領土分割は一段落し、言語や文化がモザイクのように入り組んだ現在のカリブ海地域の原型ができあがったのである。

砂糖が創り出した世界

以上のようにしてヨーロッパの覇権国家はカリブ海地域に領土を確保したが、当初はスペインの新大陸交易に対する略奪行為や、タバコなどの作物の栽培、生活必需品の交易などによって利益を生み出していたにすぎない。しかし、この地の気候に適したサトウキビの栽培と、アフリカから連れて来られた奴隷労働力とが結びつくことによって、カリブ海の植民地は、ヨーロッパ本国にとって経済的にきわめて重要な意味をもつことになった。

カリブ海地域におけるサトウキビ栽培の歴史は、コロンブスがその第二回航海においてカナリア諸島からエスパニョーラ島に導入したことにより始まった。しかし、新世界で最初に大規模な砂糖生産が拡大したのは、ブラジルにおいてであった。カリブ海地域における砂糖生産が興隆をみるのは、ブラジルで砂糖生産に携わっていたオランダ人たちが一六五〇年代にブラジルから追放され、カリブ海地域に移住してイギリスおよびフランス人入植者たちに資本と技術を供与し、この地域での砂糖生産の拡大をはかって後のことである。

それ以後現在にいたるまで、砂糖生産は常にカリブ海地域における基幹産業でありつづけてきたが、その中心的な生産地は時代によって変化してきた。大まかにいって、プランテーション型の砂糖生産が始まった一七世紀後半はイギリス領バルバドスとフランス領のマルチニークおよびグアドループが最大の生産地であり、その後一八世紀はフランス領のサンドマングとイギリス領のジャマイカ、一九世紀以降はキューバがそれぞれの時代におけるこの地域最大の生産地の座を占めてきた。とりわけ一八世紀は、英仏領の植民地における奴隷制プランテーションが最も拡大した時期であった。

ドミニカ共和国のサトウキビ畑で働く農夫。

しかし、一七八九年のフランス革命を契機として、一七九一年にはサンドマングで奴隷の反乱が勃発、その後解放奴隷たちの支配するハイチ共和国が成立するとともに、サンドマングにおける砂糖プランテーションは壊滅してしまう。この結果、ジャマイカがカリブ海地域最大の砂糖生産地となり、同時に、一七七〇年頃から奴隷制プランテーションによる砂糖生産が拡大していたキューバが、主要な砂糖生産地として台頭した。

一九世紀になると、キューバを中心に蒸気動力による砂糖精製の機械化が進み、生産量が急速に拡大して、カリブ海地域における砂糖生産は新たな段階に入った。一方、スペイン領以外の植民地では、一九世紀前半に奴隷貿易さらには奴隷制そのものの廃止が行われ、砂糖プランテーションの世界に大きな変化が生じることになった。ジャマイカ、セントクリストファー、グレナダ、トバゴなどの島々では解放された奴隷がプランテーションを離れ、砂糖生産は下降線をたどる。一方、奴隷制廃止後も解放された奴隷が移り住むための土地がなかったり、奴隷に代わってアジアからの年季奉公契約労働者が新たな労働力として確保されたトリニダード島、イギリス領ギアナ（現在のガイアナ）、バルバドス、マルチニーク、グアドループの各島などでは、プランテーション形態による砂糖生産がその後も続けられた。

一九世紀までカリブ海地域での砂糖生産を支えたアフリカ人奴隷制は、一六世紀初頭にスペイン人が最初の奴隷を導入して以降、キューバで奴隷制が廃止される一八八〇年代まで、じつに三八〇年余りにわたってこの地域における主要な労働形態であった。この間、北アメリカを含めた新大陸全体に向けてアフリカ大陸から「輸出」された奴隷の総数は、推定で一二〇〇万人、このうち一千万人程度が苛酷な大西洋上の航海を生き延びて新大陸に「荷揚げ」されたとみられている。そのうちの約三五％はブラジルに向かい、カリブ海地域に連れて来られたアフリカ人奴隷はそれよりも若干多い三五〇〇万人から四〇〇〇万人程度であったと考えられる。

こうして砂糖生産によって富を蓄積することを目的として大量の強制的な人口移動が行われ、強制労働に基盤をおき、人種によって支配・被支配の関係が決まるような社会がこの地域に形成されていった。それは同時に、社会の基盤を域外への一次産品の輸出に依存し、同時に人々が消費する品々や生産に必要な資材を域外からの輸入に頼るという偏った経済構造をこの地域に根づかせる結果となった。

アメリカ合衆国の登場

以上みてきたように、一九世紀までのカリブ海地域はヨーロッパの国家による覇権抗争と植民地搾取の歴史であったが、一九世紀から二〇世紀にかけて、そのような構図は大きく変化した。カリブ海という舞台にアメリカ合衆国という新興の覇権国家が登場し、この地域をその勢力圏としていったのである。

アメリカ合衆国の対外関係の中でカリブ海地域がクローズアップされるのは、一九世紀半ば、ハイチ、ドミニカ共和国、さらにキューバの併合がアメリカ合衆国内で議論された頃のことである。これらの領土併合案はいずれも実現することはなかったが、カリブ海地域を自国の当然の勢力圏とする見方は、アメリカ合衆国の指導者層の間に定着していった。一方、一九世紀後半にはアメリカ東部の砂糖資本がキューバ、ドミニカ共和国、プエルトリコに進出してサトウキビ農園の大規模化、砂糖精製の機械化を進め、アメリカのカリブ海地域への経済進出はしだいに拡大していった。

この地域におけるアメリカ合衆国の軍事的、経済的覇権を決定的なものにしたのは、一八九八年のいわゆる米西戦争であった。一八九五年に始まるキューバの対スペイン独立戦争を背景に、一八九八年、アメリカは独立勢力を支援する名目でスペインに宣戦を布告、圧倒的に勝る海軍力をもって簡単にスペイン軍を撃破した。同年調印されたパリ条約でスペインは、フィリピンやグアムとともにプエルトリコをアメリカに割譲し、キューバの独立を承認することを余儀なくされた。こうしてカリブ海地域における四〇〇年間にわたるスペイン帝国による植民地支配は幕を閉じ、代わってアメリカ合衆国が、この地域をいわゆる「裏庭」、すなわち完全な軍事的・政治的・経済的支配圏としていった。

キューバは一九〇二年に独立を達成したものの、その憲法にはアメリカ合衆国の干渉権が明記され、事実上の保護国という状態が一九三〇年代まで続いた。この間アメリカは数次にわたる軍事占領を行い、アメリカ資本による直接的な経済支配もいっそう強まった。また、キューバのグアンタナモにはアメリカ海軍の基地が建設され、現在にいたるまでアメリカ合衆国の戦略拠点となっている。このほか一九一〇年代から二〇年代にかけて、内政の混乱していたハイチとドミニカ共和国にもアメリカ軍が派遣され、その政治・経済を実質的に支配した。一九三〇年代以降はアメリカ合衆国も直接的な軍事介入は控えるようになったが、代わって親米的な独裁政権を援助する形で軍事的・経済的覇権を確保していった。

一九五九年のキューバにおける革命政府の成立は、カリブ海地域を東西冷戦構造の中に放り込むことになった。アメリカ合衆国にとっての脅威は、今やソビエト連邦を中心とした社会主義勢力であり、親ソ勢力の排除がアメリカ合衆国のカリブ海地域政策の至上命題となった。一九六二年にはキューバへのソ連軍ミサイル配備計画が明らかになり、核戦争につながりかねないほどに米ソ関係は緊張した。その後もアメリカ政府は、キューバへの経済封鎖を続け、キューバの社会主義体制への敵対的な姿勢を貫いている。このほか、一九六五年のドミニカ共和国の内政混乱や一九八三年のグレナダにおける社会主義政権の混乱の際に武力侵攻を行ったことにもみられるように、アメリカ政府は反米勢力が政権をとったり、その可能性がある場合には、軍事力の行使をも辞さない政策をとりつづけてきた。

このようなアメリカ合衆国のカリブ海地域における強圧的な政策は、一九八〇年代末から一九九〇年代初頭にかけての冷戦構造の終焉にともなって変化をみせはじめた。一九九四年のハイチのアリスティド大統領復帰の過程でも、アメリカは軍事介入の姿勢をみせたが、国際連合の決議を背景としており、国際世論の反発も少なかった。ポスト冷戦の時代にあっては、カリブ海地域の政治・経済状況の危機によって生み出される難民流入の問題の方が深刻である。今後アメリカ合衆国の対カリブ地域戦略は、この地域での民生の安定化に主眼をおきながら、世界でも数少なくなった社会主義国キューバへの圧力をかけつづけるものとなろう。

三　植民地支配の遺産と自立への道

脱植民地化の多様な道

以上のように、カリブ海地域の歴史は、域外の要因によって大きく左右されてきた。しかし、カリブ海地域の側からの独自の動きがあったことも忘れてはならない。ここでは、植民地支配の遺産を抱えながらも地域の主体性を模索してきた現在までのカリブ海地域の動きを、視点をカリブ海地域の側に移してたどってみることにしよう。

前述の通りカリブ海地域において最初に植民地の政治的独立が達成されたのは、一八〇四年、ハイチ共和国においてのことであった。これ以後、一九世紀半ばまでにドミニカ共和国が、また一九〇二年にはキューバ共和国が独立し、一九六〇年代以降はイギリス領植民地でつぎつぎに独立の動きが始まり、現在も一つひとつの島を単位とした独立国家形成の動きが続いている。

しかし、すべての旧植民地が政治的独立の道を選択してきたわけではない。ハイチ以外のフランス領地域、スリナムを除くオランダ領地域、そしてスペイン領からアメリカ領となったプエルトリコは、宗主国の主権の下にとどまりながら自主性を見出そうとする道を歩んできた。欧米諸国による支配を脱し、カリブ海地域の各社会が自主自決の体制へ移行しようとするプロセスは多様で、未完成である。

前述のように、カリブ海地域で最初に植民地から解放されたフランス領サンドマングの独立の動きは、一七九一年、本国における革命に呼応して立ち上がった奴隷たちの反乱によって始まった。解放された奴隷たちからなる独立軍は、同じく奴隷出身であったトゥサン・ルベルチュールやその後継者たちの指導の下でナポレオンの派遣したフランス軍を撃退し、一八〇四年、先住民によるこの地の呼称「アイティ」(山がちな土地という意味)を国名に冠して独立を宣言する。しかし、世界で最初の黒人共和国は、その後度重なる独裁政権の交代劇の中で、政治的・経済的混乱を克服することができぬまま建国二〇〇年を迎えようとしている。

フランス革命とハイチにおける奴隷の反乱の動きはほかのフランス領植民地にも波及し、マルチニークなどで奴隷の反乱がみられた。しかしハイチのように独立革命へ発展することはなく、一八四八年に奴隷制が廃止された後は目立った反乱の動きもみせずに二〇世紀にいたった。これらフランス領地域は第二次世界大戦中、ドゴール将軍の指揮の下でヒトラーの支配に対抗していた自由フランス軍を支持し、戦後はフランスの海外県の地位を獲得した。いずれの社会でもフランスの中にとどまって平等を求めようとする声が強く、独立運動への支持は限られている。

対照的な道を歩んだ旧スペイン領地域

旧スペイン領の地域も、それぞれに異なる道を歩んできた。最も早く独立したのはドミニカ共和国だったが、その道筋は複雑な経過をたどった。エスパニョーラ島のスペイン領地域サントドミンゴは、独立の勢いをかったハイチ軍の占領を一時うけたが、一八二一年にはドミニカ共和国として独立を宣言するにいたった。しかし翌年にはふたたびハイチ軍に占領され、一八四四年に独立を回復した後も、内政の混乱から一八六二年にはスペインの主権の下に戻り、改めて共和制が樹立されたのは一八六五年のことであった。その後も数次の独裁政権の下、政治・経済とも安定することはなく、二〇世紀に入ってアメリカの軍事占領をうけるにいたったのは前途の通りである。一九三〇年から一九六一年まではラファエル・レオニダス・トルヒージョの独裁政権の下で比較的に安定した時代が続くが、一九六五年にはふたたびアメリカ合衆国の軍事介入をうけ、その後は、かつてトルヒージョの領袖であったホアキン・バラゲールが一九九〇年代まで大きな政治権力を行使した。

一九世紀末のキューバでの独立の動きがアメリカ合衆国の介入によって歪められてしまったことは、すでに述べた通りである。キューバがこのようなアメリカによる政治的・経済的支配から脱却したのは、フィデル・カストロらの指導する革命勢力が政権を掌握した一九五九年以降のことである。革命政府は権力を集中して、旧軍の解体、農地改革、その他さまざまな社会改革、民衆文化の振興などの政策を推し進め、一定の成果をキューバ社会にもたらした。それまで弱者であった農民層、都市下層労働者層、黒人層、女性などの社会的地位は格段に向上し、医療・教育などの面も含めた生活水準の底上げが行われた。

この間、対米関係が悪化するのに比例して、革命政府はソビエト連邦を中心とした共産主義ブロックに接近し、社会主義路線を明確に志向するようになった。キューバ革命は当時の世界に大きな政治的・思想的影響を与え、キューバ政府はいわゆる「第三世界」の被抑圧勢力との連帯を掲げる独自の立場から、ラテンアメリカおよびアフリカの社会主義勢力に対して「革命の輸出」の名の下に直接的な軍事支援を行うなど、国際政治の舞台でも積極的な役割を演じることになった。

一方、アメリカ合衆国による支配からの脱却とは裏腹に、キューバのソ連ブロックに対する軍事的・経済的依存は深まり、この間、産業の多角化は進まず、一九九〇年代初めにソ連ブロックが崩壊するにいたってキューバ経済は危機的な状況に陥った。キューバ政府は、外資を積極的に誘致し、一定の範囲内で市場経済を導入することによって革命政権樹立以来最大の危機はひとまず乗り越えたが、経済の一部自由化によって国民の間の不平等が広がるなど、冷戦構造崩壊後一〇年以上を経た今もキューバ社会主義の先行きは不透明である。

他方、プエルトリコにおける脱植民地化の動きは、キューバとは対照的にアメリカ合衆国の主権の下で、いかに政治的・経済的な恩恵を引き出していくかという点に焦点がおかれてきた。一九一七年にはプエルトリコ住民はアメリカ合衆国市民となり、一九五二年には現行の自由連合州憲法が成立した。キューバにおける革命政府の成立以降はアメリカ政府もプエルトリコ社会の近代化に本腰を入れ、自由主義体制下での経済発展のモデルとして社会主義キューバに対置されることになった。しかし、生活水準が向上するにつれて、プエルトリコの人々はそれがアメリカの主権下にあることではじめて可能になっていることを認識するようになり、一九八〇年代以降は、アメリカ合衆国の五一番目の州になることを目指す政治勢力と現状維持を標榜する勢力が拮抗している。

イギリス領およびオランダ領地域での動き

旧イギリス領植民地における脱植民地化の過程は、当初は地域統合の道を歩むかにみえたが、結局一つひとつの島を単位とした小国ナショナリズムの台頭による分裂化の道を歩んできた。その過程は、この地域の政治・経済において島嶼性という要素が重要な意味をもっていることを如実に示している。

第二次世界大戦における劣勢の中でカリブ海地域の植民地の維持を断念したイギリスは、植民地を統合して一括処理する政策をとり、戦前から勢力を増していた労働組合運動とそれに支えられていた植民地各地の政党もこれを歓迎した。一九五三年には、イギリス領ギアナとイギリス領ホンジュラスを除く一〇の植民地の間で連合結成の合意がなされた。しかし、一九五八年に発足した西インド諸島連邦は、各島間の相違を乗り越えるような指導力をもたず、ジャマイカで実施された住民投票で連邦への反対が多数を占める結果となるにいたって、一九六二年に解体した。それ以後、旧イギリス領の各島、各地域は、それぞれ独自に独立国家形成を目指し、分裂の道を歩むことになった。この動きは現在も続いており、島嶼連合をもって一国を形成しているアンティグア・バーブーダ、トリニダード・トバゴ、セントクリストファー・ネイヴィスで連合解体の動きがくすぶっている。

一方、アジアでインドネシアを失ったオランダは、カリブ海地域における植民地の維持に腐心し、一九五四年、カリブ海のオランダ領地域は、スリナムおよびオランダ領アンティル諸島としてオランダ本国とともに一つの王国を形成する平等なパートナーの地位を獲得した。しかし一九六〇年代にオランダ本国との関係がふたたび問われるようになると、経済状況が好転していたスリナムはオランダからの分離の道を選択し、一九七五年に独立した。一方、オランダ領アンティル諸島を構成していた他の島々では、独立後の経済発展に不安が残り、独立の動きは進まなかった。

多様な経済発展の道筋

政治の展開と同様に、二〇世紀に入って以降のカリブ海地域における経済発展の道筋も実にさまざまで、それまでは砂糖生産を産業の主軸にする点で共通していた各社会の間でも、経済構造の違いや経済格差が広まりつつある。

一方でハイチのように、住民の多くがわずかな土地を耕してかろうじて生計を立てているような社会があり、他方ではケイマン諸島のように、免税措置によって多くの多国籍企業や金融機関の名目上の登記地となり雇用や付随収入の確保を目指すオフショア・センター化と観光業によって、二万ドル以上の一人当たり域内総生産を上げる島がある。また、このように資本主義の仕組みを巧みに利用している例がある一方で、キューバのように社会主義経済体制をとる例がみられる。

それぞれの社会の経済状況の違いには、経済規模の大小、地下資源の有無、宗主国との関係などが関与している。キューバやドミニカ共和国など比較的人口の大きい社会や小アンティル諸島の小国の多くは、依然としてサトウキビやバナナなどの輸出向け農業に大きく依存している。これらの農作物はいずれも国際市場価格の変動の影響を直接にうけやすく、経済発展と雇用の創出のためには他の産業を発展させる必要があるが、経済の多角化は進んでいない。

その中にあって、人口が少なく観光業とオフショア・センター化に特化したバミューダ諸島やバハマ諸島と、石油を産出するトリニダード・トバゴでは、一人当たり国内総生産額が高い。非独立地域でも、人口の小さな島々のほとんどで、バハマと同様に観光業やオフショア・センター化によって高い経済実績が達成されている。先に挙げたケイマン諸島をはじめとして、オランダ領やイギリス領の島々、アメリカ領ヴァージン諸島などがその例である。

フランス領の地域ではやや事情が異なっており、マルチニークとグアドループはサトウキビとバナナの栽培を中心とする農業生産を続けながらも、観光業や軽工業に産業の重点を移しつつあり、一人当たり域内総生産はそれぞれ一万ドル程度に達する。他方、カリブ海地域で最も工業化が進んだプエルトリコでは、薬品工業や電子機器工業などを中心とした製造業が域内総生産の四五%を占めている。一九四〇年代まで「カリブ海の貧乏小屋」といわれていたプエルトリコは、その後の近代化政策によって、一転して「カリブ海のショーウィンドー」と呼ばれるようになった。しかし、プエルトリコにしてもフランス領地域にしても本土への依存体質は深まっており、そのような状況を「福祉植民地」と呼ぶこともある。かつて植民地の人々を搾取して利益を上げていた植民地本国が、今ではお金を出して植民地の人々の生活を支えてやらなければならなくなっているというのである。

キュラソー島ウィレムスタットの街並。

アイデンティティの模索

以上みてきたようにカリブ海地域は、先住民がほとんど姿を消した後に、主にヨーロッパとアフリカを出自とする人々が新たに創り出した社会から成り立ってきた。そしてその社会は、政治的にも、経済的にも、また文化的にも欧米の社会をモデルとしてきた。しかしカリブ海地域の社会は、ヨーロッパでもアメリカ合衆国でもない。住民の多くは欧米以外の地域の出身者とその子孫である。彼らの多くは、社会を支配する欧米的な文化的価値体系に同一化できないまま、植民地的な階層社会の中で長い間自らの思いを表現する機会を閉ざされていた。

しかし、二〇世紀に入って後、被抑圧層の人々の間にも独自のアイデンティティを思想や政治運動へと体系化する動きが出てくるようになった。たとえばジャマイカにおけるマーカス・ガーヴィの「黒人のアフリカ帰還」の運動や、フランス語圏におけるエメ・セゼールらのネグリチュードの運動、その後のクレオール主義の文化潮流などがそうである。

しかし、英語圏やフランス語圏にみられるこれらのアイデンティティ確立の動きは、カリブ海地域の全体を包み込むようなアイデンティティの創出にはつながっていない。カリブの青い海と白い砂浜、そしてアフリカから連れて来られた人々の子孫たちの姿、これらはどの社会にもみられ、カリブ海地域は一見するときわめて共通性の高い地域にみえる。しかし、異なる言語文化を持つ異なる国家によって植民地とされてきた過去五〇〇年の歴史の重みは大きい。さらに二〇世紀に入って後の域内経済格差の拡大も加わり、それぞれの社会に生きる人々の間では、ともにカリブ海地域に住む者としての一体感よりも、異なる国、異なる島、異なる地域に住むのだという差異感の方が強いというのが実状である。カリブ海地域を一体的なものとしてとらえるべきか、あるいは細分化されたものの集合としてとらえるべきか。この地域を研究対象とするにあたっては、地域の全体像と個々の国や社会の独自性との両方について、つねにバランスよく目を配っていくことが求められている。


【参考文献】


石塚道子編『カリブ海世界』（世界思想社　一九九一年）　カリブ海地域に関する総論、先住民、植民地期ジャマイカ、ハイチの農民、マルチニークに関する論考などを集めており、数少ないカリブ海地域入門書の一つ。

遠藤泰生／木村秀雄編『クレオールのかたち　カリブ地域文化研究』（東京大学出版会　二〇〇二年）　クレオールの概念を軸に、歴史、政治、都市、イメージ、文学、思想など異なる角度からカリブ地域に関わる多様なテーマに取り組んだ論集。

西谷修他『カリブ　響きあう多様性』（ディスクユニオン　一九九六年）　歴史、社会、文化、文学、音楽などの面からの論考と情報を集めて編集されており、この地域の特徴をなす多様性を身近に感じ取ることができる。

加茂雄三『地中海からカリブ海へ』（平凡社　一九九六年）　日本人によって書かれた初めてのカリブ海地域史。カリブ海地域を中央アメリカと一体のものとしてとらえている。

増田義郎『略奪の海カリブ――もうひとつのラテン・アメリカ史』（岩波書店　一九八九年）　一六世紀末から一八世紀までのカリブ海をめぐるヨーロッパ覇権国家の抗争を概説。

浜忠雄『ハイチ革命とフランス革命』（北海道大学図書刊行会　一九九八年）　大西洋をはさんで同時に進んだハイチ共和国の独立の過程とフランス革命の連関と、独立後のハイチの状況を史料に基づいて説明した学術研究書だが、難解でなく読みやすい。

江口信清『カリブ海地域農民社会の研究』（八千代出版　一九九〇年）　ドミニカ島でのフィールド・ワークに基づくこの島の農民社会についての文化人類学的事例研究。カリブ海を広く扱ったものではないが、地域研究の一つのあり方として参考になる。

後藤政子／樋口聡編著『キューバを知るための52章』（明石書店　二〇〇二年）　キューバの歴史、社会、文化について多面的かつ平易に、そして手堅く解説してあり、良質の入門書になっている。

E・ウィリアムズ『コロンブスからカストロまで――カリブ海域史、一四九二―一九六九（Ⅰ、Ⅱ）』（川北稔訳　岩波書店　二〇〇〇年）　トリニダード・トバゴ首相も務めた著名な経済史家による数少ないカリブ海地域史概説の古典。

C・L・R・ジェームズ『ブラック・ジャコバン――トゥサン＝ルヴェルチュールとハイチ革命』（青木芳夫監訳　大村書店　一九九一年）　トリニダード出身で黒人マルクス主義者であった著者によるハイチ革命史。

G・アンチオープ『ニグロ、ダンス、抵抗　17～19世紀カリブ海地域奴隷制史』（石塚道子訳　人文書院　二〇〇一年）　この地域の富を生み出し、文化・社会形成の主役でありながら、権力を持つ側が書き記してきた歴史では正面から語られることの少なかった黒人奴隷を対象として、この地域に生きた者の視点から描き出している。

シドニー・ミンツ『甘さと権力――砂糖が語る近代史』（川北稔・和田光弘訳　平凡社　一九八八年）　カリブ海をフィールドとしてきた人類学者が、砂糖という商品を軸に歴史を語った書。カリブ海域史を人類史の中に位置づけて理解することができる。

M・モレノ・フラヒナル『砂糖大国キューバの形成――製糖所の発達と社会・経済・文化』（本間宏之訳　エルコ　一九九四年）キューバの社会経済史家による一九世紀キューバの砂糖生産をめぐる経済史、技術史、社会史を含む包括的研究。

L・E・バレット『ラスタファリアンズ――レゲエを生んだ思想』（山田裕康訳　平凡社　一九九六年）ジャマイカ出身の社会学者によるラスタファリ運動についての長年のフィールド・ワークに基づく概説的な入門書。

General History of the Caribbean.（6 vols; Paris & London : UNESCO & Macmillan, 1997-）一つの言語圏に偏ることなく、カリブ海の全ての地域・社会を対象として、第一線の研究者たちが分担執筆したこの地域初めての包括的な歴史。政治史に偏ることなく社会・経済・文化の各面についても最新の研究成果が盛り込まれている。本書刊行時点で、第Ⅴ巻を除く他の五巻が刊行されている。

Hillman, Richard S. & Thomas J. D'Agostino, eds. *Understanding the Contemporary Caribbean.*（Boulder, Colorado : Lynne Rienner, 2003）アメリカ合衆国の大学で使われているカリブ海地域研究の入門書。この地域についての総合的かつ基礎的な知識を得るのに有用。

第九章　アンデス諸国

●遅野井 茂雄

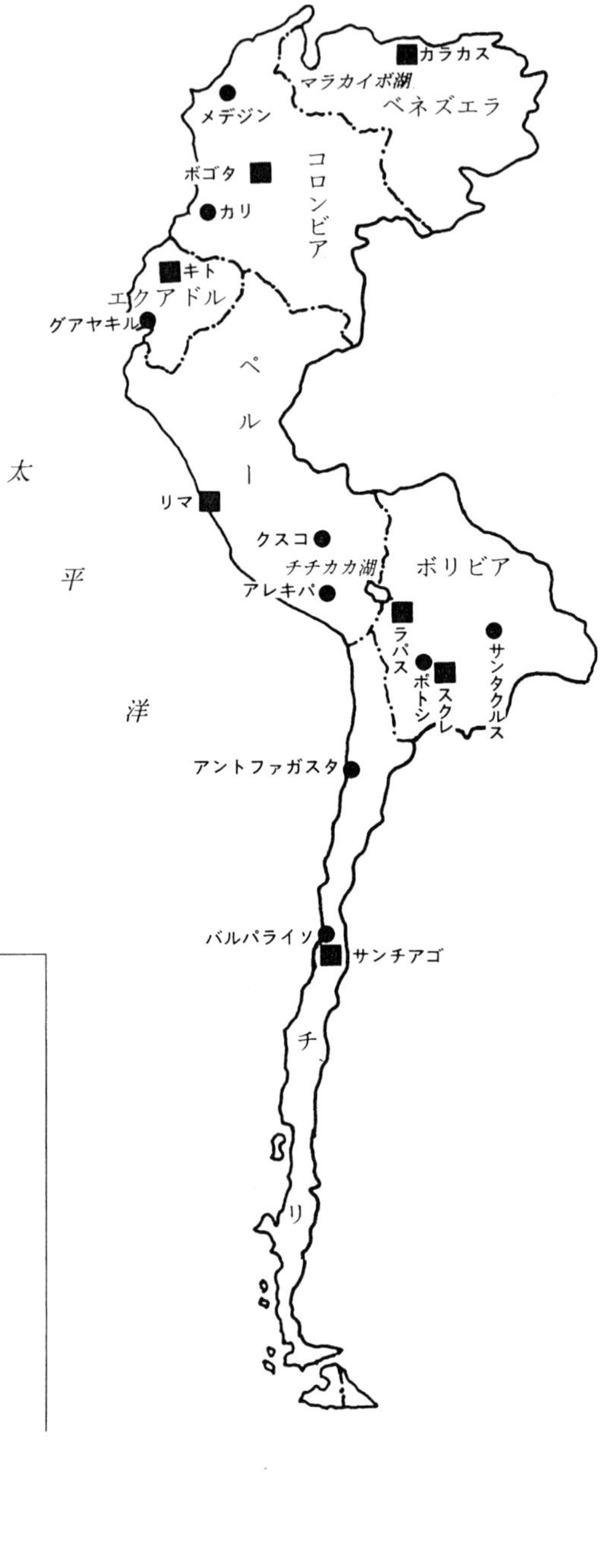
カラカス
マラカイボ湖
ベネズエラ
メデジン
ボゴタ
コロンビア
カリ
キト
エクアドル
グアヤキル
ペルー
太平洋
リマ
クスコ
チチカカ湖
ボリビア
アレキパ
ラパス
ポトシ
スクレ
サンタクルス
アントファガスタ
バルパライソ
サンチアゴ
チリ

アンデス諸国

序　アンデス世界——周辺世界に開かれた多様性

アンデス諸国は南アメリカ大陸を南北に縦断する壮大なアンデス山脈を背骨にして広がっている。アンデスは古くから王国が盛衰する古代文明の揺藍の地であり、なかでもクスコから周辺の部族を征服し拡大したケチュア族は、一五世紀半ばエクアドルからチリ北部まで四〇〇〇キロメートルに及ぶ大帝国を築いた。アンデス社会は親族集団を基礎にした多様な民族からなり、インカはそれを統合しケチュア語の普及など普遍的な世界を築いたが、絶頂期は比較的短く、その範囲も中央アンデスに限られた。

スペインの征服はそこに異質な政治経済原理と、複雑な民族の融合と分断をもたらし、人為的な行政区分を導入した。一六世紀初め征服にともない副王領が置かれたペルーのリマは、スペインの南米植民地行政の中心となったが、ボゴタ、キト、サンチアゴ、カラカスなどにはアウディエンシアや総監府が置かれ、しだいに各地方は独自性を帯びる。一八世紀にはボゴタにも副王領が置かれ、後半にはブエノスアイレスに新設されたラプラタ副王領にボリビアは編入された。一九世紀初頭の独立に際し、シモン・ボリーバルは解放したベネズエラからボリビアまでをアンデス連合として統合しようとしたが、ペルーの反対で北部三国（ベネズエラ、コロンビア、エクアドル）がグランコロンビアとして残るにとどまり、一〇年余りでそれも解体する。

アンデス諸国は、一九世紀半ばスペインによる再征服の動きがあったときを除けば、長らく一致して行動することはなかった。アンデスという地域的まとまりを意識するのは一九六〇年代末であり、通商上ラテンアメリカの大国諸国に対抗するため連帯の必要性に迫られて共同市場を形成し、このとき統合の象徴となったのはボリーバルである。その後、経済政策の相違からチリは脱退したが、それはボリーバル諸国でないチリとの相違などアンデス共同体としての基盤の弱さを物語るものであった。

アンデス諸国は統合という契機をもつと同時に、多様で険しい自然条件と同じく対立と分岐を内部にはらんでいる。対照的な海岸部と高地、土着住民の要素の強い中央アンデス諸国と白人的要素の強いチリ、環カリブとの接点をもつベネズエラとコロンビア、南部諸国との関係を強めるボリビア東部、自由主義経済を先取りし国際通商国家として発展するチリの独自性。中規模国からなるアンデス諸国は、その地政学的位置と歴史経路ゆえに、統合への契機とともに、環太平洋と環アマゾン、中米と環カリブといった周辺に開かれ、相互に影響を与え合う世界でもある。

一　アンデス世界の自然環境と社会

多様で険しい自然

全長七五〇〇キロメートル、三本の険しい山系からなる壮大なアンデス山脈、太平洋、カリブ海、東側に広がるアマゾンにより自然環境は規定されている。緯度や標高、海流の変化に応じて世界のあらゆる気候帯と生態系が分布し、砂漠とジャングル、高原都市などコントラストに富む景観は見る者を圧倒する。世界最大の落差を誇るエンジェルの滝、カリブ海の真珠カルタヘナ、インカ帝国の面影を遺すクスコと空中都市マチュピチュ、謎を秘めるナスカの地上絵、広大な塩湖ウユニ、世界最高地にある航行可能なチチカカ湖、都市中心部にコロニアルな建築美をとどめるキト、ラパス、ボゴタなど、多様な観光スポットを作り上げている。

温帯にあるチリは海岸都と比較的なだらかな渓谷が中心だが、他の国々は山脈を挟んで特色ある三地域に大別される。海岸部、高地、アマゾンやオリノコ川につながる東方低地である。内陸国ボリビアは高地と低地の間に渓谷部をもつ。海岸都はアンデス山脈と太平洋ないしはカリブ海との間の狭い海岸平野で、ベネズエラでは熱帯乾燥気候、チリから赤道までの太平洋岸はフンボルト寒流の影響で砂漠または乾燥した荒れ地である。海岸部にはリマ、グアヤキル、マラカイボを除けば大都市は少ないが、近年エクアドル、ペルーでは海岸部に人口の比重が移っている。熱帯や亜熱帯地域に位置するところが多く、歴史的に高地に先住民人口が密集し、主要都市もここに集中してきた。ボゴタ二六〇〇メートル、キト二八五〇メートル、クスコ三二〇〇メートル、ラパス三七〇〇メートルといずれも標高の高い高原都市である。東側に広がる低地は熱帯雨林やサバンナ（サバナ）で、一九世紀末のゴム採取ブームの時期を除けば、石油開発や移住政策が始まる近年まで、そこは狩猟採集の部族の住む人口希薄の地であった。多様な生態系は多様な植生を育んでいる。コロンビアのコーヒーは高原地帯で比較的小規模の農家によって生産されたが、輸出農業は海岸部を中心に広がり、エクアドルのカカオ、バナナ、ペルーの綿花とサトウキビはプランテーションで栽培された。外国市場を向いた近代的農業が国内市場を向いた伝統的な高地農業と併存してきたのが地域の特徴である。高地の先住民共同体では、四〇〇〇メートルを超す高度に適応したジャガイモ栽培や、リャマ、アルパカなどの放牧が行われ、中間地帯のトウモロコシを含め高度差を利用した生存維持を基本とする。アンデス東斜面の低地では伝統的にコカの葉が栽培され、ペルーのワジャガ、ボリビアのチャパレは代表的産地であり、最近ではコロンビア南部まで栽培の最前線が広がっている。

多民族社会と統合の課題

多様な民族構成に白人による征服が重なり、この地域の多民族的特色を際立たせている。先住民人口が密集し、インカ帝国という巨大な国家機構を備えた中央アンデス諸国は、スペイン征服後も先住民の要素が厚く残った。ボリビアではアイマラ族、ケチュア族など先住民の割合が、今日でも半数を占める。支配層としての白人と底辺のインディオ、その間に混血メスティソを挟む三層の民族構成が形成されているのが特徴である。肌の色に基づく民族の階層は、社会的な階層にほぼ照応し、格差の大きな社会を作り上げてきた。チリのように狩猟採集段階の部族社会しか存在しなかったところや、チブチャ王国など首長制の段階にとどまった北部の先住民社会は征服でほとんどが消滅した。その結果、チリは白人と混血からなる比較的同質な民族構成となり、一九世紀の移住者の流入で非スペイン系ヨーロッパの影響を強くうけている。コロンビアはスペイン系白人と先住民との混血、ベネズエラは白人と先住民、黒人との間の混血が大半を占める。先住民の比重の大きい中央アンデスでも近年、急速な都市化やスペイン語教育の普及で混血化が進行している。とくに混血がスペイン語、都市・西欧文化に同化した先住民を包含する社会文化的概念である点を考慮すると、混血の割合はずっと大きくなる。都市に出てスペイン語や近代文明に同化した人々をペルーではチョロ（男）、チョラ（女）と呼び、ボリビアでは都市に出てなお民族的要素を守る先住民をそう呼んでいる。カリブ海側やペルーにいたる太平洋側北部には黒人やその混血人口も多く、東洋系を含め民族的な多様性を作り上げている。

多民族社会における国民国家形成は、今日まで未解決の課題である。二〇世紀の半ば以降各国は国民国家の建設に向け、支配層の白人文化を継承したメスティソを軸に国民統合を進め、他の多様な民族の要素を否定してきた。一九九〇年六月、エクアドル先住民は首都の教会や道路を占拠したが（「インディヘナの反乱」）、それは民族文化の破壊や支配的文化への同化を強いられてきた先住民の自立化を象徴する事件となった。先住民連合に結集して、固有文化の尊重、石油開発で脅かされる生活圏の保全、自治権を要求し、九六年の総選挙では代表を国会に送った。ボリビアでも九三年、先住民運動の指導者を副大統領にもつ政権が誕生した。征服から五世紀を経た今日、両国の先住民勢力は組織化されて独自の政党を持ち、政権の存立や市場改革の帰趨を左右する重要な勢力となった。ほとんどの国で、憲法で「多民族多文化」の社会・国家であると認知されるに至った。民族的アイデンティティをエスニックな次元で認めつつ、多民族の共存と統合を前提とした国家のあり方を模索する困難な試みが始まっている。

多様な採取型産業

地域の豊富な天然資源は、グローバル化の下で世界に誇る比較優位産業である。しかし、それは不平等な資源の所有に基づく社会格差や不均等な経済構造を形成するとともに、国際経済の浮沈にともなうブームと衰退、外国資本の支配とそれに反発する民族主義の高揚といった歴史の綾を生んできた。もともと黄金郷伝説が征服者たちを駆り立て、植民地時代前半に栄えたポトシ銀山はスペイン王室の財の中心をなし、人口一六万を越す植民地最大の都市だった。ボリビアでは二〇世紀は「錫の世紀」で、ベネズエラは二〇世紀前半から半世紀近く世界最大の石油輸出国だった。チリの銅、ペルーの銅や亜鉛といった非鉄金属などが各国の主要な伝統的輸出産品である。これらは主に外国資本の手で開発されたが、一九六〇年代以降吹き荒れた民族主義の嵐の下で外資の国有化が進んだ。

債務危機後の市場経済化への転換の中で、各国は経済の自由化と国営企業の民営化を余儀なくされた結果、再び外国資本が進出して開発の主たる担い手となった。銅、金など優良な鉱山、油田や天然ガスがメガプロジェクトの形で開発され、飛躍的に輸出を伸ばしている。その他、チリの鮭や蟹、ワイン、パルプ、ペルーの魚粉、アスパラガス、エクアドルのエビ、コロンビアやエクアドルのカーネーションやバラなど切花、ボリビア東部の大豆といった多様な産品が輸出の多角化と増大に貢献しブームを迎えている。しかし豊富な天然資源を、雇用創出など国民経済発展の基礎とすることの難しさを歴史は教えてきた。「黄金の台座に座った乞食」という比喩は、この地域の豊富な資源と大多数の人々の生活の落差をいまだ的確に表現するものだ。ボリビアでは天然ガスの開発をめぐり、多国籍企業に有利な契約の見直しや再国有化を求めて先住民勢力が圧力をかけている。多くの開発現場で外資と住民の間で紛争が起きており、環境との両立が資源開発型発展の持続性を占うカギとなろう。

民族主義と統合の変化

ラテンアメリカではミドルパワー群を形成するアンデス諸国は、相互に競合する特徴をもつ。とくに国境紛争は統合をはばむ要素であり、植民地行政区画に基づく曖昧な国境線が独立後の紛争の火種となった。領域が海岸部、高地、アマゾンに及び、その保全が困難なこととも関連している。国境線に重大な変更を及ぼした紛争としては、チリがボリビア、ペルーと戦い北部に領土を広げた太平洋戦争（一八七九―八三年）と、ペルー・エクアドル国境紛争（一九四二年）がある。前者は敗戦の結果内陸国となったボリビアの海の出口をめぐり、未解決な問題を残している。後者はエクアドルがアマゾンへの出口を主張し、八一年と九五年に戦闘状態となったが、九八年和平合意に達し解決をみた。このほかボリビアはチャコ戦争（一九三二―三五年）でパラグアイに敗れチャコ地方を失った。

第二次世界大戦後は民族主義と革命の時代であって、その勢いが地域統合へと結実した。民族主義的改革政権が次々と誕生し、政府部門の拡大の下、輸入代替工業化や農地改革が進められた。ボリビア革命、ベネズエラの民主化、ペルー革命、チリの改革と社会主義の実験、エクアドルの軍事政権の改革へと続いた。経済的自立を求める各国の動きは六九年、カルタヘナ統合協定に基づき外資流入を厳しく規制する共同市場の発足となった。リマに置かれた統合本部のほか仲裁裁判所、議会、開発公社を整え、アンデス・グループとして地域の問題に関与する存在感を示した。だがチリの脱退に続き、八〇年代には深刻な経済危機に直面し、野心的な分業的工業化計画は破綻した。性急な統合計画、地理的障害、産業構造の類似性、常設機関の官僚化などが統合の壁となった。

一九九〇年代に入ると民族主義の波が退潮し、各国は国家主導型の混合経済体制から自由市場経済に転換する。国際経済との統合という現実的観点から自由貿易圏の創設へと転換をはかり、周辺地域との統合にも参加を始めた。南部共同市場にはチリとボリビアが準加盟国として接近し、グループ全体としても南米共同体の結成に向け統合を進めた。その一方でコロンビア、エクアドル、ペルーはアメリカと二国間自由貿易協定の交渉を行っており、反米・反新自由主義を唱えるベネズエラとの対立から共同体としての求心力は弱まりつつある。同時に、チリを除く各国の統治や制度基盤が著しく弱まり、その結果生じているアンデス地域の不安定性に関心が集まっている。

二　ベネズエラ——石油大国の苦悩

ベネズエラは独立後、軍人による独裁支配が続き民主政治とは無縁な国であったが、一九五八年以降、民主行動党とコペイ党（キリスト教社会党）による二大政党制が確立し、民主政治が定着した国として評価されてきた。民主的安定は、政党政治の発展を担った指導者の努力と豊富な石油収入に依拠した開発政策によるが、石油依存と腐敗体質を内在化した。石油価格の下落と債務危機に端を発した八〇年代の経済危機は開発モデルからの脱却を求めたが、改革は停滞し、軍人指導者の登場と二大政党制の崩壊にともない、民主政治は危機に直面している。

外国資本による石油開発が本格化したのはビセンテ・ゴメスの独裁政権（一九〇八—三五年）の下である。大恐慌でコーヒーなど輸出農業が衰退して伝統的支配層は弱体化し、第二次世界大戦を挟んで進んだ石油産業の発展で都市化が進み中間層が輩出した。四一年結成された民主行動党を軸に民主化運動が強まり、ロムロ・ベタンクールら若手指導者たちは企業家から労働者まで幅広い層に支持を拡大した。四五年、軍の青年将校ら改革派と合流して独裁政権を倒した一〇月革命は、現代ベネズエラの幕開けを告げる。だが四七年、選挙で誕生した作家ロムロ・ガジェゴスの政権は八カ月後に軍人支配に道を譲った。独裁体制を固めたペレス＝ヒメネスは外国資本に開発権を与え、石油収入を基礎に高架高速道の建設など公共事業を推進し経済は活況を呈した。しかし国民投票で政権に居座ろうとした五八年一月、海軍、空軍と政党勢力が反乱し、独裁体制は崩壊した。

政党指導者たちは、性急な改革や非妥協的姿勢が独裁をまねいたとの反省から、政党政治のルールや選挙結果の尊重を確認し合い、政権を共有することで民主政治を確立しようとした。プント・フィフォ協約に基づき、ベタンクールは選挙で政権に就き五年の任期を全うする初の大統領となった。キューバ革命後の騒然とした状況下でベタンクールは調整力を発揮し、連立による政治と石油に依拠した国家主導型の開発の基礎を据えた。石油政策では生産量への政府関与を強め、最大の石油輸出国の立場を生かして六〇年、サウジアラビアと石油輸出国機構（OPEC）を結成した。政権交代のルールが定着し、六九年にはキリスト教社会党のカルデラ政権が誕生する。南米諸国が一様に軍事政権に移行する時期にベネズエラは二大政党制と民主政治を固め、対外的にも指導力を高めたのである。

七四年と八九年の民主行動党アンドレス・ペレスの二度の政権に石油に依拠した開発の明暗が集約されている。一期目ペレスは原油急騰による潤沢なオイルダラーを背景に、脱石油を目指す国家プロジェクトを推進し、七六年石油を国有化した。補助金政策で国民生活を底上げし、安い輸入品による消費を煽り、豊かな時代という幻想を作り上げた。だが経済活動への政府の介入が強まり、非効率な国営企業により対外借入が膨らんだ。ペレスは石油パワーをテコに地域や第三世界で指導力を発揮したが、財政赤字と累積債務を残したのである。石油価格下落と債務危機に端を発した八〇年代の危機は、政策の限界と転換の必要性を示していた。この間、国民一人当たりの所得は四〇〇〇ドルから二五〇〇ドルまで低下、貧困世帯の割合は四四％に倍増するなど国民の窮乏化が進んだ。所得格差が顕在化し、石油収入によって和らげられてきた国内対立が表面化、犯罪も急増した。政治腐敗が目立ち始め、五八年以降確立された民主政治に対する国民の信頼感は急速に失われ、その基盤は弱体化した。

第二次政権でペレスは国際通貨基金（ＩＭＦ）との合意の下で再建をはかる道を迫られた。構造調整策を受け入れたことは、債務削減と引き換えの開発政策の転換を意味したが、国民の間では前政権時代の「豊かな時代への回帰」に期待が集まっていた。公共料金の値上げなど厳しい緊縮政策の発表後、首都で暴動が発生し三〇〇人以上が犠牲となった。経済改革はマクロ的には成功したが国民の不満を鎮めるにはいたらず、九二年二度にわたり陸軍若手将校の反乱が発生した。落下傘部隊長のウーゴ・チャベス率いる「ボリーバル革命運動」を自称する軍人たちは自由主義改革を批判すると同時に、豊かな国で窮乏化をもたらした政党政治と腐敗を糾弾した。ペレスは機密費の不正流用の疑惑で、職務を停止され失脚する。九三年選挙で元大統領のカルデラは経済改革に反対し、自ら設立したキリスト教社会党を離れて国民統一党を創設、既成政党への不満を吸収して当選した。

三五年続いた二大政党制の崩壊を決定づけたのが、反乱で服役したチャベスによる「ボリーバル革命」である。二年後釈放されたチャベスは、第五共和国運動を軸に左派政党と愛国同盟を結成し、政党政治の打倒と腐敗一掃を掲げ九八年大統領に当選した。就任後、軍人を行政に配し貧困区の開発を進めて貧困層を味方につけると、翌年には制憲議会選挙を通じて独裁権を掌握し判事四〇〇名を解任した。国名をベネズエラ・ボリーバル共和国に変更、大統領の任期延長と再選を盛り込む憲法改正案を国民投票で承認後、二〇〇〇年再当選した。新自由主義に反対し、政党、財界、労組、カトリック教会など既存勢力と対決する一方で、カストロ政権との関係を強化するなど反米姿勢を鮮明にした。だが強権化や反資本主義政策に反対して経済団体の呼びかけたストライキに労組と市民が合流するなど反対運動が激化、〇二年四月反対派の軍事クーデターでチャベスは失脚したが、経済団体会長を首班とする暫定政権は国際支持を得られず崩壊、二日後復権した。〇二年末から二カ月にわたるゼネストで産油量が激減し、資本逃避も進んだが、石油価格の高騰を背景に行われた〇四年八月の大統領解任を問う国民投票でチャベスは信任された。反対派の抵抗をことごとく封じたチャベス政権は基盤を固めたが、国内を二分する対立は鎮まらない。

三　コロンビア――暴力と背中合わせの寡頭的民主主義

コロンビアは逆説の国である。独立以来一貫して議会政治の伝統を誇る国でありながら、五〇年代のビオレンシア（暴力）のように内戦や暴力と背中合わせの国であった。民主政治を可能としたのは全国的組織をもつ保守党、自由党による二大政党制であり、地縁・血縁・派閥に基づく政党への帰属意識の強さにあったが、それは他面で政党間の抗争を生み、暴力的な風土の助長につながった。二大政党制は政治安定をもたらしたが、典型的な寡頭政治で第三勢力の参加を許さず、六〇年代には左翼ゲリラが活動を開始した。七〇年代以降は対抗する右派の軍事組織の拡大や麻薬マフィアを介在させてテロや暴力が広がった。保守的な経済運営が行われ、債務危機には陥らずプラス成長を続けてきた特異な例であり、市場経済への転換も漸進的に行われた。九〇年代に入り、憲法改正で政治改革が進められ、和平に向けた努力がなされているにもかかわらず、内戦状況は深刻化の様相を呈している。

独立後から自由党と保守党の抗争は続き、保守党支配に対抗する自由主義勢力の反乱で、一八九九年には一〇〇〇日に及ぶ内乱に突入した。一〇万人を越す犠牲者を出し、一九〇三年にはアメリカの介在を許しパナマの分離をまねくが、内乱の後、両党に和平と協力体制が確立され、保守党支配の下でコーヒーなど輸出経済が繁栄した。世界恐慌の影響で自由党に政権が移り、労働運動の高まりを背景に大統領アルフォンソ・ロペスは労働者保護や穏健な工業化に先鞭をつけた。しかし改革指向は党内の反発を誘い、四六年保守党に政権を譲るが、自由党急進派ホルへ・ガイタンは労組や都市民衆の支持を動員して保守党と対立した。四八年、ガイタン暗殺を機に首都で暴動が発生し、公共施設が破壊された後、五〇年代末まで地方を中心に暴力が恒常化、犠牲者は二〇万人に上った。

両党の反目と暴力の激化は議会政治の中断につながり、五〇年、無競争でゴメス保守党単独政権が誕生、三年後にはロハス゠ピニージャ将軍が政権を掌握した。ロハスは第三勢力の結成も視野に入れただけに、民主政治の崩壊は二大政党に大きな代償と教訓を与え、政治休戦への道を開いた。五七年スペインのシツヘスで両党は、民主政再建のため二大政党による権力独占を柱とする協定を結んだ。この国民戦線協定はその後修正されるが、七四年までの一六年間、選挙結果にかかわらず交互に大統領を選出すること、閣僚、国会(県会)議員など行政・立法権の公職を折半すること、他の政党は選挙に参加できないことなどを取り決め、国民投票を経て憲法に組み入れられた。民政は見事に復活し、五八年の自由党のジェラスから七〇年の保守党のパストラナまで交互に大統領が選出された。

連立の枠組みは国民戦線体制の終了後も八六年のベタンクール保守党政権まで継続された。二大政党による権力の独占は国民の政治疎外と無関心をまねき、共産党系のコロンビア革命軍(FARC)、民族解放軍(ELN)、M19(四月一九日運動)など六大ゲリラ勢力を誕生させた。M19は、七〇年四月一九日の選挙で、元大統領のロハスが不正選挙で敗れたのを機に活動に転じたもので、八五年の最高裁判所襲撃などで名を馳せた。八〇年代には精製コカインの生産と流通を支配する麻薬産業が地盤を築き、メデジン・カルテルなど巨大マフィアが誕生し、麻薬に反対する政治家や判事、マスコミ関係者へのテロが激増した。資産家は財産を守るため武装集団を擁し、右派準軍事組織(パラミリターレス)による攻撃も拡大した。九〇年選挙では大統領候補者三人が暗殺された。

暴力の拡大は民主化と和解の動きを促した。一八八六年憲法を改正する気運が生まれ、自由党のガビリアが当選した九〇年選挙では、制憲議会招集のための国民投票が行われ、九一年には民主化と近代化の要請に見合った新憲法が公布された。M19が合法化され大統領選挙で第三党の地位につけたほか、制憲議会にも先住民、学生運動とともに代表を送った。対話路線が実を結び、他のゲリラ勢力が武装解除して市民社会に復帰したが、最大勢力のFARCとELNとの交渉は決裂した。ガビリアは麻薬マフィアとの全面戦争を開始し、メデジン・カルテルの首領エスコバルを逮捕し影響力を減じたものの、カリ・カルテルが代わって勢力を伸ばした。その後大規模なカルテルは消滅するが、九〇年代後半にはゲリラ勢力がコカ葉の栽培農民を支配下に置き、とくにFARCは潤沢な麻薬資金や誘拐の身代金を背景に、近代装備をもつ二万人規模の勢力に拡大した。

九四年選挙では、当選した自由党のサンペールが麻薬業者から選挙資金を受け取ったとする疑惑が表面化し、民主政権の正当性は揺らぎ、アメリカとの関係悪化を招いた。次いで政権についたパストラナは和平達成のためゲリラ勢力と交渉を開始し、九九年には国際社会の支援で麻薬撲滅と復興を目指すプラン・コロンビアに着手した。だが和平交渉と並行して、ゲリラ勢力が支配する南部のコカ栽培地域でのアメリカの軍事援助による除草剤の空中散布など麻薬対策を行う作戦は矛盾をはらんでいた。結局誘拐や殺害事件を抑えることはできず、設定された非武装地帯もゲリラ側の活動拠点と化したため、二〇〇二年政府は交渉を断念、非武装地帯の空爆に踏み切った。

和平への失望感が広がった同年五月の選挙では武力解決を優先する自由党系独立派のアルバロ・ウリベが勝利し、新政権は戦争税の創設や一万五〇〇〇人の農民兵の徴募を打ち出した。〇一年同時多発テロ後、アメリカ政府は二つの左翼ゲリラと、準軍事組織の集合体である自衛組織連合（ＡＵＣ）の三組織を国際テロ組織と認定、コロンビアは対テロ戦争に組み込まれた。ブッシュ政権は、麻薬対策の援助をゲリラ対策に援用することを認め、石油パイプライン防衛の新たな軍事支援や、ゲリラ掃討の「愛国者プラン」作戦を側面支援している。高い支持率を誇るウリベ政権の強攻策は、ＡＵＣとの武装解除の合意にこぎつけるなどの効果をあげているが、国内避難民が二〇〇万人に膨れ上がるなど人道上の問題も大きくなった。内戦の地域的波及にも懸念が広がっている。

四　エクアドル――多元的な国の形を模索する赤道の国

二〇世紀のエクアドルの歴史は地域対立の歴史であった。自由主義経済を指向する海岸部の経済の中心グアヤキルと、それに統制を加えようとする高地の政治の中心キトとの対立といえる。地域間の対立は全国政党を育てず、政策の合意と継続性を困難にしてきたが、その歩みは周辺諸国と比べ穏健であった。世紀転換期に入り、先住民勢力が政治的に台頭し、地域的にも民族的にも多元的な国の統合のあり方が求められている。

独立後続いた高地の保守主義の支配は、一八九五年のエロイ・アルファロ率いる自由主義革命を機に低地の自由党支配へと転換した。カカオ産業に支えられたグアヤキルは外国に開かれた商業・金融都市として発展し、第二次大戦後のバナナ・ブームの時代には安定した寡頭支配が復活し（一九四八―六〇年）、ノボア・グループといった世界有数のバナナ資本が成長した。近代化は都市化をともない、海岸部の資本主義的発展は高地から海岸部へ人口を引きつけ、四〇年代以降のポプリスモの温床となる。ベラスコ＝イバラや、レバノン系アサド・ブカラムの人民勢力集中党への民衆の支持が重要な政治の転換点を形成した。

一九二五年若手軍人に率いられた七月革命で、中央銀行の設立など中央政府の権限が強化された。世界恐慌後の三四年とペルーとの国境紛争敗北後の四四年には、ベラスコが選挙で当選する。「バルコニーを与えよ。さすれば統治せん」と、弁舌の才で巧みに大衆を惹きつけたポプリストは五回大統領の座を射止め、寡頭支配の動揺を誘うが、任期を満了したのは一期のみであった。軍の改革主義がそれに続き、バナナ・ブームが停滞した六〇年代、軍事評議会は輸入代替工業化を開始し、穏健な農地改革に着手し半封建的なワシプンゴ制を廃止した。パイプラインの完成で石油輸出国に転じた七二年には、ロドリゲス＝ララ将軍率いる民族主義革命政府が誕生し、石油収入を背景に国家主導の開発計画を推進した。石油公社を創設して外資を規制し、石油輸出国機構（ＯＰＥＣ）に加盟した。七〇年代は石油に牽引され年率八％を超す高成長をとげ、バナナ輸出国は大きく変貌した。製造業の成長で企業グループも生まれたが、石油依存の経済体質が強まり、政府部門が拡大して慢性的な財政赤字が定着し対外債務が膨らんだ。農地改革と教育の普及など社会政策が行われたが、農民の都市流出が進んだ。

民政移管の過程で七八年、非識字層に選挙権を与える新憲法が国民投票を経て成立した。決選投票制の導入により大統領の正当性の高さが保障されたものの、四年任期の中間選挙は民政の政治運営を不安定なものとした。中道勢力の少数分立化を特徴とする政党制の下で議会は連衡合従に明け暮れ、与党は政治基盤の弱さに苦しんだ。とくに原油価格の低下と債務危機の中で、与党は中間選挙で敗北し、後半二年間は議会の反対で政策を遂行できず、その結果、政権交代で政策の一貫性は失われた。

七九年民政移管にともない、ブカラムの娘婿で人民勢力集中党のロルドスが人民民主党との連立で政権につき、石油収入をテコに開発と社会政策を進めたが、ロルドスは飛行機事故で死亡、後継のウルタドは債務危機で緊縮財政を強いられた。八四年グアヤキルの保守連合、「国家再建戦線」から当選したキリスト教社会党のフェブレス＝コルデロは経済自由化を進めたものの、原油価格の下落と地震による石油生産停止に見舞われた。続いた中道左派の民主左翼のボルハは、キトに勢力をもち保護主義色の強い政策に再び転換した。九二年キリスト教社会党を離れて共和国連合党のもとに当選したドゥランは、国際通貨基金（ＩＭＦ）と合意し経済の安定と市場経済化を進め、ＯＰＥＣから脱退した。国家近代化法により民営化を開始、農地へ市場原理を導入する農業開発法を成立させたが、公務員や先住民連合の反対で修正を迫られた。九六年グアヤキルを拠点に市場改革を批判して政権についたロルドス党のアブダラ・ブカラムが、年末改革案を発表すると先住民はじめ労組が反発し、抗議行動が全国に広がる中、ポプリストのブカラムは議会により解任された。

一年の暫定政権をはさみ発足した民主左翼のマワ政権の下で、改革が遅れた脆弱な経済は自然災害、石油価格の下落、ブラジル危機に直撃され、預金凍結と債務不履行に追い込まれた。不正な銀行救済と腐敗に非難が集まる中、二〇〇〇年、通貨暴落を抑えるため政府が通貨スクレの放棄とドル化政策を発表すると、反発した先住民が一月二一日、若手軍人の支持の下に国会を占拠し、大統領を追放した。一旦は先住民、軍、社会運動による救国評議会が誕生したが、国際的反発の中で軍首脳部が離反し三時間後に瓦解、ノボア副大統領が大統領に昇格した。先住民連合はネオリベラリズム政策と政治体制の「全面的転換」を要求したが、ノボア政権はドル化を実施してインフレを抑え、ＩＭＦと合意し、重質油用パイプライン建設と石油開発に外資を呼び込み、〇二年には経済回復を実現した。経済成長率マイナス六％、インフレ率一〇〇％、失業率一五％といった最悪の危機から立ち直ったが、この間、約百万人の人口が国外に流出し、年間一五億ドルに上る送金額によって経済が支えられる状態が続いている。

二〇〇二年先住民勢力は、今度は選挙を通じて政権に到達する力を示した。二年前の大統領追放にあたり先住民を助けたグティエレス元大佐の「一月二一日愛国社会党」を支持し、決選投票で勝利したのである。先住民連合指導者のニナ・パカリ（外相）、ルイス・マカ（農牧相）が新政権に入閣し、史上初の先住民勢力との連立政権が誕生した。新大統領は貧困克服など社会政策の優先を公約したが、財政的制約の中、発足直後ＩＭＦと合意を取りつけ、緊縮財政と市場改革を進める外資促進策に転じた。この転換を「裏切り」とみた先住民連合は、八月閣僚を引き上げ、政権との対決姿勢を明らかにした。政治基盤を失ったグティエレス政権は、司法への介入を機に始まった市民の抗議行動の中、〇五年四月二〇日議会により解任され、副大統領のアルフレド・パラシオが昇格した。

五　ボリビア――二つの革命と国家分裂の危機

ボリビアの近現代史は領土喪失の歴史でもある。海岸部の硝石地帯をめぐるチリとの戦い（太平洋戦争）ではアントファガスタを失って内陸国となり、ゴム業者によるアクレ地方の独立で広大な面積をブラジルに割譲（一九〇二年）、大恐慌後のパラグアイとの戦争ではチャコ地方を失った。対外戦争の敗北は高地に首都をもつ政府が海岸部やアマゾン低地など辺境を統治することの難しさ、国民統合の困難さを示す好例でもある。

敗北は常に内政の変動をもたらした。太平洋戦争の敗北は軍人政治からの決別と保守党優位の議会政治へと移行したが、一八九九年の自由主義者の反乱で首都がスクレから事実上ラパスに移り、三大錫財閥など自由党支配下の寡頭体制が確立した。チャコ戦争の敗北は寡頭支配を根底から動揺させ革命への道を開く。六万人の犠牲者と屈辱的な領土喪失は白人支配への反発を強め、参戦した混血将校による「軍事社会主義」を誕生させ、スタンダード石油の国有化や鉱山銀行・労働省の設置となった。四一年、パス＝エステンソロ、シーレス＝スアソなど知識人を中心に創設された国民革命運動が軍の急進派と合流、労働者、農民への支持を拡大した。その後、保守が巻き返すが、五二年四月九日ラパスで市街戦が始まり、鉱山労働者と国家警察の一部が合流し、革命義勇軍が勝利した。

革命は現代ボリビアの出発点である。だが、錫というモノカルチャー経済に依存する農業国で発生した社会革命は、最貧困国の構造的制約から脱却できず、安定した秩序を構築するには至らなかった。パスが初代大統領となった革命政権は、三大錫財閥のもつ鉱山の国有化、農地改革、普通選挙法、初等教育の無償化など、旧制度や封建的差別を撤廃し、インディオにも参政権を与えた。鉱山公社など政府部門が拡大し、サンタクルスの開発に資金が回され東部開発が始まった。農地改革でインディオは農民として統合され自作農となったが、零細農が増大し、皮肉にも都市へ流出しはじめた。労働者勢力は中央労働本部に統合され個別要求を突きつけた。労組の強大化、行政の肥大化、慢性的財政赤字とインフレ、再建された軍の政治化の中で、政治的対立と昏迷を深めていくのである。

一九六四年、革命運動の分裂を背景に軍事クーデターでバリエントスが実権を握り、八二年まで軍政の時代を迎える。七一年軍の左派のトーレスはガルフ石油を国有化し人民議会を開設、この過程で左翼革命運動が生まれた。七三年には保守派のバンセルが政権につき、労働運動を抑え、政府部門の拡大と対外借り入れに基づき東部の天然ガスの開発を進め、高成長をもたらした。だが借款依存型の開発は構造的不均衡を強め、七八年に始まる民主化は経済停滞の中で混乱を極めた。なかでもガルシア=メサ政権は、左翼活動家に対する人権侵害と麻薬マフィアとの露骨な関係から国際的に孤立した。

八〇年に行われた総選挙は八〇年代以降の政治地図の基本をなした。中道のパス=エステンソロの国民革命運動、シーレス派が左翼革命運動や共産党と結成した人民民主連合、またバンセルが結成した保守派の民族民主行動党である。八二年、八〇年選挙で選ばれた議会が招集された結果、シーレスが大統領に選出され民政移管が実現した。破綻した経済を引き継いだシーレスは左派や労組を支持基盤としたため有効な対策をとることができず、ハイパーインフレと不況を深め、与党も分裂し、シーレスは混乱を解決するため任期を一年短縮して総選挙を行った。

一九八五年、二万四〇〇〇%のインフレと経済破綻に直面したボリビアを変えたのは、七七歳の革命指導者パス=エステンソロである。国際支援と抜本的な経済転換が必要と認識したパスは、ハーバード大学のジェフリー・サックスを顧問に迎え、国家再建を賭けた新経済政策を発動した。価格自由化、緊縮財政など徹底した改革が断行され、鉱山公社の労働者は三万人から七〇〇〇人に削減された。ゼネストで対抗した労組には、戒厳令と指導者の逮捕をもって臨み、議会ではバンセル派の協力を得て、パスは革命で自ら建設した国家主導の開発体制を転換したのである。新経済政策は八九年左翼革命運動のパス=サモラ政権下でも維持され、九三年には政策導入の責任者である企業家のサンチェス=デ=ロサダが先住民運動トゥパク・カタリの指導者カルデナスを副大統領に擁立して当選した。「資本化」と称する民営化を進めて外資導入をはかるとともに、中央政府の資源と権限を地方に委譲し、大衆参加法により貧困層の開発への参加を促進した。八五年を機にボリビアは安定した経済と民主政治の新たな時代に転換し、世代交代も進んだ。しかし、経済は安定したものの内陸国は成長要因に乏しく、また貧しい高地農村と大豆など輸出農業をもつ東部との格差は拡大し、天然ガス開発は雇用を生み出さなかった。高地貧困層の不満は無党派の運動が吸収したが、道路封鎖などの直接的な抗議行動をも高めた。

高度成長、腐敗一掃、違法コカ栽培の根絶を公約して当選した元軍人大統領バンセルの施政下で新経済政策は試練に直面する。麻薬対策の影響もあり九九年以降一人当たりの経済成長は一転マイナスとなり、失業率は任期中に倍増した。二〇〇〇年四月コチャバンバでの水の民営化を機に大規模な社会騒乱が起き、一〇月にはアメリカの援助で行われたコカ葉の根絶政策に反発して全国的な反政府動員となった。タリハ県では西半球第二位の天然ガスが確認されたが、好機を活かせないままバンセルは病気で辞任、キロガ副大統領が大統領に昇格した。かつて領土を割譲したチリに対する国民感情からして、政権にはチリ経由での対米ガス輸出の決定を下す能力はなかった。

二〇〇二年の選挙は政治地図を激変させた。二期目を狙った国民革命運動のサンチェスは二二％の得票率で首位を守ったが、社会主義運動の先住民系候補エボ・モラレスが肉薄した。先住民系政党は議会で四分の一を越す議席数を獲得する歴史的躍進をはたした。社会主義運動はコカ撲滅反対運動として急速に勢力を伸ばし、経済政策の変更、資本化企業の再国有化など八五年に確立した新経済政策への全面的挑戦を迫った。サンチェスは左翼革命運動と連立し、生産の回復、雇用対策を優先する政策を掲げたものの、一期目と異なり統治能力を欠いていた。翌年一月にはコカ栽培農民と治安軍が衝突、二月には政府の課税案に反発して警察がストライキに入ったため略奪が発生、警察と軍が応戦した。八月チリ経由でのガス輸出に突破口を開こうとするが道路封鎖など大規模な反政府抗議行動が展開し、一〇月一七日サンチェスは辞任しアメリカに脱出した。一連の抗議行動で犠牲者は一〇〇人を超えた。

副大統領から大統領に昇格したカルロス・メサは、批判を浴びた既成政党から独立して政府を樹立し、チリとの間での海への出口問題を再び外交の争点としたほか、天然ガスに関する国民投票を実施して信任を得るなど高い支持率に支えられた。しかし議会での基盤を欠いたため、焦点の炭化水素法の改正は、道路封鎖を構えて国有化を要求する先住民系を中心に議会が外資に対し五〇%の開発権を要求したため暗礁に乗り上げた。一方、天然ガスや大豆など輸出産業を抱える東部サンタクルスでは、反資本主義的な高地の先住民の圧力に政府が屈して投資と輸出機会が失われるのを恐れ、自治権獲得を求める動きを急進化させた。外資反対を訴える先住民と、外資促進のため先鋭的な分権化を求める地域主義の台頭の中で政府は完全に統治能力を失い、二〇〇五年六月六日、メサは遂に辞任し、最高裁長官エドゥアルド・ロドリゲスが暫定大統領に就任、一二月大統領・議会選挙が行われる予定となった。

六　ペルー――軍による革命、日系人政権から先住民系政権へ

インカ帝国の中心であったペルーは南米植民地支配の中心でもあり、独立戦争においても最後まで王党派勢力が残る保守主義の牙城であった。独立はボリーバルなど外部勢力によって達成され、ペルーは独立の英雄をもたない。大土地所有制と多様な天然資源を権力基盤とした伝統的寡頭勢力は、外資との連携の中で強い影響力を保持しつづけた。しかし一九六〇年代以降改革の嵐が吹き荒れ、急速な都市化と社会改革の中から民衆層が政治社会の主体として台頭している。激しい変化と長く続いた危機状況はフジモリという無名の日系人を大統領に押し上げたが、その体制も崩壊した。もともと統合度の弱い国で制度的分解が進行しており、新しい秩序形成の地平は見えない。

旧制度を変革し民族主義的発展を目指す動きは、一九三〇年からアヤデラトーレ率いるペルー・アプラ党（アメリカ人民革命同盟から発展した政党）によって担われたが、改革は寡頭層に阻まれた。反米帝国主義を掲げたアプラ党の登場以来、寡頭層、軍、アプラ党という三勢力を軸に政治は展開し、旧体制の利益を擁護する軍によってアプラ党が弾圧された。五〇年代半ば、寡頭層出身のプラド政権にアプラ党が取り込まれると政治構図は大きく変化した。輸出ブームによる都市化などの社会変動、高地での土地占拠など急進主義を背景に生じた権力構図の変化であり、新たに登場した人民行動党など中間層を主体とする政治勢力と軍内の革新派が合流した。六二年、アプラの政権獲得を阻止するため介入した軍事評議会は国家企画庁を創設し、改革の意思を翌年ベラウンデ政権に託した。

ベラウンデは政府部門を拡大し輸入代替工業化を進め、穏健な農地改革に着手したが、議会を支配したアプラ党の反対で後退した。

改革は、フアン・ベラスコ将軍率いる軍によって急進化した。一九六八年一〇月ベラウンデを追放した軍事革命政府は、ただちにスタンダード石油の子会社（国際石油会社）を接収し、翌年には徹底した農地改革に着手し、海岸部や高地の大農園を協同組合に転換させた。寡頭層の権力基盤を奪い、電力、通信など基幹産業を国有化して米系外国資本の影響力を大幅に減退させた。輸入代替工業化を推進し、企業の経営や利潤への労働者の参加促進やスラム改革など住民参加型・自主管理型の開発は注目を集めた。「ペルー型社会主義」を標榜した政権は社会主義圏との外交関係を開き、アンデス共同市場の外資規制に指導力を発揮し、非同盟諸国会議への参加など積極外交を展開した。だが七三年、ベラスコが病気で倒れると軍内対立が顕在化し、新聞の国有化など社会主義への傾斜が強まった。財政赤字拡大や対外債務増大など構造的不均衡が蓄積する中、七五年八月ベラスコ派を引き入れてモラレスが実権を握り、アプラ党や国際機関と関係を修復するなど修正路線に転じ、民政移管を進めた。アプラ党主導で制定された七九年憲法は、混合経済体制、農地改革、非識字層への選挙権拡大など改革を反映するものであった。

軍による一二年間の改革は寡頭支配体制を終焉させた。改革は五〇年代から始まった高地農村から海岸部都市への人口移動にともなう激しい社会変動に拍車をかけた。リマへの人口流入は七〇年代にピークに達し、都市は農村出身層を引きつけて急速に膨張し、周辺にスラムを広げたが、改革は都市民衆層に意識変革をもたらした。しかし軍の改革は、旧秩序を破壊しながら新たな政治秩序を形成するには至らなかった。その影響力は、分散した多様な左翼政党の中に断片的に残ったにすぎず、八〇年の民主化では人民行動党やアプラ党などによる旧来の政党政治が復活することとなる。

新たな状況の中で期待を集めて復活した民主主義は未曾有の危機をもたらした。第二次ベラウンデ政権は経済自由化を進めたが、政府部門を拡大する財政拡大策をとり、八三年にはマイナス一二％の経済危機に突入し債務不履行に陥った。民政移管に合わせて南部アヤクーチョで武装闘争を始めた毛沢東主義派ゲリラ「センデロ・ルミノソ

（輝く道）」は軍の介入の後、全国に勢力を拡大した。八四年キューバ型のトゥパク・アマル革命運動（ＭＲＴＡ）が都市で活動を開始した。こうした危機下で民衆層の支持を誘導したのは三六歳のアラン・ガルシアである。八五年、結党六〇年にして単独で初めて政権を手にしたアプラ党の青年指導者は、反帝国主義という党の原点に帰り反米自立外交を展開し、債務支払い制限を打ち出して国際金融界と対決した。価格統制と賃金上昇、補助金政策や保護主義による工業化で前半は高成長をとげたが、国際孤立を深め、八七年の銀行国有化で国内孤立も決定的となった。外貨の払底と財政赤字の拡大で、八八、八九年と四桁のインフレ、成長率も二年連続マイナス一〇％の経済破綻をまねいた。

一九九〇年、三〇年前の水準に下落した国民所得と貧困の拡大、ハイパーインフレ、膨れた延滞債務と国際孤立、首都機能を麻痺させるほどのテロの拡大など危機状況に直面し、政府は統治能力を失っていた。危機の深刻さは政党政治への不信と国民の絶望感をつのらせ、既成政治の局外にいた無名の日系人候補を元首に押し上げた。無党派の「変革九〇」を率いたアルベルト・フジモリは、保守政党をまとめ徹底した市場改革を訴えた対立候補の作家バルガス＝ジョサを決選投票で破る劇的な当選をはたした。

ペルーのアルベルト・フジモリ元大統領

未曾有の危機を背景にフジモリは、厳しい経済安定化政策と市場改革に取り組んだ。公約とは矛盾するものだったが、国際機関や先進国の支援の下、価格・貿易の自由化、民営化、土地保有の自由化など徹底した改革を行い、国家企画庁を解体した。この過程でフジモリは九二年四月、軍を動員して国会を閉鎖、憲法を停止して非常国家再建政府を樹立し、秩序回復を望む国民の圧倒的支持を獲得した。政府は経済改革を進めるとともに、軍事・法的手段を駆使して治安対策に乗り出し、グスマンら指導層の逮捕と組織壊滅にこぎつけた。民主主義回復を求めた米州機構に応え、民主制憲議会選挙を行って過半数を確保し、一院制、連続再選、自由主義経済体制を盛り込む九三年憲法を国民投票を経て成立させた。治安の好転と民営化で外資が流入、九三年以降三年間で平均八・五％の高成長をとげ、七〇％を超す高支持率を維持した。九五年、前国連事務総長のデクエヤル候補を破り再選を決めたのである。

だがフジモリは過半に達する貧困層の生活条件の改善に向けた持続的発展への制度基盤の整備と、それを可能とする政治運営という二期目の課題でつまずいた。長期政権を目指す強引な政治手法は民主制度を歪め、九六年日本大使公邸事件の武力解決後その傾向を強めた。経済悪化にともない支持率は下がり、改革にもブレーキがかかった。九八—九九年にかけ経済はゼロ成長に落ち込み、三選をめぐり財政赤字が拡大、政治対立が高まる中で外国投資は大幅に減少した。二〇〇〇年選挙の決戦投票では、反独裁を掲げるトレドが不正を理由に出馬せず、米州機構も選挙監視から撤退するという内外の反発をよそに、フジモリは選挙を強行して三期目を手にした。だが、発足から二カ月後、腹心のモンテシノス顧問が議会多数派工作で野党議員を買収する場面が暴露されると、フジモリは早期退陣を表明した。議会で与野党勢力が逆転する中、一一月立ち寄った日本で辞任し、議会から罷免される。フジモリは日本国籍が認定され、以来、引渡し要請が出されても、事実上亡命の形で日本に留まっている。軍に支えられ、個人に集中した支配の正当性を、制度的なものに転化できないまま、不名誉な中で初の日系人政権は崩壊した。

日系人の次は先住民出身者に大統領の座が移った。民主化の旗手として登場したトレドは、大規模な雇用創出と「貧困との全面戦争」を謳い、経済活性化など多方面に公約をばらまき信頼を失った。四年越しの不況の中、国際機関との協力の下で財政規律を維持せざるを得ず、市場の疑念を払拭するため経済運営を国際派テクノクラートに委ねざるを得なかった。公約とのギャップは、公約の実現を政府に突きつけるストやデモを日常化させ、南部電力公社の民営化反対の抗議のように、時に暴動的性格を強めた。個人や親族を巻き込むスキャンダル、閣僚の腐敗や不祥事も相次ぎ、支持率は一年目で一〇％台に落ち込み、二年目以降は一桁台で低迷した。一方経済は、フジモリ時代の改革を背景に国際経済の回復という追い風をうけ、鉱山や天然ガス開発などの巨大プロジェクトに牽引され〇一年後半から回復基調に入った。麻薬撲滅協力の見返りに繊維アパレルに市場開放したアメリカのアンデス通商促進麻薬撲滅法の発効が、製造業を押し上げた。経済成長率は〇二年から四～五%を維持しているが、鉱山エネルギー部門に牽引された成長は、一〇%と高止まりしている失業率などミクロ経済上の不満を解消できないでいる。

七　チリ――発展のモデルとなりうるか

比較的厚い中間層、高い教育水準、安定した民主政治の基盤をもつチリは地域の羨望の的であった。七〇年アジェンデ政権が誕生したとき、世界は「平和裏の社会主義への実験」として注目した。それが軍事政権に倒れ、弾圧と排除が加えられ原理的な経済自由主義へと移行したとき、その徹底さに世界は目をそむけたものである。だが七〇年代半ばから行われた市場経済への改革は、八五年以降輸出経済に支えられた六%以上の持続的成長をもたらし、九〇年からの民主政治の復活と再生を乗り切ったとき、チリは地域の改革の目標として再び脚光を集めた。

この地域に現れた政治経済改革がチリほど徹底して進んだところもない。大恐慌後の一九三二年から七三年のアジェンデ政権が倒れるまでの約四〇年間は、多党化の下で競合的な政党政治が定着し民主化が進んだが、政党間の激しい競合化は社会対立を深め、最終的には民主政治それ自体を崩壊に追い込んでいく。まず一九三八年、急進党を中心に中道から左派の統一による人民戦線政府が誕生し、国家の指導下で経済発展と工業化を推進する目的で開発公社が設立され、その後のチリの産業発展の牽引役を果たした。

政党政治の競合の条件が整ったのは五〇年代である。女性参政権、秘密投票の保障など選挙法改正が行われ、支持票を求めての女性層や農村への政党間競争が強化された。冷戦の到来により制定された「民主主義防衛法」が撤廃され共産党が合法化されたことで、サルバドル・アジェンデを擁立する左派連合が姿を現した。五七年にはキリスト教民主党が誕生し、中道の改革勢力として急進党に代わる地位を急速に獲得していく。翌年の選挙では、保守、自由両党から擁立されたアレサンドリが当選したが、一位にアジェンデ、三位にキリスト教民主党のエドゥアルド・フレイがつけ、チリ政治の保守、左派、中道という構図が確立した。左翼の伸張を前に保守層の支持をうけたフレイ政権が六四年に誕生するが、「自由の中の革命」を掲げたキリスト教民主党政権はアメリカの支持をうけ、銅産業の「チリ化」政策、農地改革、重化学工業化など輸入代替産業の高度化、教育の普及など社会政策を進めた。だが改革を通じて農村やスラム住民の組織化をはかる動員型政治手法は、左翼勢力との競合をいっそう強めることとなり、改革を急進化させて保守層の反発を煽る結果となった。

一九六六年に国民党として合同した保守、自由両党は七〇年選挙でアレサンドリを再度担ぎ上げたが、社共を軸とする人民連合のアジェンデが三六%の得票率で首位となった。国会の決選投票で、キリスト教民主党は表現・教育・宗教の自由などの保障を条件に人民連合政権の誕生を承認したが、三分の一の得票率で選出された政権が、立憲制度の下で性急に進めた社会主義化は民主政治を修復不可能な地点まで追い込んでいく。政府は農地改革を加速して支配権力の打破にかかり、アメリカ系の五大銅鉱山やITTなど基幹産業の国有化を加速した。公共支出を拡大して雇用創出をはかり、労働者の購買力を上げるため賃金を大幅に上昇させ、同時に物価を統制し為替レートを固定した。この政策は低インフレと高成長をとげたものの、財政赤字はインフレ圧力を増し、資本も逃避し、アメリカの経済制裁もあり外貨準備は払底した。キリスト教民主党との協調も失われ、国有化への制約や閣僚罷免など改革の阻止を試みようとする野党との間で対立が激化し、反政府ストや労働者の企業占拠など、テロを交える騒然とした状況を迎えた。九月一一日、陸海空三軍と警察によるクーデターでアジェンデは死亡、人民連合政府は倒壊した。

アウグスト・ピノチェット陸軍司令官を議長とする軍事評議会は戒厳令の下、徹底した秩序回復をはかった。人民連合派に対する報復的弾圧を行い、おびただしい人権侵害が発生した。政党活動の禁止、組合の解散など徹底した脱政治化を行い、改革は教育の現場まで及んだ。七四年ピノチェットが大統領に就任すると、議会制民主主義の否定に基づく軍の長期支配が明確となり、八〇年には新憲法草案が国民投票で承認され、軍政は合法性を確保した。経済政策はシカゴ・ボーイズと呼ばれたマネタリストの手に委ねられ、総需要抑制によるインフレの克服を行った後、徹底した経済自由化に着手した。国有化や農地改革で収用された企業や農地が元の所有者に戻され、三〇年代以降積み重ねられた輸入代替工業化政策や国家介入策は根本から否定された。しかし改革は経済再建には一定の成果を収めたが、八二年債務危機からマイナス一二％の経済不況に陥り、反軍政への抗議運動に火をつけた。政府はこの危機を収拾する中で、原理主義的な自由主義路線から、プラグマティックな経済路線に転換する。八五年以降ブュッヒ大蔵大臣の下で経済界との精力的な調整を行い、変動相場による為替水準の維持、短期資本の流入の抑制、国内貯蓄の増加、年金改革、輸出振興策などを実施し、チリ経済は多角化された輸出産業の伸びに基づく持続的な回復基調をたどり始めたのである。

反軍政の抗議運動が断続的に繰り返された八八年には、憲法に基づいて実施された信任投票で軍政が継続されることは否定され、翌年一二月大統領選挙が行われた。反軍政の連合体、民主連合から擁立されたキリスト教民主党のパトリシオ・エイルウィンが、軍政の後継者で蔵相のブュッヒを破って当選し、九〇年三月、一七年ぶりに民主政治が復活した。エイルウィン政権の与党は、社会党、民主主義のための政党などを含む反軍政派勢力の大連合であるが、国民和解、人権問題への取り組みを示して民主政治の定着につとめ、経済政策では企業家層との対話を進め、軍政時代の自由主義経済の基本を踏襲して資本家の信頼をつなぎつつ、労働法の改正、税制改革を通じた社会政策の充実をはかる独自の政策を展開した。九四年の選挙では、与党連合からキリスト教民主党のエドゥアルド・フレイが当選し、自由主義経済の継続とともに、民主政治の強化に取り組んだ。九九年には同じ与党民主連合からリカルド・ラゴスが当選し、アジェンデ後初めての社会主義系の大統領の誕生となったが、そのもとで軍政時代の人権問題において改善を図りながら、市場経済の発展に努め、安定した経済発展の歩みを続けている。流血をともなった過去の苦い経験への反省に立ち、政治勢力は中道化指向を強め、制度的発展を基礎に対話を通じた民主政治の基盤を固めている。

資源の開発と輸出に基づく持続的成長の下で貧困人口は半減した。軍や保守派勢力におけるピノチェット離れも進んでいるが、軍に対する文民統制、選挙制度などの軍政の遺制の克服という難問が残っている。そうした問題が民主的枠組みの下で解決され、また天然資源開発型の発展が環境との両立を図りつつ持続的成長をとげ、雇用を確保してより公正な所得分配をともなうとき、チリはラテンアメリカの発展モデルとして真に評価されるであろう。

【参考文献】


細谷広美編『ペルーを知るための62章』(明石書店　二〇〇四年)　ペルーについての幅広い概説。同じシリーズからボリビア、エクアドル等についても出版が予定されている。

村上勇介『フジモリ時代のペルー』(平凡社　二〇〇四年)　現代ペルーの政治過程とフジモリ政権を分析した研究書。

遅野井茂雄／村上勇介編『現代ペルーの社会変動』(国立民族学博物館地域研究企画交流センター　二〇〇五年)　現代ペルーの社会変動を多面的に分析した論文集。

小倉英敬『封殺された対話』(平凡社　二〇〇〇年)　日本大使公邸事件について広い視点から分析したペルー論。

国際協力機構『ボリビア　国別援助研究会報告書』(国際協力機構　二〇〇四年)　ボリビアの開発に関する多面的な分析。

細野昭雄／松下洋／滝本道生編『チリの選択　日本の選択』(毎日新聞社　一九九九年)　現代チリの政治経済について分析。

伊高浩昭『コロンビア内戦』(論創社　二〇〇三年)　暴力の深層と過程、内戦についての最新情勢をフォロー。

ウーゴ・チャベス『ベネズエラ革命』(伊高浩昭訳　VIENT　二〇〇四年)　チャベス大統領の演説集。

アルベルト・フジモリ『大統領への道』(中央公論新社　二〇〇三年)　元大統領の回想録。

リベラ・クシカンキ『トゥパク・カタリ運動』(吉田栄人訳　御茶の水書房　一九九八年)　ボリビアの先住民運動を理解するために不可欠な文献。

第一〇章　ラプラタ地域

●今井 圭子

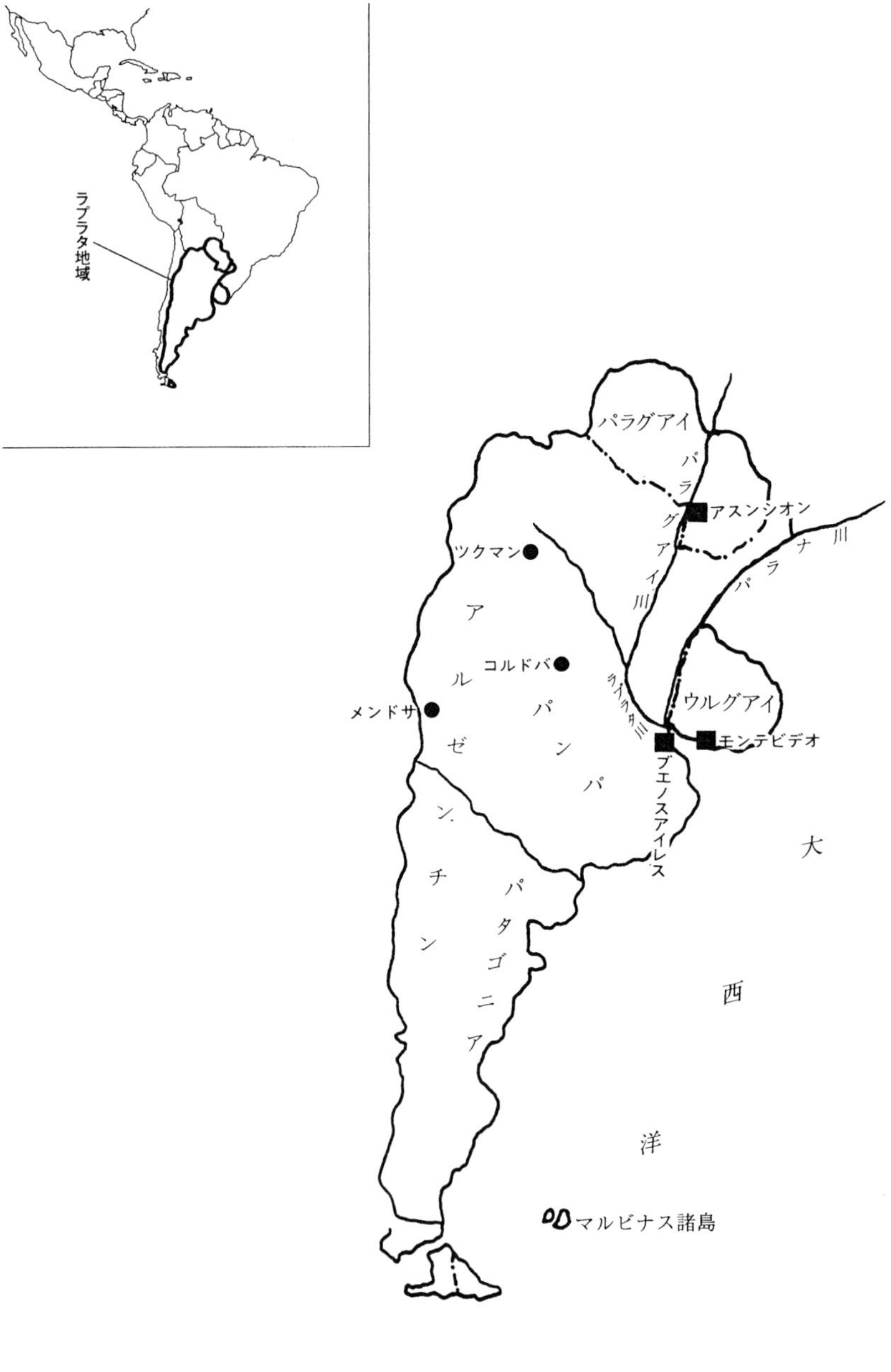
ラプラタ地域
パラグアイ
パラグアイ川
アスンシオン
パラナ川
ツクマン
コルドバ
メンドサ
アルゼンチン
パンパ
ラプラタ川
ウルグアイ
モンテビデオ
ブエノスアイレス
パタゴニア
大西洋
マルビナス諸島

序　ラプラタ地域をとらえる視点

ラプラタ川で結ばれた地域

ラプラタ川水系（ラプラタ川とそれに合流する諸河川を含む）はアマゾン川に次ぐ南アメリカ大陸第二の大河で、海と間違えられるほど広大な川幅と豊かな水量に恵まれ、流域面積では世界第四位、水量では世界第二位を誇る。ラプラタ川にはパラグアイ川、パラナ川、ウルグアイ川の三大河川とその他多くの中小河川が合流し、それらは輸送航路として、また水源として重要な役割を果たしてきた。このラプラタ川の流域には、アルゼンチン、ウルグアイ、パラグアイの国々があり、それらはラプラタ三国と呼ばれている。

スペイン植民地支配の辺境

ところでラプラタとはスペイン語で「銀」を意味し、その名称の由来は一六世紀初めにさかのぼる。すなわちアメリカ大陸の征服を夢みてやって来たスペイン人探検隊一行が現在のラプラタ川をみつけ、その流域に銀の装飾品を身につけた先住民が住んでいたことから、その川をラプラタ川と名づけ、その流域はラプラタ地域と呼ばれるようになったとされている。このラプラタ地域の歴史はラプラタ川と深い関わりをもち、一六世紀初めから一九世紀初めまでの約三〇〇年間、スペインの植民地支配をうけた。そして一七七六年にはリオデラプラタ（スペイン語で

「銀の川」の意味）副王領が設置され、ラプラタ川河口のブエノスアイレス市がその主都とされた。ところでこの地域は、スペインが求めた貴金属や熱帯産品を産出せず、植民地本国に経済的利益をもたらす要因に乏しかった。そのため植民地期には開発の遅れた辺境の地とみなされていた。

しかし文化的には注目すべき歴史をもっており、カトリックの布教のためヨーロッパから派遣された宣教師たちによって先住民の教化集落（レドゥクシオン）が建設された。そこではカトリックの信仰に根ざすイエズス会士と先住民の共同生活が営まれ、宗教、文化のほかにも牧畜や農業、手工業などの生産活動が展開された。教化集落には教会、広場、宣教師と先住民の住居、教室、工場、作業場、農牧地、墓地などがあり、教化集落はとりわけパラグアイに数多く建設された。そのいくつかは遺跡として現在も保存され、ありし日の活気に満ちた共同生活の一端を伝えている。

南米初の独立から一次産品輸出国へ

スペイン植民地の辺境であったラプラタ地域は、独立に際しては逆に先駆的な活動を展開し、一八一一年、南アメリカ大陸最初の独立国パラグアイを誕生させた。次いで一八一六年にはアルゼンチンが独立し、その後独立軍は現在のチリやペルー、ボリビアに向かい、その独立闘争を支援した。またウルグアイはスペイン、ポルトガル、アルゼンチン、ブラジルの干渉をうけ、独立への道は曲折をたどったが、一八二八年にようやく独立を達成した。

ラテンアメリカ諸国の中では比較的早い時期に独立を達成したラプラタ三国は、独立後異なった条件の下で政治の安定、経済の開発に向けて国造りを進めていった。その過程は後に述べるように三国三様であったが、いずれの場合も第一次産業を育成し、農牧林産品輸出を牽引車とする経済発展を目指してきたのである。

熾烈な戦争を経て協調へ

独立後三国は時に応じて複雑な政治関係を取り結んだが、なかでも特記しなければならないのが一八六五年から七〇年にかけてのパラグアイ戦争（三国同盟戦争ともいう）である。この戦争は独立後政治不安が長く続いたウルグアイの内紛に端を発し、ブラジル、アルゼンチン、パラグアイをまき込んで拡大していった。そして建国途上にあるラプラタ三国に大きな打撃をもたらし、なかでもアルゼンチン、ブラジル、ウルグアイ三国の同盟軍と交戦したパラグアイの場合が著しく、その人的、物的損失からの回復には長い歳月を要した。

この戦争の後、ラプラタ三国は相互に大きな戦闘を交えることなく現在にいたっており、政治、経済、社会、文化各方面にわたって多角的な交流が展開されてきた。とくに第二次世界大戦後にはラテンアメリカ地域協力のための組織作りが精力的に進められ、ラプラタ諸国も積極的な取り組みをみせた。なかでも注目しなければならないのは、一九九五年一月一日に発足した南米南部共同市場（メルコスル）で、それはラプラタ三国にブラジルを加えた加盟国間の経済障壁を取り払って域内貿易、域内投資を拡大し、加盟国の経済発展を促すことを目的としている。またこうした経済協力に加えて政治面での政策協調の場ともなり、加盟国間の交流と協力の進展を目指している。

一　アルゼンチン——脱農牧業立国への模索

自然環境と社会

南アメリカ大陸の南部に楔型状に広がるアルゼンチンは日本の七倍に及ぶ広大な国土を有し、ラテンアメリカ諸国の中では第二位の広さをもつ国である。国土の大半が温帯に位置し、国の中央部には肥沃な土壌に恵まれた大平原パンパが開け、それはラプラタ川と適度な降水量に潤され、まさに農牧業には絶好の条件を備えている。国土は南北に長く延び、気候は亜熱帯、温帯、寒冷、乾燥気候と変化に富み、それが多様な植生、農作物を育ててきた。

アルゼンチンの人口は三八四〇万人（二〇〇三年）、日本の人口の三割強である。また人口増加率は、一・三％（一九九〇—二〇〇三年平均）と低い。人口の九七％が白人によって占められ、非白人人口はきわめて少ない。そして白人人口の大半はイタリア系とスペイン系で、残りはイギリス、ドイツ、フランス、中央ヨーロッパ系からなる。

大量のヨーロッパ移民を受け入れたアルゼンチンは、政治、経済、社会、文化とあらゆる分野でヨーロッパから大きな影響をうけてきた。国民の大半がカトリックを信仰し、ヨーロッパ型教育制度が普及して国民の教育はラテンアメリカの最高水準にあり、成人識字率も九七％と先進国に近いレベルに達している（二〇〇二年）。そして一人当たり国民所得は三六五〇ドル（購買力平価表示では一万九二〇ドル、二〇〇三年）で、平均寿命は七四歳（二〇〇二年）に達している。また生活習慣の中にもヨーロッパのものが広く取り入れられ、ブエノスアイレスのコロン劇場は世界三大劇場の一つに数えられ、ヨーロッパ文化の殿堂として人々に親しまれてきた。またブエノスアイレスは「南米のパリ」と呼ばれ、碁盤目状の街並にはヨーロッパ風の瀟洒な建物が建ち並ぶ。

こうした欧化主義の傾向とは逆に、土着文化、土着社会の価値を再確認して、アルゼンチン人のアイデンティティを追求しようとする民族主義的活動もみられる。パンパの牧童ガウチョをアイデンティティのシンボルとする文化運動、ブエノスアイレスの場末に下層社会の音楽として誕生したタンゴ、各地域独特の伝統、習慣、文化を盛り込んだ民族音楽（フォルクローレ）も、ゆっくりではあるが地道にアルゼンチン社会に根づいている。

独立から建国へ

アルゼンチンという国名はラテン語で「銀」を意味し、その由来は前述のラプラタという言葉に求められる。ラプラタ地域は独立によって三カ国に分けられたが、その一つの国名にアルゼンチンが採用されたのである。

ところで一五世紀末世界を二分割する条約を結んだ二大覇権国スペインとポルトガルは、イギリス、フランスが台頭する中で覇権国の地位を奪われ、凋落の道をたどることになった。スペイン帝国の衰退はラテンアメリカ各地域の独立気運を盛り上げ、リオデラプラタ副王領でも一八一〇年、ブエノスアイレス市議会が副王領の廃止と自治政府の樹立を宣言し、独立闘争が開始された。独立軍はサン＝マルティン将軍の指揮の下、果敢な戦いを展開し、一八一六年には内陸部のツクマン市議会でリオデラプラタ諸州連合の独立を宣言した。独立後のアルゼンチンは建国をめぐる多くの課題を抱えており、政治、経済上の対立や地域間抗争が渦巻いて一貫した政策の実施を阻んでいた。なかでも重大であったのが、国家統合と経済政策をめぐる見解の対立であった。まず国家統合については、ブエノスアイレス州に権限を集中しようとする中央集権派と、各州に同等の権限を与えようとする連邦派が激しく対立した。また経済政策については、一つは貿易政策をめぐる自由貿易論と保護貿易論、もう一つは関税収入をブエノスアイレス州の財源に組み入れようとする説と、連邦政府の財源とする説に分かれた。

これらの見解の対立は複雑に絡み合って政争へと拡大し、合意形成には長い歳月を要した。そして一九世紀半ばから一八八〇年にかけてようやく次のような事態の収束をみることになった。一八五三年に制定された憲法、これはその後若干の修正を経て現行憲法として継承されているが、この憲法に連邦制に基づく国家統合と自由貿易政策の導入が明記された。また関税収入は次のような複雑な経緯をたどった。すなわち首都でありブエノスアイレス州の州都であるブエノスアイレス市を連邦区に移管してブエノスアイレス州と切り離し、州都を別に定めることにより連邦制を完成する。そして関税収入を連邦財政に組み入れることにより連邦政府の財政基盤を強化し、また国内各州への税収の公正配分を考慮するというものであった。当時アルゼンチンの財政収入の大半が関税収入によって占められていたことを考えると、関税収入の帰属問題はきわめて重要であり、連邦制の基礎固めは一八八〇年にブエノスアイレス市を連邦区とし、関税収入を連邦政府に帰属させることにより、一応制度上の完成をみたのである。

経済自由主義と農牧産品輸出経済

アルゼンチンでは、貿易政策論争を経て一九世紀半ばには自由開放的な経済政策が優勢となり、国際経済の枠組みの中で、対外競争力をもつ比較優位産業を育てることが経済政策の中心にすえられるようになった。こうした経済開発の思想と政策を提起した代表的な論客で、かつこの国の経済政策に多大な影響を及ぼした人物として、J・B・アルベルディを挙げることができる。彼は国内にあるより潤沢な生産要素を使う産業に特化し、輸出産業に育てることを提唱した。そしてアルゼンチンは、広大な土地を使う農牧業に特化し、希少な労働力や資本はヨーロッパから受け入れ、その資本で第三次産業、とりわけ商業、金融、保険、輸送などの分野を整備すべきであると考えた。さらに国内外の経済取引を自由化し、交易の活性化を促すことが重要であるとした。

アルベルディが提唱した開発の思想と政策は一八五三年憲法に生かされ、一九二九年の世界恐慌前まで経済政策の基本線をなしていた。そしてこうした経済自由主義政策の下、ヨーロッパから労働力、資本、技術が積極的に導入され、パンパの開発が急テンポで進められた。なかでも最大の投資国となったイギリスは、パンパの四大主要幹線鉄道をすべて所有、経営した。また移民の多くはイタリア、スペインなど南ヨーロッパ諸国に求められ、パンパに送り込まれて農牧業に従事した。一八七六年には自作農創設を目指す通称アベリャネーダ法が制定され、政府は移民が土地を得て定住し、農牧業に従事することを奨励した。さらに冷凍肉の製造や輸送、家畜の品種改良に関する技術をイギリスから学び、一八八〇年代以降ヨーロッパ向け冷凍、冷蔵肉輸出を拡大していった。一八六六年には農牧業生産の向上を目指す生産者組合として農牧協会が創設され、農牧業の開発を主導してきた。

政府、民間双方の積極的な取り組みにより、一九世紀半ば以降農牧場面積は急速に拡大し、農牧業生産も著しい伸びを示した。ちなみに統計データーの入手可能な一八八八年から一九二〇年にかけて三大農作物の耕地面積の変化をみると、小麦が七倍増、トウモロコシが四倍増、亜麻が一六倍増、また生産量は小麦が一八九一年から一九二〇年にかけて五倍増、トウモロコシと亜麻が一九〇〇年から一九二〇年にかけて各二倍増、四倍増、さらに牛の飼育頭数は一八七三年から一九一四年にかけて二倍増を記録している。こうしてパンパを舞台に農牧場がフロンティアまで拡大され、土地粗放的経営方法に基づいて農牧業生産は著しい伸びを記録した。こうした農牧業の開発は「パンパの革命」と形容されるほど急激な変化をもたらし、アルゼンチンは世界有数の農牧産品輸出国、「世界の食糧庫」へと成長していった。

ところでこの史上稀にみる急速な経済成長は、土地所有の集中化を促し、大土地所有制度の拡大をもたらした。ちなみに一九一四年センサス（国勢調査）によると、農牧場数で一％未満のシェアしかもたない一万ヘクタール以上の大規模農牧場が、農牧場面積では三分の一を占め、他方農牧場数で六〇％近いシェアをもつ一〇〇ヘクタール未満の小零細農は、農牧場面積ではわずか四%程度のシェアにとどまっていた。こうした土地集中の実態は現在まで温存されており、大規模農牧場では労働節約的な経営が行われてきた。そのため農村部の雇用吸収力は小さく、一九世紀末以降、農村から排出されて都市に向かう労働者が増加した。また移民も長期定住ではなく、農繁期にやってきて農閑期に帰る「つばめ労働者」と呼ばれる短期出稼ぎ型が増えるのもこの頃からである。

農牧産品輸出経済の発展にともない食品加工を中心に繊維、衣料、皮革などの製造業が育ち、また商業、輸送、金融、保険などのサービス産業も成長した。その結果、国民経済における農牧業の地位は低下し、一九二〇年代には国内総生産の三〇%、一九二〇年代前半には平均で就業人口の三六%を占めるほどであった。こうした産業の多様化は階級構造にも変化をもたらし、従来の大土地所有者と零細農、借地農、農業労働者からなる二極的階級構造に対して、中小企業経営者、サービス部門従事者を中心とする中産階級が育ってきた。そして一九一四年頃には中産階級は国民全体の三〇%近くに達していた。従来アルゼンチンの政治は、大地主や大商人、軍部の上層部など上層階級を中心に行われ、中下層階級の政治参加に対しては閉鎖的な構造をもっていた。

しかし中産階級の増大により政治参加が進み、一九世紀末中産階級を支持基盤とする急進市民党が結成された。同党は今日の急進党の前身で、全国的組織をもつアルゼンチン初の政党である。そして従来の有産者階級に限定された選挙方法を改め、成人男子全体に選挙権を与える普通選挙権獲得闘争を続け、一九一二年、普通選挙法の制定を達成した。さらに一九一六年、アルゼンチン史上初めて普通選挙が実施され、その結果急進党政権が誕生した。急進党政権は、従来の上層階級による寡頭政治が軽視してきた課題を取り上げ、石油公社の設立など工業の育成、労働条件の改善、農業生産者への融資、国有地への入植とその開発、大学の自治と近代化を目指す大学改革など多方面の改革に取り組んだ。

このように独立後の経済自由主義に立脚した農牧産品輸出経済の形成は、ヨーロッパから大量な移民を吸収するほど高い成長率で進められ、その過程で大土地所有制度が拡大していった。それは大地主や大貿易商の下に富を集中し、貧富の格差を拡大するものであった。そして対外的にはアルゼンチンは貿易、投資、技術導入を中心にイギリスとの関係を深め、その食糧供給基地として、イギリスを中心国とするパクス・ブリタニカの一翼を担った。こうした関係から、アルゼンチンはイギリスの「非公式帝国（インフォーマル・エンパイア）」と呼ばれ、イギリス経済の発展とともに急速な経済成長を達成したが、他方その停滞からも大きな影響をうけることになった。

世界経済のブロック化と輸入代替の工業化

世界恐慌を契機として世界は自由開放政策を放棄し、ブロック化に向かった。イギリスは一九三一年金本位制から離脱し、翌三二年には大英帝国会議で締結されたオタワ協定に基づき、大英帝国経済圏を組織した。イギリスを中核とする経済ブロックから締め出されたアルゼンチンは、さっそくイギリス政府と交渉を開始し、経済関係の修復に乗り出した。交渉はアルゼンチン側に著しく不利で難航したが、一九三三年、アルゼンチンが対英牛肉輸出市場を確保することにより双方の合意が成立した。しかしそれと引き換えに、アルゼンチンは対英関税を引き下げ、イギリスからの石炭輸入に対する免税、在亜イギリス企業の優遇など、多くの譲歩を強いられることになった。この協定は両国交渉代表の名にちなんでロカ・ランシマン協定と呼ばれたが、そのイギリスに対する大きな譲歩に対して、アルゼンチン国内では左右両派のナショナリズム勢力から激しい非難がまき起こった。

世界経済のブロック化により自由多角的な国際貿易体制は崩壊し、農牧産品輸出に立脚したアルゼンチン経済は、厚い壁に突き当たることになった。農牧産品を輸出して工業製品を輸入する従来の貿易パターンは、世界経済のブロック化により、もはやうまく機能しなくなり、工業製品の国産化が不可避になってきた。こうしてアルゼンチンは輸入代替の工業化政策を実施することになったが、この政策は、第二次世界大戦の勃発によりさらに重要性を増し、軽工業から重化学工業へと工業化の分野が拡大していった。その過程で工業労働者も増加し、彼らは政治勢力として力をもつようになり、労働者階級に支持された新しい政党が生まれることになったのである。

ペロン党政権のナショナリズムとポピュリズム

第二次世界大戦後の一九四六年から五五年にかけて、労働者階級を支持基盤とするペロン党が政権を掌握した。ペロン党の党主J・D・ペロンは陸軍の軍人で、第二次世界大戦中にはイタリアへ派遣され、ファシズムに共感を抱いた人物である。帰国後「政治主権、経済自立、社会正義」を政治理念に掲げ、強力なナショナリズムと、資本主義とも社会主義とも異なる第三の道を提唱し、つぎつぎと抜本的な政策を断行していった。経済政策としては、外国資産の国有化、工業化、国家主導型経済開発を三本柱に、第一次五カ年計画(一九四七―五一年)、第二次五カ年計画(一九五二―五五年中断)を策定し、実施していった。

外国資産の国有化政策は、第二次世界大戦から戦後にかけて農牧産品輸出によって得られた潤沢な外貨を原資として進められた。国有化された最大の外国資産はイギリス資本が所有、経営する鉄道会社で、パンパとブエノスアイレス港を結ぶ四大主要幹線がすべて買収され、国有国営鉄道に編成替えされた。ところでこの国有化政策は、英亜両国の経済関係と当時の国際金融上の重大な課題であった封鎖ポンド処理問題を背景に、複雑な交渉過程を経てようやく実現された。すなわち第二次世界大戦で大きな被害をうけたイギリス経済は、戦後その疲弊から立ち直るのに相当の時間を要し、そのためイギリス通貨であるポンドは戦後しばらくの間他国通貨と交換することができなかった。アルゼンチンもイギリスに多額の債権をもっていたがそれをドルと交換できず、対米輸出の支払いに充当することができなかった。この封鎖ポンドの処理方法をめぐって英亜両国間で交渉が重ねられ、その過程で封鎖ポンドを鉄道買収に当てることが決定された。ところで買収額は売却するイギリス側を十分満足させるほど割高であったのである。

J. D. ペロン

鉄道に加えてアメリカの電話会社が国有化され、さらに航空、海運、港湾、水道、電力ガス、石炭、石油部門が国営、公営化された。そしてこれらインフラ部門の経営においては、低廉な公共サービスを広く国民に提供することが第一義とされ、採算制や利潤の追求は軽視、あるいは度外視された。

　またペロン政権は農牧業に過度に依存した経済を改めるため、工業の育成に力を入れ、工業化の担い手として内資企業を重視し、その保護・育成につとめた。重化学工業やエネルギー部門はかなりの部分が国営・公営企業によって担われ、アルゼンチンの工業は軽工業から重化学工業にいたるまで生産力を大きく伸ばしていったのである。

　ところがこうした経済自立を目指す政策は、いくつかの深刻な問題を生み出すことになった。その第一点が外資排斥によって引き起こされた資本不足で、国内の資本調達力が不十分なまま、外国投資は激減してしまった。第二点は工業優先政策に起因する農牧業生産の停滞で、アルゼンチンは第二次世界大戦後の世界的食糧不足の中にありながら、農牧産品輸出拡大によって外資収入を増加させる好機を逸してしまった。第三点は国営・公営企業の経営赤字で、その補塡が大きな負担となって国や州の財政にのしかかり、大幅な財政赤字とインフレ亢進の主因となっていった。これらは安定した経済成長を阻害し、国民生活の向上を阻む要因として作用するところとなった。こうした中でペロン政権の経済ナショナリズム路線は大きな壁に突き当たり、一九五五年、同政権は軍事クーデターで倒され、ペロンは国外亡命に追い込まれることになった。

　第二次世界大戦後の約一〇年間、ペロン政権は当時の経済力を背景に、政策を大胆に転換した。前述の経済政策のほかにも、社会福祉、労働者保護、労働組合の育成、貧農の保護、中小零細企業の育成、さらには女性の地位向上など、多分野にわたって画期的な政策を実施した。ペロン党は労働者階級に加えて一部の中産階級、上層階級をも支持基盤に組み入れ、ナショナリズムを提唱して階級協調をはかった。そして根本的な社会変革を避け、代わりに種々の保護、調整政策を実施して国民の生活向上をはかる、ポピュリズム路線を展開していったのである。

新たな発展モデルの模索

　ペロン政権崩壊後の政情はきわめて不安定で、選挙と軍事クーデターをはさんで民政と軍政がめまぐるしく交替し、経済政策も曲折を経た。それは一つには、軍部に代弁される保守勢力と、ペロン党および労働組合勢力との対立に起因していた。軍政は一方で左翼勢力を抑圧しながら、他方では従来からの伝統的な自由解放路線を堅持した。すなわち歴代の軍政の間で若干の差がみられるものの、基本的には軍政は政府の経済介入を極力抑え、民間主導による経済成長を基軸に、貿易の自由化、外資の積極的受け入れ、工業保護政策の撤廃と輸出産業の強化を目指した。それに対してペロン政権は左翼勢力をも支持基盤に抱え込み、基本的には経済ナショナリズム路線を継承した。それは政府主導の経済成長を基軸に、保護貿易、外資規制を強め、工業保護政策を実施してより高度な工業化を指向するものであった。こうした真っ向から対立する二大勢力の間に、中産階級を支持基盤とする急進党が中間勢力として介在し、同党は経済政策においても両者の間の中道路線を堅持した。

こうした政治勢力配置の中で、ペロン党は長い間軍政による抑圧をうけ、一九五五年の退陣から七三年の政権復帰まで、政党活動の制限や被選挙権の剝奪など、厳しい試練にさらされた。その間党の生命はペロン党系の労働組合活動によって維持され、アルゼンチンの政界では、第二政党の急進党と軍部の間の政権交替が繰り返されることになったのである。

ところで一九七三年、政治は新たな展開をみせ、被選挙権を与えられたペロン党が一八年ぶりに政権の座に返り咲いた。亡命中のペロンが帰国して大統領に選出され、国民は彼に強いリーダーシップとラテンアメリカ経済大国としての過去の繁栄の再現を望んだ。しかし時代は移り変わり、アルゼンチンの国情はもはやそれを可能にする状況にはなかった。ペロンは大統領就任後一年を経ずして病死し、その後の政権は副大統領から大統領に就任したイサベル・ペロン夫人に任された。しかしイサベル政権は石油危機、また畜産物の主要な輸出先であるヨーロッパ共同体（ＥＣ）の共通農業政策からの経済的打撃に対して適切な対応ができず、また労組による過大な賃上げ交渉に譲歩するなど、経済運営に失政を重ねた。その結果経済が著しく悪化し、それが極右、極左集団によるテロや野党の政府批判、さらにはペロン党内の分派抗争を激化させる起爆剤となった。こうしてペロン党政権は国民の支持を失い、一九七六年の軍事クーデターで脆くも崩れ去ったのである。

一九七六年から八三年まで続いた軍政は、おそらく第二次世界大戦後最強の統制力を行使し、徹底した経済自由主義を実施した政権といえよう。まず政治の安定化をはかるため戒厳令を布いて集会、政党活動、労働運動を禁止し、反軍政分子の摘発、逮捕、議会の解散、政府および主要国営企業に対する軍部の介入などを断行した。こうして治安は回復されたものの、夥しい数の人々が弾圧の犠牲となった。

治安を回復した軍政は、経済自由主義に基づき、競争原理に立脚した経済再建を目指して貿易の自由化や工業保護政策の除去、インフレ抑制政策などを実施していった。しかし国内経済はそうしたドラスティックな自由化に耐えられず、とくに製造業の衰退が著しく、多くの企業の倒産、失業率の上昇を招いた。また大幅な国際収支の赤字に加えて対外準備残高の減少と対外債務残高の急増が追い討ちをかけた。こうした政策に対する国民の批判が高まる中、軍政は一九八二年、フォークランド諸島（マルビナス諸島）に進攻してイギリスに戦争を挑み、国民の目を国外に向けようとしたが、イギリスの反撃をうけてあっけなく敗退し、軍政退陣が早められる結果に終わった。

一九八三年の民政移管後急進党が政権を担当し、次いで八九年からC・メネムを大統領とするペロン党政権が発足した。メネム政権は、低成長、超高率インフレ、失業問題、国際収支赤字、為替レートの慢性的下落、支払能力を超えた対外債務などの深刻な経済問題を抱え、その打開策として経済の自由開放化に踏み切った。一九九一年、カバロ経済相を中心に新経済計画が実施され、保護政策の撤廃、貿易・金融・資本市場の自由化、財政・金融引締めによるインフレ抑制に加えて、国営・公営企業の民営化や財政の地方分権化、さらには「兌換法」を制定してアルゼンチン通貨・ペソの為替レートを一米ドルに固定し、ペソとドルを併用することによって為替レートの安定化をめざす政策が実施された。

こうした一連の政策は新経済自由主義に依拠したドラスティックな構造改革をめざし、インフレ抑制、経済成長、財政赤字削減、国際収支の改善などにおいて一定の速効的効果を発揮したが、その反面、失業率の上昇、所得格差の拡大、貧困問題の悪化などマイナスの影響も深刻であった。とくに国営・公営企業の民営化による大量解雇や、中小零細企業の倒産などに起因する失業者が増大していった。

こうした状況のもとで一九九九年一月にはブラジルが通貨切り下げを断行したが、その政策はアルゼンチン経済に深刻な影響を及ぼし、大幅なマイナス成長を招いた。財政収入の減少により財政赤字が拡大して金融不安が高まるなか、外貨が大量に流出し、二〇〇一年一二月には深刻な通貨危機に陥ってしまった。預金引出し凍結や対外債務支払い停止により危機からの脱却がはかられたが、焼け石に水で、二〇〇二年二月にはついに一一年近く続いた「兌換法」が廃止され、一ドル＝一ペソの固定相場制にかわって変動相場制が採用されることになった。こうしてペソの過大評価が実勢レートに戻されることにより経済が活性化し、二〇〇三、〇四両年にはプラス成長に転じたが、通貨危機以前の経済水準までには未だ回復していない。

一九五五年ペロン政権失脚後のアルゼンチンでは経済政策は曲折を辿り、政情不安が続いたが、一九九〇年代以降新経済自由主義に基づく急激な「構造調整政策」が実施され、その政策は経済自由開放化のモデル・ケースとして新自由主義論者から高い評価をうけてきた。しかし政策実施後一〇年余りを経て同国は史上稀にみる不況に見舞われ、発展格差、失業、貧困、対外債務、外資への依存など経済はさらに悪化していったわけである。こうした中、中間階級の層が厚く、比較的豊かで公平な社会構造を誇っていた「アルゼンチン像」は、今や過去のものとなりつつある。「世界の食糧庫」として経済成長の黄金時代を築き上げたアルゼンチンが、今後如何にして農牧産品輸出立国を超える新たな発展モデルを構築することができるか、これは同国にとって最大かつ緊要な政策課題である。

二　ウルグアイ——試練を迎えた「南米のスイス」

自然環境と社会

アルゼンチンとブラジルに挟まれたウルグアイは、正式にはウルグアイ東方共和国と呼ばれ、それはウルグアイ川の東岸に位置する共和国を意味する。日本全土の半分より少し小さい一八万平方キロメートルの国土は標高六〇〇メートル以下のなだらかな丘陵地帯からなる。温帯に位置し、温暖な気候と適度な降水量、肥沃な土壌に恵まれ国土の九割が農牧業に適している。

ウルグアイの人口は三四〇万人（二〇〇三年）で、東京都の人口の四分の一強、国土の大半が居住に適した自然条件に恵まれていることを考えると、居住適地面積に対する人口密度は著しく低い。さらに人口増加率は〇・七％（一九九〇—二〇〇三年平均）と、これまたきわめて低い。そして人口の大半がスペイン、イタリア系を中心とするヨーロッパ系白人によって占められ、先住民や黒人、アジア系、混血はきわめて少ない。首都モンテビデオはウルグアイ最大の都市で人口一三〇万人（二〇〇三年）、総人口の四割近くを吸収するこの国唯一の大都市である。

ヨーロッパから移民を受け入れ、農牧業立国として発展してきたウルグアイは、政治、経済、社会、文化と多方面にわたってヨーロッパの影響をうけてきた。国民の大半がカトリックを信仰し、教育水準はラテンアメリカの最高水準にあり、全教育レベルの就学率は八四％（二〇〇〇年度）、成人識字率は九八％（二〇〇一年）と先進国並みである。そして農牧業国ではあるが都市化が進み、都市人口は九三％（二〇〇〇年）、一人当たり国民総生産は三七九〇ドル（二〇〇三年購買力平価表示では七九八〇ドル）、また所得分配はラテンアメリカ諸国の中では抜き出て格差が小さく、社会福祉制度が発達していることから、「南米のスイス」と呼ばれてきた。

緩衝国としての不安定な独立

植民地支配をうける前のウルグアイには狩猟、採集などによって生活していた先住民が住んでおり、彼らは勇猛果敢で、ヨーロッパ人の支配に対して徹底して抗戦した。こうした先住民の抵抗に加えて、貴金属も熱帯産品も生産しないこの地域は、植民地支配体制の下では辺境の地にほかならなかった。そうした中で一七世紀初め、スペイン人が広大な平原に牛馬を放ち、それが急速に繁殖して牧畜業が発展する契機となったのである。

牧畜業が盛んになると、ヨーロッパ諸国がこの地に関心を抱くようになり、まずポルトガルが一六八〇年、ラプラタ川東岸に都市を建設して進出の拠点とした。それに対してスペインも一七六二年、モンテビデオ市を建設して植民地の体制固めをはかり、この地域はこれら両国によって植民地支配されることになった。

ところで前述したようにスペイン、ポルトガルの凋落を契機としてラテンアメリカに独立闘争が広がっていったが、ウルグアイの場合も一八一一年、独立のための闘いが開始された。「ウルグアイ独立の父」と崇められるJ・G・アルティガスの指揮の下、独立軍は勇敢に戦ってスペイン軍に勝利した。しかしその後ポルトガル軍が侵入し、一八二一年にはポルトガル領に組み入れられた。そこでアルゼンチンがウルグアイを支援し、ブラジルとアルゼンチンが交戦状態に入った。こうした事態の複雑な展開は、イギリスの仲介を経て一応終結し、一八二八年、ウルグアイはアルゼンチンとブラジルの間の緩衝国として独立を達成することになったのである。

しかし独立後もウルグアイに対するアルゼンチン、ブラジル、イギリス、フランスなどの干渉が続いたが、そうした中で国内では独立の有名な志士を創設者とする二大保守政党が誕生した。一つは都市に基盤をおくコロラド（赤）党、もう一つは農村に支持基盤をもつブランコ（白）党で、両党の間には政争が絶えず、不安定な政情が続いた。両党の対立は、一八四八年から五二年にかけて「大戦争」と呼ばれる内戦状態をもたらしたが、その戦争にはイギリス、フランス、イタリア、アルゼンチン、ブラジルが軍事介入し、国際戦へと拡大していった。また一八六五年には両党の対立がブラジル、アルゼンチン、パラグアイをまき込み、パラグアイに対して他の三国が同盟を結んで交戦するパラグアイ戦争へと拡大していった。この戦争は長期戦となり、一八七〇年まで続いた。

牧畜業が支える民主主義福祉国家

政治抗争と戦争に明け暮れた一九世紀も、パラグアイ戦争終結後は独裁制の下で政情は安定化の方向に向かった。そして経済面では牧畜産品を主軸とする輸出経済の育成、強化がはかられ、ヨーロッパから移民、資本、技術が積極的に取り入れられた。移民はイタリア、スペインをはじめとする南ヨーロッパから大量に流入し、一九〇八年には国民の六人に一人が外国人という比率であった。そして一八七九年から一九四〇年にかけて流入したヨーロッパ移民の数は一五〇万人に達したとされる。

ヨーロッパ移民は牧畜業に加えて、肉の缶詰、冷凍肉、皮革の製造、製紙、製靴、そして衣服、家具、ブドウ酒、タバコなどの製造と、建設業への重要な労働力供給源となった。経済開発に必要な資本と技術はイギリスをはじめとするヨーロッパ諸国に求められ、鉄道、道路、港湾、電信などのインフラ整備や商業、金融、冷凍業などへの投資、家畜の品種改良、輸入鉄線による牧場の区画、冷凍肉製造などの技術導入が国策として計画的に進められた。

こうした経済開発政策により羊毛、冷凍肉、皮革を中心に生産と輸出が急増し、それが経済成長を牽引していった。ところで広大な牧場適地が存在するにもかかわらず、労働粗放的な経営が行われている牧場は雇用吸収力が小さく、農村には次第に過剰労働力が滞留するようになっていった。この過剰労働力は就業機会を求めて都市に流出し、そこで職を得る幸運な人々もあったが、職を得られず失業する人々も少なくなかった。過剰労働力の存在は就業者の労働条件を改善するうえで足枷となり、労働、都市問題を生み出す主因となっていった。

このような状況に大きな転機をもたらしたのが、J・バッジェ＝イ＝オルドーニェス政権（一九〇三―〇七年、一九一一―一五年）であった。バッジェ大統領は労働者保護や社会福祉の実現に向けて精力的な取り組みを展開し、八時間労働、労働者の団結権とスト権を認める労働法の制定、失業保険、老齢年金制度、最低賃金制度が一九一〇年代から二〇年代にかけて実現された。こうしてウルグアイは他のラテンアメリカ諸国に先駆けて福祉国家への第一歩を踏み出したのである。

またバッジェ政権は、経済ナショナリズムを提唱して鉄道や金融、保険業を国有化し、ウルグアイ経済の自立化を目指した。それに加えて政治の民主化にも力を注ぎ、大統領個人に権力を集中する従来の体制から、大統領を含む複数の委員による合議制への移行を提唱し、それが一九一三年の憲法改正に盛り込まれた。そしてこの合議制は、一九一八年から三三年までと一九五二年から六七年にかけて実施されたが、これは世界でも稀な試みであった。

このように一九世紀半ば以降のウルグアイは、牧畜産品輸出を牽引車とする経済成長、それに支えられた労働者保護、福祉制度の整備および他のラテンアメリカ諸国では類例のない民主的な政治体制づくりを進めてきた。ところで「ゆりかごから墓場まで」と形容されるこの国の福祉制度は、牧畜業を主軸に築き上げられた経済力が基盤となって実現されたのであった。それに加えてヨーロッパから大量の移民を受け入れ、国民の大半が白人によって占められるという同質的な人種構成の上に中産階級の層が厚い社会が形成され、それが受け皿になっていたことに注目しなければならない。貧富の差が小さく、国民の生活水準が高い福祉国家ウルグアイの誕生を主導したバッジェ大統領は、「ウルグアイ近代化の父」として今日にいたるまで広く国民に崇められている。

経済停滞と福祉政策の行き詰まり

一次産品輸出に牽引され急速な経済成長をとげてきたウルグアイは、世界恐慌により大きな打撃をうけたが、その後第二次世界大戦とその直後の一次産品輸出市場の好転により小康状態を得た。しかし一九五〇年代半ば頃までには牧畜業生産は停滞局面にさしかかった。それは世界の牧畜産品市場の狭隘化と、ウルグアイ国内における牧畜業投資不足、技術革新の遅れによるところが大きかった。牧畜産品輸出の拡大が期待できない市況の下、牧畜業への投資が進まず、資本は第二次、第三次産業に流れ、さらには国外へ逃避した資本もかなりの額に達した。政府は輸入代替工業化政策を実施して国内の工業生産を奨励し、従来からの食飲料加工や繊維・皮革産業に加えて、化学、石油化学、金属、機械、電気機器などの産業育成にも乗り出した。しかしそうした試みは国内市場の壁に突き当たることになった。こうした閉塞状態からの突破口とされたのが第三次産業で、金融、商業をはじめ、観光、運輸、倉庫、通信など産業の多様化が進められ、そのかなりの部分が公的部門によって担われた。

ウルグアイの首都モンテビデオの街と人々

このような傾向にさらなる拍車をかける契機となったのが一九七三年の石油危機とEC共通農業政策であった。石油資源に恵まれず、石油を輸入に依存しているウルグアイ経済は石油危機から著しい打撃を被り、またEC圏内の農業を保護し、域外からの農牧産品輸入を厳しく制限するEC農業共通政策は、ウルグアイ牛肉の主要な輸出先であったEC市場の実質的な閉鎖を意味し、ウルグアイの対EC牛肉輸出は大幅に減少した。こうして第一次、第二次産業が振るわずその労働人口の吸収力が低下する中、第三次産業に雇用機会を求める人々が増加していった。

一次産品輸出経済の形成とそれに続く輸入代替工業化政策がいずれも行き詰まり、ウルグアイ経済は低成長と高インフレ、対外収支の悪化、対外累積債務の増加といった難問題に苦しめられることになった。それは政治、社会情勢にも反映し、状況は悪化していった。武力による社会主義革命を目指す左翼集団トゥパマロスが一九六五年頃から都市部を中心に活発なゲリラ活動を展開していった。こうした状況の中、一九七三年には、コロラド党政権により議会閉鎖、政党活動の停止、左翼政党・労働組合の非合法化、言論統制が断行され、翌七四年には内戦状態が宣言された。そして軍部の強力な支援の下、政府はゲリラ集団の掃討に成功した。しかしそのことが軍部の政治介入を招き、従来からの輝かしい民主主義の伝統が断ち切られることになったのである。

一九七三年から八五年まで政治に介入した軍部は、一方で強い政治統制を断行して治安維持につとめ、また他方では自由開放政策を導入して経済の再建を目指したが、安定した経済成長を達成するには至らず、八〇年代に入ると工業生産の不振、アルゼンチン、ブラジル両国の経済不況の影響を受けて深刻な経済後退に見舞われた。輸出産業の低迷、高失業、高率インフレ、大幅な財政赤字、対外債務問題に加えて、従来からの福祉政策を維持する経済基盤が崩壊し始めた。こうした中で国民の批判が高まり、軍政は退陣を余儀なくされ、一九八五年には民政移管が行われた。コロラド党に続いてブランコ党、次いで両党連立の政権が政務を担当し、民主主義の定着と、経済自由主義に依拠した内需拡大、輸出振興、国営企業の民営化、財政赤字削減政策などによるインフレ抑制、マクロ経済の安定化がめざされた。また一九九一年にはメルコスル（南米南部共同市場）が設立され、ウルグアイは農牧産品の域内輸出拡大に加えて、対外競争力に欠ける製造業の育成・強化策を実施していった。

ところでこうした一連の政策は経済の活性化に一定の成果をあげたが、その後二〇〇一年末のアルゼンチン通貨危機がウルグアイを直撃し、翌年の経済はマイナス一三％、失業率は一七％を記録した。このような状況の下で左派勢力が台頭し、二〇〇五年には同国史上初の左派連合政権が発足した。かつて農牧産品輸出で急成長を遂げ、その経済力を基盤に福祉政策を展開し、「南米のスイス」と称えられたウルグアイは、その後の経済停滞過程で福祉の後退を余儀なくされることになったが、そうした中で国民は従来の二大政党ではなく、左派連合政権を選択した。同政権は一方で経済の活性化をめざすとともに、他方では労働、社会福祉政策に重点をおいた政策の実施を公約している。「南米のスイス」は果たして行き詰まった福祉政策の打開策を見出すことができるだろうか。

三　パラグアイ――開発独裁を超えて

自然環境と社会

南アメリカ大陸南部に位置するパラグアイは、ブラジル、アルゼンチン、ボリビア三国に囲まれた内陸国で、国名は先住民の言語グアラニー語で「大河のある土地」を意味する。国名の示すとおり、パラグアイはパラナ川、パラグアイ川、ピルコマヨ川など豊かな河川に囲まれ、またパラグアイ川は国土を東西に二分する境界線となっている。国土は日本より少し大きい四一万平方キロメートルで標高八〇メートル以下の平原地帯と標高七〇〇―八〇〇メートルに及ぶ丘陵地帯からなる。国土は亜熱帯から温帯に広がり、一一月から三月にかけて高温多湿で、その平均気温は三一度を超える。降水量は年平均一五〇〇ミリ程度で、東から西に向けて降水量が減少する。

パラグアイはパラグアイ川によって東部パラグアイと西部パラグアイに分けられる。前者が国土の四〇%と人口の九八%を、そして後者が国土の六〇%と人口の二%を占める。また西部パラグアイは東側が湿地帯、西側が乾燥した平原と丘陵地になっており、東部パラグアイと比較すると、著しく開発が遅れている。他方東部パラグアイは農牧業に適した土地と適度な降水量に恵まれ、色鮮やかな亜熱帯の花々に彩られた緑豊かな地域である。

パラグアイの人口は五六〇万人（二〇〇三年）で、東京都の人口の約半分、人口増加率は二・四%（一九九〇―二〇〇三年平均）である。また都市化はアルゼンチンやウルグアイより遅れており、総人口に占める都市人口の割合は五六%（二〇〇〇年）で中産階級はあまり育っていない。一人当たり国民総生産は一一〇〇ドル（購買力平価表示では四七四〇ドル、二〇〇三年）、平均寿命は七一歳、成人識字率は九二%（いずれも二〇〇二年）、教育水準は全教育レベルの就学率六四％（二〇〇〇年度）で、アルゼンチン、ウルグアイの水準には及ばない。

人種構成においてもパラグアイはアルゼンチン、ウルグアイとは異なっている。アルゼンチン、ウルグアイ両国では白人の割合が九割以上であるのに対して、パラグアイの場合は先住民と白人との混血が九七％で、白人はわずか二％を占めるにすぎない。混血はグアラニー族とスペイン人の混血を意味するグアラニー・エスパニョールと呼ばれる。パラグアイでこのように著しく混血が進んだのは、先住民社会のあり方と植民地政策、そして独立後の政策などによるところが大きい。混血が多いことはこの国の言語にも反映し、学校教育においてもグアラニー語が必修とされており、スペイン語とグアラニー語が公用語として広く用いられている。

南米初の独立国

パラグアイは植民地期にはペルー副王領への通行拠点として注目され、一五三七年にアスンシオン市が建設された。また前述のイエズス会による先住民教化集落の主要な建設地となり、カトリックの信仰に根ざす宣教師と先住民の共同生活が営まれた地である。一説によれば、パラグアイには三〇以上の教化集落があり、そこには一〇万人の先住民が住んでいたとされる。布教に加えて、教育、農牧業、手工業生産が営まれ、一七六七年にイエズス会がスペインとその植民地から追放されるまで教化集落の共同生活が続けられた。パラグアイには教化集落の遺跡がトリニダードに保存されており、またエンカルナシオンやビジャリカは教化集落から発展した都市である。

パラグアイはスペインの植民地支配体制の下で開発の遅れた地域であったが、独立闘争においては先駆的役割を演じた。一八一〇年ブエノスアイレス市の市議会が副王を廃止して独立を宣言し、独立戦争が始まったが、パラグアイはこの動きとは別に、独自の独立闘争を展開し、一八一一年に独立を達成した。独立後二人の政治家による二頭政治体制がとられたが、一八一四年にはJ・G・R・フランシアが最高執政者に選ばれた。彼は外国からの侵略を防ぐため閉鎖的な政策を導入し、外国人の入国、貿易や外資・技術の受入を厳しく制限した。独立を守るためのこうした政策は、他方では先住民と白人の混血を進め、国家統合を促進することになった。フランシアは一八四〇年に死去するまで政権を担当した。一八四四年には三権分立に基づく新憲法が制定され、C・A・ロペスが初代大統領に選ばれた。彼はフランシアとは大きく異なる自由開放路線に転換し、ヨーロッパとの交流を盛んにし、貿易の拡大、移民、外資、技術・文化の受入を奨励した。また鉄道や電信網の建設、法体制の整備、学校教育の普及などにも力を入れた。こうしてロペスはパラグアイの近代化と経済開発に取り組み、国の発展に大きく貢献したのである。

二度の大戦と国力の疲弊

一八六二年、C・A・ロペスの死により、政権はその子F・S・ロペスに引き継がれた。F・S・ロペスは父ロペスの政策路線を継承し、自由開放主義に基づく経済開発と近代化を推し進めようとした。ところでその行手に立ちはだかったのが近隣諸国との戦争で、一八六五年からパラグアイはブラジル、アルゼンチン、ウルグアイ三国を相手に、長く苦しい戦いを続けることになった。このパラグアイ戦争はF・S・ロペスが戦死した一八七〇年まで続き、パラグアイは成人男子の大半、国土の半分近くを失い、さらに戦後賠償金も要求されその支払いは国の財政に大きな重荷となった。

F．S．ロペス

独立後順調なスタートを切ったパラグアイは、ここにいたってきわめて厳しい試練にさらされることになり、それが政治体制を大きく転換させる契機となった。すなわち一八七〇年には新憲法が制定され、宗教、報道の自由、請願権が認められ、さらに従来の終身大統領制に代わって政党政治が導入された。そして現在の保守二大政党であるコロラド党と自由党の前身政党がこの時期に誕生し、政権を担当するようになった。こうして徐々にではあるが、パラグアイは独裁制から脱して民主化の方向を目指し、公立学校の制度化、国立大学の創設など、教育の普及と高等教育の向上に力を注ぐようになった。またイギリス、アメリカ、フランス、イタリア、アルゼンチンなどから資本が流入し、農牧業、食肉加工、木材、金融、不動産などの分野に投資された。さらにヨーロッパからの移民も増加し、経済は再建への道を歩みはじめた。

ところがその過程でふたたび大きな戦争が勃発した。一九三二年、パラグアイとボリビア国境近くのチャコ地方において戦争が起こったのである。先のパラグアイ戦争も多分にそうであったが、このチャコ戦争もまた、植民地期から不明確なまま残されていた国境線を確定する意味をもつものであった。そして国境紛争は石油資源の領有問題も絡まって長期化し、一九三五年まで激しい戦闘が繰り返された。一〇万人に達する戦死者を出したとされるこの戦争は、パラグアイ戦争に次ぐラテンアメリカ最大の戦争の一つであった。両国ともに甚大な人的、物的資源を失い、国力は著しく消耗した。しかも終戦後の和平条件が整わず、交渉に多くの歳月を費やした後ようやく一九三八年、アルゼンチン、ブラジル、ウルグアイ、ペルー、チリにアメリカ合衆国が加わって調停を進め、和平協定が締結された。その結果パラグアイは領有を主張した地域の大半を獲得したが、その地域には現在までのところ有望な油田は見つかっていない。パラグアイはこのように一九世紀後半と二〇世紀前半で二度にわたる大戦を経験した。それは独立後の堅実な国家建設の歩みを中断し、現在にいたるまでその傷痕をとどめている。

開発独裁を超えて

第二次世界大戦後のパラグアイでは政権が安定せず、一九五四年に軍事クーデターを起こしてストロエスネル将軍が大統領に就任した。ストロエスネル政権は一方で厳しい政治統制を断行し、反政府活動を弾圧すると同時に、他方経済面では自由開放的な政策を実施して意欲的な経済開発を進め、貿易の自由化、積極的な外資導入、インフラ建設、エネルギー開発をつぎつぎと実施していった。とくに注目されるのが、一九七三年の石油危機を契機にブラジルとの共同プロジェクトとして進められたイタイプー・ダムの建設で、石油資源に恵まれない両国が、長期的エネルギー対策として取り組んだものであった。このダムは当時世界最大の規模を誇り、世界銀行、米州開発銀行

ブラジルとパラグアイの共同プロジェクトとして建設されたイタイプー・ダム。電力の大半はブラジルに供給されるが、ダム建設はパラグアイ経済に大きな刺激を与えた。

などから莫大な額の資金を借り入れて進められた。このダム建設工事は大きな景気浮揚効果を生み、建設期間中イタイプー・ブームと呼ばれる好景気を持続し、パラグアイ経済を活気づけた。こうした「ラテンアメリカの優等生」ともいうべき好調な経済運営は、ストロエスネル政権を長期間存続させる主要な要因となった。強圧的な政治統制によって政治を安定させ、国が主導して経済開発を進める体制を開発独裁と呼ぶが、一九八〇年代初めまでのストロエスネル政権はまさにその典型的な事例であった。

ところで一九八〇年代初めにはイタイプー・ダムのパラグアイ側工事が終了してイタイプー・ブームが去り、パラグアイ経済は転期を迎えた。経済成長率の低下、インフレ上昇、失業者の増加、国際収支の悪化、為替レートの切り下げなど経済状態が悪化する中で社会不安が募り、反政府活動が激化していったが、ストロエスネル政権はそれを力で抑え込もうとして政治統制を強めた。それに対して一九八九年、軍内部からクーデターが起こり、三五年続いたストロエスネル政権を打倒した。その後選挙を通して選出されたロドリゲス政権は従来の政治統制を撤廃し、政治の民主化と人権尊重をスローガンに、政党活動や労働組合活動の解禁、政治犯の釈放、国外亡命者の受け入れなどをつぎつぎと断行していった。

こうした民主化の動きの中で、一九九三年には三九年ぶりで文民政権が誕生し、コロラド党出身で実業家のワスモシが大統領に就任した。ワスモシ政権は軍部の台頭を抑えて政治の民主化を促進し、また経済面でも自由開放路線を継承して国有国営企業の民有民営化を進めた。しかし民主化の過程で反政府運動も強化され、大量解雇をともなう民営化政策や、財政建て直しのための税制改革、産業保護政策撤廃などへの反対運動が強まっていった。また自由開放経済政策に伴う発展格差、失業、貧困問題の悪化に加えて、ブラジル、アルゼンチンの通貨危機からの打撃で経済不況が深まり、それらは国民生活に深刻な影響を及ぼしている。長期にわたる開発独裁体制を経験したパラグアイでは、その後の民主化が進展する中で反政府活動が活発化し、国民の合意形成が難しくなっている。このように現在パラグアイはストロエスネル政権の時期とは著しく異なった状況のもとにあり、今後如何にして民主化と経済社会開発を両立させることができるか、文民政権の力量が問われている。

【参考文献】

今井圭子／末永昌助／渡辺秀樹『アルゼンチン・パラグアイ・ボリビア――どうしたら海外に住めるか』（日本工業新聞社　一九七六年）　アルゼンチン、パラグアイ、ボリビアの歴史と現状、日本との関係、日本人移住者の生活を紹介した書。

今井圭子『アルゼンチン鉄道史研究――鉄道と農牧産品輸出経済』（アジア経済研究所　一九八五年）　アルゼンチンの経済史を農牧産品輸出経済の形成と鉄道建設・鉄道輸送に焦点を当てて論じた書。

大原美範編『アルゼンチン――その国土と市場』（科学新聞社　一九八六年）　アルゼンチンの自然と住民、歴史、社会と文化、国家機構と内外政策、経済、日本との関係を解説した書。

佐野誠『開発のレギュラシオン――負の奇跡・クリオージョ資本主義』（新評論　一九九八年）　各国、各地域の現実に根ざした開発研究をめざす書で、アルゼンチンを事例に、レギュラシオン学派の研究方法を用いて手硬い実証分析を行いそれに基づく理論構築に挑戦した研究書。

世界経済情報サービス（ワイス）『ARCレポート　アルゼンチン』（世界経済情報サービス［ワイス］　各年）　各年のアルゼンチン経済動向を詳しく解説し、政治・社会情勢にも触れている。
賀川俊彦『ウルグアイの政治的発展』（ラテン・アメリカ協会　一九六八年）　ウルグアイの政治史を簡潔にまとめ、福祉国家が形成されていく過程をたどり政治体制の特徴を解説した書。
井上忠恕／後藤信男共著『ビバ！　ウルグアイ――ワールドカップを制した人口三〇〇万人の小国』（STEP　二〇〇三年）　国際協力専門家として滞在した経験に基づくウルグアイ紹介の書。人々の日々の暮らしぶりを伝える中で、この国の政治、経済、社会、文化の特色を生き生きと描き出している。
田中裕一『南米のパラダイス　パラグアイに住む』（Agosto　一九九九年）　移住した日本人ビジネスマンによるパラグアイ紹介の書。国の歴史、政治、経済的背景をおさえながら、社会の成り立ち、人々の価値観、習慣、暮らしぶりについて紹介している。
伊藤滋子『幻の帝国――南米イエズス会士の夢と挫折』（同成社　二〇〇一年）　ユートピアの建設を夢みてカトリックの布教に専念したイエズス会士たちの歴史を、南米ラプラタ地域を中心に、研究書、資料を踏査して描きあげた労作。
Finch, M. H. J. *A political Economy of Uruguay since 1870* (London & Basingstoke : Macmillan, 1981)　一八七〇年以降から一世紀余に及ぶウルグアイの歴史を、経済政策の展開と政治経済構造の変容過程を中心に分析した書。
Schurmann, M. & Coolighan, A. M. L. *Historia del Uruguay*, 2 tomos (Montevideo : Monteverde, 1996)　ウルグアイの歴史を先コンス期から現代まで政治、経済、社会、文化にわたって詳述した書。本書は第七版で大幅に加筆された改訂版。
Hanratty, Dennis M. & Meditz, Sandra W. ed. *Paraguay : A Country Study* (Washington D. C. : U. S. Library of Congress, Federal Research Division, 1990)　パラグアイの歴史、社会、経済、政治、国防について詳しく紹介した書。参考文献リストも充実している。
Pangrazio, Miguel A. *Historia política del Paraguay*, 2 tomos (Asunción : Intercontinental Editora, 1999)　独立後のパラグアイを、その主要な政権期に区分して各時期の政策、政治状況について解説した書。
Latin American Regional Report : Brazil & Southern Cone (London : Latin American Newsletters)　南米南部諸国の政治、経済、社会現況を概説した月刊誌。近況を把握するのに適した出版物。

第一一章　ブラジル

●住田　育法

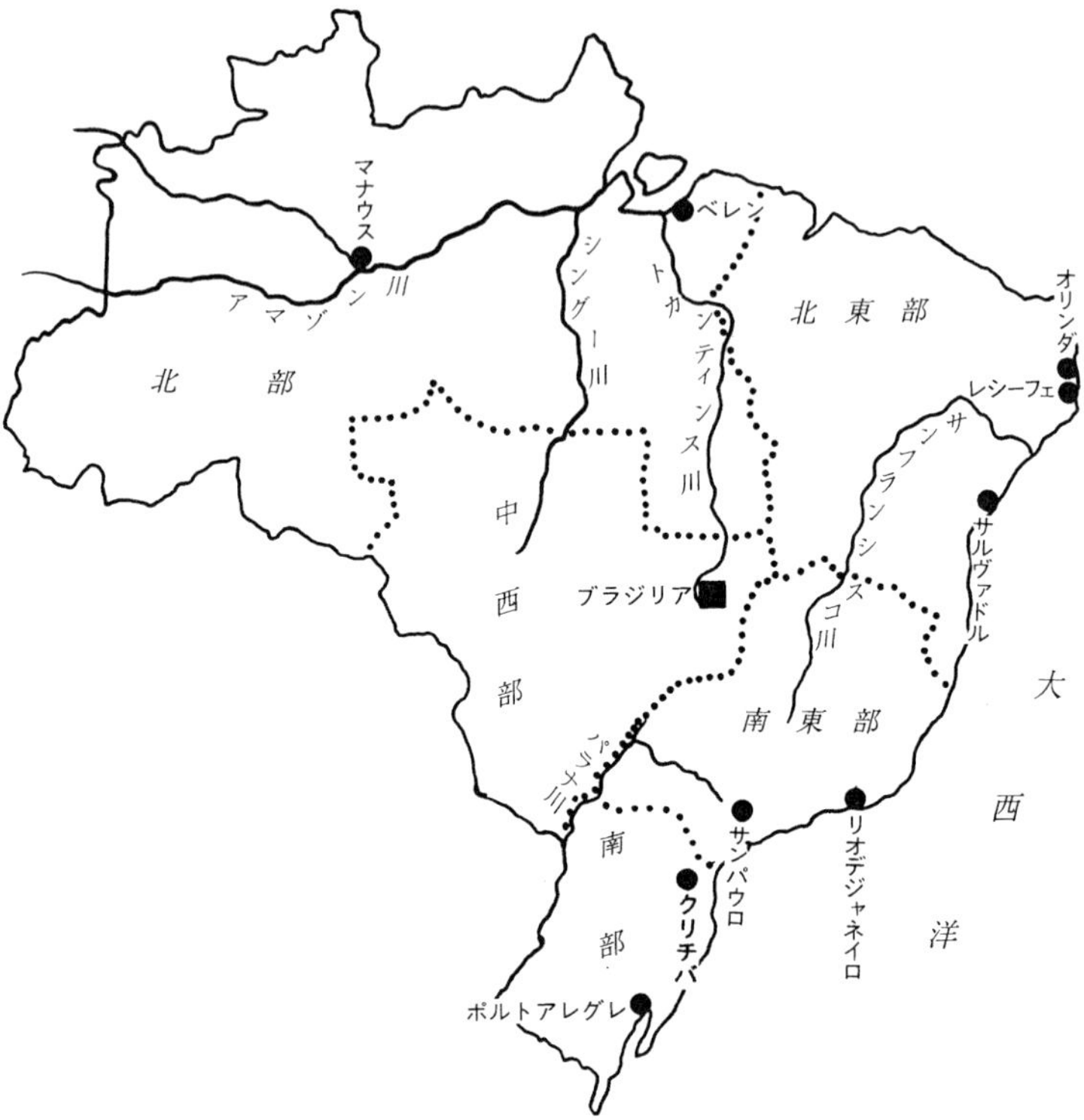
マナウス
ベレン
アマゾン川
シングー川
トカンティンス川
北東部
オリンダ
レシーフェ
サンフランシスコ川
北部
中西部
ブラジリア
サルヴァドル
南東部
パラナ川
大西洋
サンパウロ
リオデジャネイロ
南部
クリチバ
ポルトアレグレ

ブラジル

序　連邦国ブラジルの見方

変わるコントラスト

一九世紀末にバイア州の奥地（セルタン）のカヌードスで起こった反乱、いわゆるカヌードス戦争（一八九六—九七年）を、エウクリーデス・ダ・クーニャ（一八六六—一九〇九）が従軍記者として取材し、二〇世紀の初頭に『奥地の反乱』（一九〇二年）を著して一世紀が過ぎた。文学作品として今も広く読まれ、ブラジル研究の古典となっているこの本は、発展を遂げたサンパウロなどの南東部とは異なるもう一つのブラジルが、北東部地方の奥地に存在するとの報告であった。それは後に、アメリカ人ジャーナリストのジョン・ガンサーが、まだらの巨象にたとえた、コントラストに富む広大な国土を意味する。そして二一世紀の今、その遅れた北東部内陸の貧しい農家出身の新しい大統領が誕生して、コントラストへの関心がさらに高まってきた。ペルナンブコ州出身のルーラ大統領である。

経済的格差と人種的差異という形で、地域間にコントラストが見られる。つまり一方に、アマゾンや奥地における、先住民系混血が多いインド・アメリカ文化圏ならびに、植民地時代に砂糖生産地帯として発展した、黒人の多いアフロ・アメリカ文化圏である北部・北東部がある。もう一方に、一九世紀末からヨーロッパ移民が多数到来したユーロ・アメリカ文化圏に属する白人が優勢な南部・南東部がある。近年、国内の人口移動によって、南にも北の人の飛び地ができ、またその逆も起こり、南北の違いは以前よりも小さくなったが、なお大きな地域差がある。

こうした南北の違いに加えて、東西に展開する海岸部と内陸部の間にも、コントラストが見られる。海岸部は大西洋世界に組み込まれ、ヨーロッパの影響にさらされてきた。主要な都市がこの帯のなかに点在している。他方、奥地では緑の森や広漠たる乾いた平原を舞台に独自の文化が育まれた。さらに、行政に基づく五地域の区分がよく用いられる（本章扉裏地図）。人口希薄な熱帯林に覆われた北部、乾いた大地の広がる北東部、工業化を中心にめざましく発展した南東部、温暖な気候に恵まれた南部、新首都ブラジリアを含む内陸部のフロンティア中西部、この五つである。広大なブラジル空間の東西、南北に展開するコントラストの様相は、今、変化の中にある。

大国ブラジル

マクロな視点からみれば、ブラジルは広大で豊かな大陸国家である。ヨーロッパがすっぽり入る国土面積は世界第五位であるが、中国やアメリカ合衆国とそれほど変わらない。南東部のミナスジェライス、リオデジャネイロ、サンパウロ三州のみで日本の二・四倍になる。二〇〇五年三月に一億八三〇〇万と推定された人口は、中国、インド、アメリカ合衆国などに次いで世界第五位である。二〇〇三年の統計で国内総生産（ＧＤＰ）は四九三〇億ドルを保ち、国民一人当たりの所得は二八一八ドルであり、急増する人口の規模からすれば決して低くはない。大きく豊かであるとともに、南アメリカのリーダーとしての資格も十分である。外交はアメリカ合衆国一辺倒ではない。一九六〇年代以来、中国、キューバ、アフリカ諸国などの社会主義や第三世界の国々とも交流をすすめてきたし、同時にヨーロッパの国々とも均衡のとれた友好的な関係を保っている。二〇〇三年末時点で国際連合など一四の国際機関の理事国であり、その他の多くの国際機関に加盟している。ドイツや日本同様、国連の安全保障理事会常任理事国入りを希望するなど、国際秩序を尊重しながら国家の発展を目指すバランス感覚のある大国である。

今、外国からの債務問題も解決し、インフレも収まり、経済が回復しているが、一九九〇年代の前半には、一〇〇〇億ドルを超える外国からの債務と、月間三〇—四〇％も珍しくなかったインフレが国民の生活を苦しめてきた。

これに、一九九〇年の日本の「入管法（出入国管理及び難民認定法）改正」がきっかけとなり、多くの日系ブラジル人が出稼ぎにやってくるようになった。二〇〇三年末時点で二七万四七〇〇人（法務省入国管理局情報）のブラジル人が外国人登録をしている。このように、日本との関係も企業進出という一方通行ではなく、約三〇万人に達する日系ブラジル人の出稼ぎを含めた双方向の交流が定着してきた。市場の獲得のためにブラジル企業自身が南アメリカの近隣諸国を含めて海外への展開をみせはじめ、中国やインドのように、新興経済大国の雄として世界に飛躍しようとしている。

カラフルな国

ブラジルはカラフルな国である。つまり、熱帯の風土に育つ鳥や植物などの魅惑的な色彩に加えて、人種の混ざり合いによる肌の色の多様性を連想できるからである。しかし黒人奴隷制には暗い抑圧の歴史があったことを忘れることはできないし、現在においても黒い肌への偏見や差別がないとは言い切れない。植民地時代には合計で三六〇万を超える黒人が、自由を奪われ商品としてアフリカからブラジルに輸入されたのである。

一九五〇年代にブラジルは、社会学者ジルベルト・フレイレやアメリカの人類学者チャールズ・ワグレーによって、人種民主主義の国であると広く世界に紹介されるようになった。人種民主主義の考えは一種のイデオロギーであって、当時のブラジルには世界にたいしてそのような主張が必要であった（本書第四章参照）。しかし、社会学者フロレスタン・フェルナンデスやオクタヴィオ・イアンニらのように、それを神話に過ぎないと否定する人たちもいた。ブラジルの人種関係はアメリカ合衆国のように対立的ではなく調和的であるものの、決して人種平等ではなく、微妙な人種偏見が存在する。過去の奴隷制の時代には、主人と女奴隷の間に生まれた混血児の肌の色によって、自由人と認めるか、奴隷のままとしておくかを決めたという。現在でも、アフリカ文化の濃厚な北東部のサルヴァドルにおいてでさえ、黒い肌へのわだかまりが存在している。リオデジャネイロやサンパウロが舞台のテレビドラマも登場人物の多くが白人であり、今にいたるまで国家元首がすべて白人であるというのも単なる偶然ではな

リオの海岸で遊ぶカラフルで陽気な若者たち

いであろう。ブラジル人の白い肌を好む傾向を否定することはできない。しかし、人種への偏見にもかかわらず、過去には奴隷制のもとで、とくに砂糖農場の閉ざされた環境のなかでは、放逸な異人種間の混淆が普通であった。やがてこの人種混淆が偏見を緩和させ、人種関係の寛容さをもたらす背景の一つとなった。自らの血に流れている白人や黒人あるいは先住民の要素を差別することは実際、困難である。こうしてブラジル社会では、異人種間の流血をともなう激しい抗争や陰うつな人種隔離はあまりみられなくなった。混血者を友人として受け入れる寛容な態度に接すると、否定されたとはいえ、人種民主主義と呼びたくなるような人種関係を日常生活の場で実感できる。ブラジルは世界でも稀な多人種多民族共棲の国なのである。

大胆な国

首都ブラジリアは決して一人の政治家の情熱のみによって誕生したのではなく、そこには一八世紀末の「ミナスの陰謀事件」にまで遡る複数の背景があった。しかし、奥地への首都移転、という共和国の歴史上最も野心的な公共事業を断行したのは、ジュセリノ・クビシェッキ大統領であった。内陸部の開発を重視した独裁者かつポピュリストのヴァルガスの後継者で、ミナスジェライス州出身の彼が、一九五六年から六一年までの大統領任期中に「五〇年の進歩を五年で」のスローガンをかかげ、新首都を拠点とする工業化と統合化の政策を進めた。未来の国と呼ばれ、たえずフロンティアを必要としてきたブラジルの壮大かつ大胆な夢の実現であった。大統領選挙で公約に首都移転が打ち出されてからわずか五年後の一九六〇年に、ブラジリアは完成したのである。

新首都は旧首都リオデジャネイロなど国内の主要都市からほぼ一〇〇〇キロ離れた、標高一一〇〇メートルの高原に位置し、ブラジルの主要な河川であるアマゾン川、ラプラタ川、サンフランシスコ川の源流地帯にある。つまり、永く主要な交通機関であった河川網の中心地点にあたる。東西と南北の軸が交差する十字架形の都市計画は、ブラジルが生んだ世界的な建築家ルシオ・コスタが考案したものである。ルシオ・コスタ同様、世界的に知られた建築家オスカー・ニーマイヤーの手になる斬新な建造物がプラノ・ピロットと呼ばれる中心街に並び、連邦共和国をたばねる首都機能が集中している。後に、当初の十字架の形という計画図が飛行機に変更され、その胴体の先頭部分に大統領府、最高裁判所、国会議事堂、そして各省庁が美しい景観をなして配置され、北と南に大きく広がった翼の部分に居住区がある。胴体と翼の交差する部分に商業施設や教会が置かれている。

計画では、人口が遷都四〇年後も五〇万人を超えない予定であった。しかし、プラノ・ピロット着工直後から建設労働者がその周辺に住みついたので、一九五八年には早くも最初の衛星都市（行政地区）が建設され、労働者やその家族の住居をそちらに移した。行政地区は増え続け、二〇〇五年二月には二八を数え、最近では最も古い行政地区とプラノ・ピロットを結ぶ地下鉄が開通している。プラノ・ピロットは一九八七年にユネスコの世界文化遺産に登録され、連邦区ブラジリアの人口は二〇〇〇年に二〇〇万人を超えた。知事が選挙で選ばれ、一つの行政地区に一人の行政区長が知事により任命される。今ブラジリアでは、住民の目線からの行政が求められている。

一　ブラジルの自然環境と文化

自然環境のしくみ

全体を眺めてみると、北に広い逆三角形をなすブラジルは、東は大西洋に面し、西はアンデス山脈地域の東方、北はギアナ高地、南はラプラタ川流域へと延びる広大な空間を占めている。国の北部を赤道が通っているため、国土の九三％が南半球、残りの七％が北半球に位置している。ブラジルはまさに広大な熱帯の新世界である。

この広大な国土は、人がある一点に集中して生活することを妨げる拡散型の地形をなしている。つまり、平原の少ない高地であり、北東部のバイア州サルヴァドルから南部のリオグランデドスル州ポルトアレグレまでの大西洋岸には、海岸山脈が巨大な壁となってそびえ、海に向けて急な斜面を形成している。さらに、河川が中央部や南東部から放射状に北や南へと流れており、南東部と南部では河川が、海岸地帯から内陸部へと西へ向けて流れている。「国家統一の川」と称されたサンフランシスコ川がミナスジェライスの中央部に源をもち、北東部の内陸部地帯を海岸に並行して北または北北東に流れ、アラゴアスとセルジッペの州境で大西洋に注いでいる。アマゾン川支流のトカンティンス川、アラグアイア川、シングー川などすべて中央部に源を発して北へ向けて流れ、アマゾン川に合流する。南に流れるラプラタ川に合流するパラナ川の多くの支流もまた中央部と南東部に源を発している。

したがって、河川が主要な交通路であった植民地時代には、特定の地域に人が集まることなく、果てしなく拡散することとなった。こうした自然環境は、広大な国土の占有に寄与したものの、拡散型の水系と大西洋岸に山脈をもつ地形は、ヨーロッパ人による内陸部への計画的で継続性のある開発を困難にさせたのである。

大河アマゾン川とその流域

アンデスの雪の山々からはじまり、赤道直下の緑の森を下って大西洋に注ぐアマゾン川は、一年間に地球上の海に入る河川全水量の五分の一ちかくを分担する。北の支流と南の支流がそれぞれ北半球と南半球に水源をもち、年に一度水位が上下する。東西の距離はブラジル領内のみで日本列島がすっぽり入るほど桁外れである。永く難事業と考えられてきた開発は、一九三〇年代のヴァルガス時代に注目されはじめ、一九七〇年代の軍事政権下の「奇跡的成長」期に現実のものとなった。

熱帯林を切り開いて真っ直ぐな自動車道路が一九七〇年代に作られた。トランスアマゾニカと呼ばれるこのアマゾン横断自動車道路は、北東部の大西洋岸にいたる部分を含めると長さは五六〇〇キロメートルにおよび、これによって緑の地獄とさえ評された大空間を大量の物資や人がたやすく移動できるようになった。地上には農牧畜業のための広大な空間、地下にはそれぞれ世界最大級の埋蔵量と目されている鉄鉱石、錫、ボーキサイト、岩塩、石油などの豊かな鉱床が眠っている。当初は北東部の土地をもたない貧しい農民を人口稀薄な土地へ運ぶためにアマゾン横断自動車道路の建設が着手された。一九七四年にその一部の一〇七〇キロメートルが開通したが、実際には「土地なき人を人なき土地へ」の政策は、アマゾンの生態系が北東部のような農業に適さないため挫折する。これに代わって牧畜が積極的に進められることになった。しかし牧畜の拡大に加えて、鉄鉱石やボーキサイトなどの豊かな鉱物資源の開発が、間接的、直接的にアマゾンの森林の減少の要因となり、やがて地球規模での自然破壊という環境問題を引き起こすのである。

文明が入り込んでいる現在、動植物の環境のみではなく、森の民である先住民の生活が激しく変わりつつある。本来、先住民の文化や習慣は尊重され、そのまま残されるべきであろう。しかし国家の立場では、領土と共に先住民もブラジル社会に統合されるべき存在とみなされる。一九五七年にはブラジルには一四三の先住民グループがおり、その三分の二はアマゾン川流域にいた。今日、イゾラドと呼ばれる孤立した先住民グループも確認されており、国立インディオ基金の活動などによって、その文化を保護し絶滅を避ける努力がなされている。

文化のしくみ

ブラジル文化は、ポルトガルの要素を柱として、アフリカ的なものと先住民的なものが時間の流れと空間の広がりの中で複雑に混じり合った多元的な構造をもっている。

人種の面からブラジルを黒い北と白い南の二つに分ける方法がある。しかし文化人類学者のダルシー・リベイロは、人種と民族の多様性という視点からブラジルを地域的に五つに分類した。それは、(1)アフリカ的ブラジルのブラジル・クリオウロ、(2)先住民系混血的ブラジルのブラジル・カボクロ、(3)北東部奥地住民的ブラジルのブラジル・セルタネージョ、(4)サンパウロ内陸部住人的ブラジルのブラジル・カイピーラ、(5)牧夫のガウーショ、森林住人のマトゥト、外国人のグリンゴのような南部人的ブラジルのブラジル・スリーノ、の五つの

「ブラジルの島」である。単なる、黒人、白人、黄色人プラス先住民という分類とは違う、ブラジルの文化と歴史に根ざしたコントラストの説明である。

文化とは、与えられた歴史的過程ならびにその空間において、人間が自然に適応しながら創造するすべてのことを包含するものであると解釈できる。一九八〇年代初めに来日した作家のヴィアナ・モーグは、ブラジルの作家の文学作品に基づいてブラジル文化を七つの「島」に分けて説明した。

つまり、(1)巨大な空間が人間に恐怖心を抱かせるアマゾン、(2)干ばつと恵みの雨を繰り返す北東部、(3)都会のインテリと奥地の匪賊カンガセイロで知られるバイア、(4)山に囲まれた保守的なミナスジェライス、(5)奥地探検隊が出発した普遍主義のサンパウロ、(6)おだやかな牧草地のリオグランデドスル、(7)連邦制の共和国の首都であったリオデジャネイロである。そして今、八つめが新首都のブラジリアに形成されつつあると付け加えた。

文学作品や映画、テレビドラマの舞台を思い浮かべると、モーグの指摘に納得できる。文化の島のどれもが国民の心に深く刻まれている。たとえば、奥地の匪賊カンガセイロのランピオンは、現実とは遊離しているものの、庶民の味方として北東部の民衆小説や映画、大衆歌謡の中によく登場するし、アフリカ的ブラジル文化の地バイアの庶民の日常を描いたジョルジェ・アマードの作品も広く国民に愛されている。

しかし、「島」と表現できるような孤立した状況は、コミュニケーションの発達によって変わりつつある。自動車道路や航空路線の発達によって多くの人々がたやすく移動し、文化を伝え合っているからである。インターネットの役割も大きい。今、価値観の共有、文化の平準化がブラジル全土で起こっている。

移民社会と多元文化

ブラジルは人種の混じり合いの進んだカラフルな多人種多民族社会であるといえるが、これは、植民地時代に砂糖や金の生産を支えた黒人奴隷制とともに、一九世紀末からコーヒーが引き寄せた外国移民にも背景を求めることができる。

ポルトガル人以外の移民は一八一九年にスイスから、次いで一八二四年にドイツから、リオデジャネイロのノヴォフリブルゴに到着した。このころドイツ人は南部のリオグランデドスルにも入植してこれが南部への移民の草分けとなった。一八四七年に最初の契約移民が受け入れられ、やがて一八八八年の奴隷制廃止によってとくにサンパウロで奴隷労働から自由労働への移行が進み、一八九〇年代を頂点として約五〇〇万人の移民が入国した。

移民の定住先はサンパウロを中心とした南東部や南部の諸州である。出身地ではラテン系の諸国、すなわちイタリア、ポルトガル、スペインが、一位、二位、三位を占め、これにラテン系以外のドイツ、日本、ロシア、オーストリアが、四位、五位、六位、七位と続いた。人口増加に対する数的な貢献は大きくはなかったが、ヨーロッパを中心とした外国移民は、新しい生活習慣や価値観とともに、新しい技術をもたらした。これらを基盤に、彼らは初期の工業化を推進した企業家の中核をなしたのである。さらに、その後の工業労働者や資本家の活動も、移民やその子孫に負うところが大きかった。ブラジルの工業化に果たした彼らの役割はじつに大きい。日本移民は農業の発展に貢献した。

ヨーロッパ移民の流入によって一八七二年から一九四〇年にかけて白人の割合が三八%から六三%に増加し、黒人は二〇%から一五%への減少を示して一時的に国民の白人化が顕著になった。白人の恵まれた経済状態による高い生存率と白人との人種混淆がブラジル国民の白人化を進めた。混血の多くは曖昧な判断基準によって白人と分類される傾向にある。ブラジル地理統計院の資料によれば、一九九〇年の総人口一億四七三〇万人のうち、白人が五五%、黒人が五%、日系人や先住民を含む混血が三九%となっている。積極的なヨーロッパ移民受け入れによって南では「もう一つのヨーロッパ」としての発展がみられたのである。

しかしそのように白人化が観察されるとはいえ、黒人については、その文化的要素としての宗教や音楽などのブラジル文化全般への強い影響を無視できない。宗教はキリスト教との混淆によって、北だけではなく、南の地方にも広く浸透している。また近年、北東部のバイアで生まれた太鼓などで強烈なリズムを奏でるアフロ音楽がブームとなり、以前には貧しくてみじめなものと考えられていた黒人やその音楽世界があこがれや尊敬の念をもって受け入れられるようになった。

二　ポルトガルの植民地ブラジル

ブラジルボクの地の開発

一五〇〇年にペドロ・アルヴァレス・カブラルの艦隊が「発見」し、一四九四年のトルデシリャス条約に従ってポルトガル領に編入されることになったブラジルの最初の開発は、国名の由来となるブラジルボク（パウ・ブラジル）の伐採から始まった。日本名でスオウと呼ばれるこの木は海岸に沿った森林地帯に広く自生していて、幹から赤い染料がとれるためヨーロッパへの輸出品として注目された。

国王はブラジルボクの伐採交易を国王の独占とし、キリスト教に改宗したリスボンのユダヤ商人フェルナン・デ・ノローニャに一五〇五年までの三年間その開発を譲渡した。その名はブラジル領土である島の名として残っているが、彼は国王との契約を完全に遂行しはしなかった。実際には、ポルトガル人やフランス人によるブラジルボクの不正な伐採や交易がブラジルの海岸地帯で行われ、根元の太さが直径一メートル、高さは三〇メートルにも達し、幹に棘のある巨大なブラジルボクを伐採して船積みする仕事に彼らは先住民を利用した。ポルトガル人が接触したのは海岸地帯に住み採集生活を営んでいたトゥピ・グアラニー語族であった。ブラジルの人も自然もヨーロッパ人を富ませるための収奪の対象となったのである。やがてフランス人の不正なブラジルボク伐採や海賊行為を放置できなくなり、一五三二年にポルトガル国王はブラジルの本格的な植民を決意した。

ブラジルボクはやがて枯渇し、砂糖を生産しヨーロッパに輸出する経営が北東部の海岸地帯、とくにペルナンブコで一五三〇年代に始まった。ブラジルボクがブラジル独自の産物であったのに対して、砂糖や牧畜、さらに後のコーヒーもすべてヨーロッパ人がもち込んだ動植物や技術を用いた産業であった。植民地時代を通じて、つねに新天地を必要とし奥地に向けてフロンティアが移動する生存のための開発と、大規模な資金と労働力を必要とした一六、一七世紀の砂糖や一八世紀の金、一九世紀中葉以降のコーヒーのような輸出のための開発が、生産ブームを招きながら並行して進められたのである。

本国の運命と植民地の運命

世界史の展開の中で、本国ポルトガルの運命は時にそのままブラジルの運命となった。まず、一五八〇年から一六四〇年にかけて本国がスペインに併合され、植民地のブラジルもスペイン領となり、本国と同じくスペインの敵国と対立することになる。その一つは砂糖経済のパートナーであったオランダとの争いである。オランダは投資ならびにヨーロッパにおける市場の面でブラジルの砂糖経済に深く関わっていた。したがって、スペインと戦っていたオランダは砂糖の権益を守るためにブラジル北東部の砂糖生産地帯を攻撃し、一六三七年から四四年までペルナンブコにオランダの植民地を築いたのである。ブラジル人はポルトガル人とともによく戦い、一六五四年にオランダ人をペルナンブコから撤収させた。ペルナンブコを訪れると今でも、ポルトガル人が作った砲撃に適した要塞都市オリンダと、オランダ人が貿易に配慮して築いた平坦な運河の都市レシーフェのコントラストを楽しめる。

一六四〇年のスペインからの独立に際しても、ブラジルは本国の運命に翻弄されることになる。それは当時のヨーロッパの二大勢力イギリスとフランスが対立する狭間で、ポルトガルはイギリスに接近し、植民地のブラジルを巻き込んでその経済に従属するにいたったからである。ポルトガルは植民地の安泰を求め、イギリスはその代償に植民地ブラジルでの通商上の特権を得た。一七〇三年のよく知られたメシュエン条約の締結は、イギリスへの経済的従属の追認を意味したのである。このときブラジルは空前の金ブームを迎えるが、この金でポルトガルはイギリスに対する貿易の赤字を埋め合わせた。

このように本国がイギリスの農業属国に堕してマニュファクチャーが形成されず、植民地ブラジルにも技術的能力がポルトガル移民によりもたらされることもなく、技術後進国として永く本国とともにブラジルは、イギリスを中心とする世界経済システムに組み込まれることになったのである。

大土地所有制のルーツ

他の多くのラテンアメリカ諸国と同じく、ブラジルでは農地改革は土地所有制度の改革を意味しない。歴代の大統領にとっても大土地所有制の解体を口にすることはタブーに等しかった。植民地時代の遺制の一つであるこの大土地所有制を歴史的にふり返ってみよう。

トルデシリャス条約に基づいて「発見」したブラジルの領有をローマ法王から認められたけれども、一六世紀のポルトガルは、インドの本格的な支配を打ち立て、ヨーロッパとの貿易路を海軍力によって確保するために莫大な資金が必要であった。したがって、王室にはブラジルを開発するだけの資金の余裕はなく、国王は一五三四年にブラジル植民地の直接経営を断念し、民間人の資力で植民するという思い切った政策、つまりカピタニア制の採用に踏み切った。これは歴史的にはイスラム教徒への再征服運動（レコンキスタ）の過程で、奪還した土地を国王が臣下に分配していった方式に起源があり、後に大西洋マデイラ、アソーレス、カーボ・ヴェルデ、サン・トメの各諸島における植民地制度となった。

国王はカピタニアの受封者であるドナタリオにカルタ・デ・ドアソンという証書を与え、フォラルと呼ばれる契約を結んで、その権利と義務を定めた。カピタニアは世襲制で、領土の分割や譲渡は許されなかった。そして通常、アフリカやインドの戦闘で功績のあった者や高級官吏から選ばれたドナタリオは、カピタニアの所有権はなく、広範な政治上の権限および経済権益が与えられたのであった。所領の約二〇％を自分の所有地とすることができたが、残りはカトリック教徒の植民者が開拓する目的で、カピタニア内にあるセズマリアと呼ばれる未開拓分譲地の下付を願い出た場合には与えなければならなかった。その際、入植者には広大な土地を開拓できる資力が必要であったため、下付された入植者は一部の特権階級に限られた。セズマリアの一区画の上限は、一六九五年に前面一レグア（六・六キロメートル）×奥行四レグアに定められた。一六九七年に前面一レグア×奥行三レグアに縮小され、一六九九年には未耕地は没収されることになったが、実際には所有地の面積は無制限状態であった。

結局、ブラジルの領土がトルデシリャス条約の境界線を越えて西に大きく拡張した一七五〇年のマドリード条約を経て、独立の一八二二年まで約三〇〇年間この制度が続き、大土地所有制発生の原因の一つとなった。セズマリア制が廃止された一八二二年から帝政下の一八五〇年まで土地所有法の未整備状態が続き、この間大地主たちは、未耕地の占有によってさらに自らの所有地を拡大することになった。ブラジル最初の土地所有法が公布された一八五〇年以降は、伝統的な大地主層に加えて、内陸部の未耕地などの購入によって広大な農牧地を所有するにいたる新興の地主層が誕生する。それは、あらかじめ資金を携えてきたヨーロッパ移民や事業に成功した新しい階層からの参加であった。土地は私有地と公有地に分類され、占有による土地所有は困難となった。

新世界に出現した王国

広大で多様性に富むブラジルがなぜスペイン系ラテンアメリカが分裂したように複数の国に分離しなかったのか、という質問への答えの一つに、一八二二年の独立から一八八九年までの七〇年ちかい王国としての経験を挙げることができる。摂政皇太子ペドロ一世は独立によって王ではなく皇帝と呼びかえられたが、その存在が民衆をまとめる求心力となり、一八四〇年に帝位についたブラジル生まれのペドロ二世の場合とくにそれは強かった。

話はナポレオン軍のポルトガル侵攻にさかのぼる。一八〇六年にフランスは、大陸封鎖令によってヨーロッパの諸国がイギリスと通商することを禁じ、ポルトガルもナポレオン軍の侵攻に際して、イギリスへの宣戦布告をフランスから要求された。しかし、もしフランスの要求に応じれば、ブラジルはイギリスの攻撃をうけ、ポルトガルは重要な植民地を失い、さらにはイギリスとの緊密な貿易関係を損なうことになる。結局、ポルトガル王室の女王マリア一世や摂政皇太子ジョアン六世は、およそ一万五〇〇〇人の随員とともに、一八〇七年にイギリス海軍に保護されてリスボンをあとにし、翌一八〇八年にリオデジャネイロに到着した。

こうして、ポルトガルのブラガンサ王朝は、熱帯の新世界に、ブラジル王国を作るにいたったのである。一八二二年の独立宣言のまえから独立国と同じく、王立印刷所によって公文書や新聞、図書の発行が始まり、博物館や植物園、公共図書館、王立劇場、裁判所、ブラジル銀行などが築かれ、首都リオデジャネイロは、文化、政治、経済の中心地としての基盤を整えた。

一八二二年にブラガンサ王朝の摂政皇太子が現実に独立を宣言し、皮肉にもポルトガルは、自らの移転を契機としたブラジルの独立によって、本国の重商主義政策を支えてきた豊かな富の源を失うことになる。一方ブラジルは、ポルトガルの伝統を完全に否定するのではなく、王国を帝国に変えてポルトガル様式をブラジル風に作り替えながら、一段とめざましい発展を目指した。

恩恵に浴したのは一部の特権階級に限られていたけれども、国民はヨーロッパの高貴で華麗な王室の雰囲気を自らの文化として味わえた。アジアで考えれば、日本やタイ、中国のような王室の文化や伝統につながる価値観を尊敬する気風が、広く国民全体に浸透し、地方の勢力の分離独立を回避させたといえる。しかし同時に、王室を支持する一握りの特権階級や地方のわずかな権威主義的な勢力を生むことになった。

三　大陸国家の統合と近代化

統合の拠点南東部の発展

一八八九年に共和国が誕生したものの、一九三〇年のヴァルガス革命までの時期は旧共和制期と呼ばれ、地方エリートが権勢をふるう時代であった。なかでも、首都であることから表面上はリオデジャネイロが政治の中心地でありつづけたが、コーヒー生産州のサンパウロと畜産州のミナスジェライスが共和国の政治を牛耳ることになった。地方ボスが支配するコロネリズモは、歴史的に北東部地方の砂糖生産地帯にみられた家父長制度に背景がある。コーヒー経済の発展にともない、その主要な舞台が南東部に移ったのである。

旧共和制期の中央と地方の緊密なつながりは、まずサンパウロ出身のカンポス＝サーレス大統領期（一八九八―

一九〇二年）から北東部出身のエピタシオ・ペソア大統領期（一九一九―二二年）まで、今日の知事にあたる州統領を重視する政治によって進められた。つまり、地方ボスから州統領へ、州統領から連邦政府への参加、という制度の確立であった。これと並んで、陸軍元帥であるエルメス・ダ・フォンセカ大統領期（一九一〇―一四年）の国軍による国家統一運動が地方の内紛を鎮圧する形で展開した。サンパウロ、ミナスジェライス、リオグランデドスルに代表される大州の有力政党の推薦による政党政治はヴェンセズラウ・ブラス政権の一九一四年頃から始まり、この三州から正副大統領および主要閣僚が登場することになった。その三州のヘゲモニー間の闘争の中で、リオグランデドスルが孤立していったのである。

一九二二年の大統領選挙で、サンパウロとミナスジェライスの推す候補者に対して、リオグランデドスルなど他の諸州と軍部は結束して対立候補を立てた。しかし、サンパウロとミナスジェライス重視のカフェ・コン・レイテ（ミルク入りコーヒー）と呼ばれた地方エリート体制にしたがって、ミナスジェライス州出身のアルトゥル・ベルナルデスが当選した。これに反発して、若い理想主義的な下級将校であるテネンテたちが決起し、テネンティズモという彼らの政治的軍事的な運動が、地方エリート支配の権力構造に挑戦したのである。この運動はやがて反サンパウロをうたったヴァルガス革命を勝利に導くことになる。一方、急進派は共産主義運動に向かった。

新しい指導者ヴァルガス

一九二九年一〇月の世界恐慌によってコーヒー価格が大暴落し、世界生産の六〇％以上を占めていたブラジルのコーヒー経済の繁栄は終わった。経済的な混乱が広がる中、反サンパウロを掲げて一九三〇年のクーデターで登場した新指導者ジェトゥリオ・ヴァルガスは、輸出農業に替えて輸入代替工業化を積極的に進めた。

南東部を拠点としながらも、これ以外のブラジル各地、とくに北東部や中西部の奥地にたいして発展の方向性を示し、アマゾンの合理的な開発もヴァルガスによって宣言された。ヴァルガスの登場によってサンパウロの少数支配は終わったが、同地域はコーヒー経済で得た富を背景に工業化をすすめ、ラテンアメリカ随一の工業都市に生ま

ヴァルガス没後50周年記念シンポジウムで報告するヴァルガス財団教授（左端）。リオデジャネイロ、カテテ宮、2004年。

れ変わった。都市の存在に加えて、鉄道や道路、発電所などの経済下部構造の整備がなされていたことや外国移民という良質の労働力を大量に受け入れたこと、繊維工業を中核とする工場設備が存在していたことなどがサンパウロの発展に有利に作用した。

文化政策ではカーニバルやサッカーなどをヴァルガスは支援した。また、一九三七年の「新国家」体制樹立以前の一九三三年に、ジルベルト・フレイレが『大邸宅と奴隷小屋』、一九三六年にセルジオ・ブアルケ・デ・オランダが『ブラジルの根』をそれぞれ出版したことは、ブラジル文化中心主義を目指すヴァルガスにとって幸運であった。ついに、強力な政治勢力であった共産主義を掲げる「民族解放同盟」とファシズムを唱える「ブラジル統一行動」を排除して、一九三七年に独裁体制を固めた。政党解散令が発せられ、一九四五年まで政党の無い時代を迎え、ヴァルガスは立法、行政、司法におよぶ権力を獲得した。ヴァルガス時代は、独裁政治による弾圧と専横の暗い側面がみられた。しかし他方では、国家の統制のもとに、職場における、いわゆる「上からの」労働者や女性の地位向上がはかられた。大土地所有者階級に反対する都市の民衆や中産階級がヴァルガスを支持し、地方ボスの勢力を弱め、戦後のポプリズモへの道を開いたのである。それは、国民と共に工業化や奥地への発展を指向する運動であった。

第二次世界大戦の連合国勝利を受けて、独裁者ヴァルガスは一九四五年に軍の圧力により辞任した。一九五一年に再度大統領に就任したヴァルガスは、ポプリズモ的な政権を目指すものの失敗し、一九五四年八月、衝撃的な自殺を遂げた。今日、ヴァルガスの支持者はリオデジャネイロに多く、逆にサンパウロでの彼の評価は消極的である。

その理由は、ヴァルガスが首都リオを重視した結果、リオには今でも市民が誇りとするカーニバルなどの文化行事やキリスト像のような建造物が残っているが、反面サンパウロにおいては、ヴァルガスが政府軍により激しく攻撃した一九三二年護憲革命の悲劇のような行動が未だ鮮明に記憶されているからであろう。

経済成長と社会格差

第二次世界大戦後のブラジル政治をみると、ポルトガル語でポプリズモと呼ばれる民衆の願望を重視する傾向が一九六四年のクーデターまで展開し、この政変から一九八五年まで開発優先の権威主義の政策が続いた。「奇跡」と形容された高度経済成長は、権威主義的な軍事政権下の一九六八—七三年にみられたのである。

まず経済活動三カ年計画（一九六四—六六年）によって総合的な開発計画が示されたあと、ブラジルモデルとして当時高い評価をえた開発戦略三カ年計画（一九六八—七〇年）が実施された。それは、軍部の政治力を基盤に経済の専門家などのテクノクラートを積極的に登用して、ブラジル識字運動（ＭＯＢＲＡＬ）などを含む社会統合によって近代化を目指す政策であった。続いて国民のさらなる所得増を目的とした第一次国家開発計画（一九七二—七四年）が実行に移され、「奇跡」と呼ばれた高度成長期をむかえたのである。それは単に年率一〇％前後の高水準を維持し続けた経済成長率のみではなく、総合的な開発計画によって経済下部構造の整備が確実にすすみ、工業化も輸出競争に耐えるレベルにまで達した成長であった。

しかし、この高度成長期の一九六〇年代と一九七〇年代に、富める者と貧しき者との格差は増大した。国内市場をみると、広く分散している所得を一部の富める者に集中することで耐久消費財需要がつくられたが、貧しき者の所得は相対的に低下し続け、社会不安を煽ることになった。階層別の所得分布を観察すると、上層階級に所得が極端に集中している。一九六〇年に上層の二〇％の人々が総所得の五〇％を上回る割合を占め、一九七〇年と一九八〇年はともに、六〇％を超えている。逆に、下層の四〇％は、いずれの年も総所得のおよそ一〇％程度しか受け取っていない。こうした所得の格差が、多くの国民の不公平感や不満を招き、やがて社会の不安定要因となることは

新時代の象徴ルーラ大統領

確かである。あらゆる階層の子供たちの教育環境の充実を含めて、格差の是正を目指す息のながい堅実な努力が必要であった。

高度経済成長期を経て今日にいたるまで、二〇世紀後半のブラジルはめまぐるしく変化した。実際、ポプリズモ政権を目指したヴァルガスの自殺、開発優先の理念をかかげたブラジリアの建設、労働党政権による社会主義理念導入の試み、軍部の指導による権威主義的政権の誕生、民衆の人気に支えられた民政移管と経済破綻など、時の流れとともに転換期を経験することになった。

ブラジル新時代とルーラ大統領

国家のすすむべき方向や理念の一つは憲法によって示されるが、ブラジルは第二次大戦後、三度、憲法を公布している。ヴァルガスの独裁体制が終わったのちの一九四六年の民主的憲法、一九六七年の軍事政権のもとでの権威主義的な憲法、民主主義の確立を告げラテンアメリカ諸国の共同体の形成をうたった一九八八年の憲法である。これに、帝政期の一八二四年、旧共和制期の一八九一年、ヴァルガス独裁時代の一九三四と三七年を加えると、七つの憲法をもったことになる。さらに、インフレ抑制を可能にした前フェルナンド・エンリケ・カルドーゾ政権が大統領再選認可などについて複数回、憲法を改正した。日本に比べると実にめまぐるしい展開であるため、いつの時代のいかなる制度を述べるのかをはっきりさせる必要がある。変化するコントラストの国を理解するには、時間と空間をしっかりと見定めなければならない。

さて、国民が求める理念には、永続性のあるものと一時的なものとがあろう。豊かな社会を目指すことやブラジル領土の保全、ブラジル人としての意識の高揚などは永続的であろう。一方、国家の統一と地方分権のいずれを重視するのか、国内問題と国際化のどちらを優先させるのか、といった選択は一時的な傾向をもっていよう。現在は、南米南部共同市場（メルコスル）の進展や労働者党（ＰＴ）ルーラ大統領の誕生にともない、近隣のラテンアメリカ諸国やその他世界の途上国重視の国際化に傾いている。さらに、冷戦後のグローバル化やインターネットの利用をはじめとするＩＴ革命などを受けて、ブラジル国民は、積極的な政治参加を求めている。自由化、規制緩和、民営化に向けて、国民の側に明らかな意識改革が生まれつつあるといえよう。

カルドーゾ前大統領は「従属学派」の理論家として知られた社会学者であり、ブラジル国内における格差や世界経済システムを批判していたが、政権を担うと自由競争を容認する経済開放を掲げ、外国資本を積極的に誘致し、国際競争に打ち勝つブラジルを目指した。こうした変身（メタモルフォーゼ）は、ルーラ大統領においてより顕著である。労働者党の立場から批判してきたカルドーゾ前大統領の政策を、大統領当選後はそのまま引き継いだのである。

二〇〇四年に没後五〇周年を迎えた、「貧者の父」として民衆に慕われた二〇世紀ブラジルを代表する指導者ヴァルガスについても、多くの研究者が異口同音に、実用的（プラグマティコ）で曖昧（アンビグオ）な政治姿勢であったことを指摘している。環境の変化に柔軟に適応したヴァルガスの曖昧さとルーラの変身は、異種混交のブラジル社会において、危険な対立や緊張状態を回避するために、ブラジルの指導者が時代を超えて採用しうる選択肢かもしれない。労働者党政権誕生の新しい変化が短期間で終わるか否かは、今後の時の流れの中で検証されるであろう。

【参考文献】

小池洋一／西沢利栄／堀坂浩太郎／西島章次／三田千代子／桜井敏浩／佐藤美由紀編『現代ブラジル事典』（新評論　二〇〇五年）　一五五名の専門家が、ブラジルの経済や社会、自然、音楽、映画などについて、硬軟とりまぜて実にていねいな情報提供をおこなっており、巻末の資料も便利である。

斎藤広志／中川文雄『ラテンアメリカ現代史（I　総説・ブラジル）』（世界現代史33　山川出版社　一九七八年）　ヴァルガス時代を中心に、軍事政権にいたる現代政治史をみるのに役立つ。

富野幹雄／住田育法『ブラジル――その歴史と経済』（啓文社　一九九〇年）　植民地時代から現在までのブラジルの経済、社会、政治の展開をていねいに説明している。

富野幹雄／住田育法編著『ブラジル学を学ぶ人のために』（世界思想社　二〇〇二年）　ブラジルの環境問題や教育、言語に至るまで、複数の分野から総合的に説明している。

西沢利栄／小池洋一『アマゾン――生態と開発』（岩波書店　一九九二年）　アマゾンについて書かれた入門書。

堀坂浩太郎編著『ブラジル新時代――変革の軌跡と労働者党政権の挑戦』（勁草書房　二〇〇四年）　従来のエリート層出身ではない大統領誕生の展開を新時代と称し、複数の著者がわかりやすく解説している。

Burns, E. Bradford. *A History of Brazil* (2 nd Edition. New York : Columbia University Press, 1980)　アメリカ人が書いたブラジル史研究書の決定版。

M・バルガス=リョサ『世界終末戦争』（旦敬介訳　新潮社　一九九七年）　クーニャの『奥地の反乱』（*Os sertões*. 1902）を下敷きにして、ペルーのバルガス=リョサが著した小説の和訳。クーニャが描いた北東部地方を理解するのに便利である。

S・B・デ・オランダ『真心と冒険――ラテン的世界』（池上岑夫訳　新世界社　一九七一年）　オランダの名著『ブラジルの根』（*Raízes do Brasil*. 1936）の和訳。

G・フレイレ『大邸宅と奴隷小屋――ブラジルにおける家父長制家族の形成（上・下）』（鈴木茂訳　日本経済評論社　二〇〇五年）　原書（*Casa-grande & senzala*. 1933）の初版は七〇年以上前の作品であるが、今読んでもブラジル社会の理解に十分役立つ。

Ribeiro, Darcy. *O povo brasileiro : a formação e o sentido do Brasil* (São Paulo : Companhia das Letras, 1995)　ブラジルを代表する文化人類学者ダルシー・リベイロがブラジル人形成の歴史とその特徴をわかりやすく書いている。

IBGE. *Anuário Estatístico do Brasil.*　ブラジル地理統計院が毎年発行しており、統計資料の入手には欠かせない。

Fausto, Boris. *História do Brasil* (11 th ed. São Paulo : Editora da Universidade de São Paulo, 2002)　ブラジル歴史学界の第一人者ボリス・ファウストが現代史を中心にわかりやすく書いた大学・高校生レベルのブラジル史の教科書。

第一二章　ラテンアメリカと日本

●国本　伊代

序　ラテンアメリカと日本の遠くて近い関係

「地球の裏側」という言葉があるが、ラテンアメリカ、とくに南アメリカ大陸は物理的に日本からみて、地球の「裏側」に位置する。空の交通手段が発達した現在でも、日本からノンストップで行けるラテンアメリカの都市はない。最も近い国メキシコの首都メキシコ市へ最短距離で飛ぶ場合にも、一度アメリカかカナダの西海岸の都市を経由しなければならず、最低一六時間はかかる。このようにラテンアメリカは、地理的には日本からとても遠い。しかし他方でラテンアメリカは、日本にとって非常に近い関係をもつ地域でもある。

地理的に遠いラテンアメリカを日本にとって近い地域にしているのは、ここに存在する日系社会である。世界の各地に存在する日本人移住者とその子孫からなる日系社会の中で、最大規模の日系社会が存在するところがラテンアメリカであるからだ。このラテンアメリカ諸国に存在する日系社会は、一九世紀末に始まった日本人の「中南米移住」の結果として形成されたものである。比較的大きな日系社会が存在するのは、ブラジル、ペルー、アルゼンチン、パラグアイ、ボリビア、メキシコで、これらの国では二世や三世が中堅層として活躍している。ペルーで誕生した日系大統領アルベルト・フジモリ（在任一九九〇—二〇〇〇年）を筆頭にして、各国とも中央政界をはじめとする各界に進出し、活躍している日系人は少なくない。日系人の大学進学率はいずれの国でも高く、専門職に就く人々が多いのも特徴である。またほとんどの日系社会が日本の伝統・文化の継承につとめており、とくに第二次世界大戦後に大規模な日本人開拓移住地が建設されたブラジル、パラグアイ、ボリビアでは、日本語や日本の伝統が驚くほどよく保持されている。

　このような絆をもっている日本とラテンアメリカ諸国の関係については次にテーマ別で取り上げるが、政治・経済・文化のいずれの面でも、日本とラテンアメリカは相互にそれほど大きな位置を占めていない。ただし、いくつかの国にとって、日本は主要な貿易相手国の一つとなっており、経済・技術援助の分野ではラテンアメリカからみて日本は重要な援助国である。したがって、それらの国々における日本の存在は小さくない。

　全般的にみて、日本とラテンアメリカの関係は深刻な争点を抱えておらず、また相互に強い依存関係にないため、非常に友好的である。先に述べたようにラテンアメリカのいくつかの国では日本が重要な貿易相手国となっているが、それは最近になってからのことであり、これまで経済関係で深刻な対立関係に陥る事態を経験していない。この比較的低レベルの経済関係を背景にして、ラテンアメリカの政治に日本が関与する機会はほとんどなかった。一方、拡大の一途をたどってきた対外援助政策の中で日本がラテンアメリカ諸国に供与する各種の援助は、これまでのところ友好関係の樹立に役立ってきている。このようにラテンアメリカは日本にとって物理的には遠いが、心情的には非常に近くかつ友好的な地域なのである。

　ただし、激動するラテンアメリカの状況の中で、時として日本の存在が注目され、事件にまき込まれることがある。たとえば、いくつかの国で発生した日本企業代表の営利誘拐事件や一九九六年一二月に起こったペルーの日本大使公邸をゲリラが占拠した事件などは、反日行動とは必ずしも結びつかないが、日本とラテンアメリカの関係が緊密になればなるほど日本がまき込まれる可能性も大きくなることを示している。

サンパウロ市内の東洋人街にある赤い鳥居と大阪橋。

一　政治・外交関係におけるラテンアメリカと日本

最初の外交関係の樹立

近代日本とラテンアメリカの交流の歴史は、明治時代の日本の国際的地位を象徴する事件で始まった。ペリー提督の率いる四隻の黒船によって鎖国を解かれた日本が明治維新を迎え、国際社会に仲間入りした頃、ラテンアメリカ諸国は独立を達成してからすでに半世紀を経ており、いくつかの国ではめざましい経済発展をとげつつあった。それらの国の一つが、ラテンアメリカ諸国の中で日本と最初の外交関係を樹立したペルーである。

一八二一年にスペインから独立を達成していたペルーは、一九世紀半ばになって経済が急速に発展するにともない労働力不足に見舞われ、ちょうどこのころ欧米列強に門戸を開放させられた中国から、苦力（クーリー）と呼ばれた労働者を導入していた。その過程で、一八七二年に中国人を移送中のペルー船マリア・ルス号が嵐に遭遇し、避難のため横浜港に入港した。このとき船から脱走した中国人が近くに停泊していたイギリス船に救助され、日本側に引き渡されるという事件が起こった。やがてペルー船内に非人道的な状態で収容されていた二三一名の中国人を日本政府が保護し中国へ送還したことから、事件は日本とペルー間の国際裁判事件へと発展した。当時、苦力（クーリー）貿易として知られた中国人の雇用は、一八五〇年に実現した奴隷貿易中止後のアフリカ系黒人奴隷に代わるものとして、ラテンアメリカのいくつかの国で受け入れられていた。日本政府は救出した中国人を人道的な見地から中国へ送還したが、ペルーはこれに強く抗議し、日本に損害賠償を求めたのである。ロシア皇帝アレクサンドル一世の仲裁によりこの紛争は一八七四年に解決したが、この間の七三年に日本はペルーと国交を樹立した。これは日本にとって、最初のラテンアメリカの国との国交樹立であった。

次に日本がラテンアメリカと重要な外交関係を結ぶのは、メキシコである。明治政府にとって幕末に開国を迫られ、締結させられた不平等条約の改正問題は、その後半世紀におよぶ重大な外交課題となっていたが、はかばかしい成果を得られず、日本はいずれかの国と完全に平等な条約を締結することによって、列強との条約改正の前例を作ろうとしていた。その相手国に選ばれたのがメキシコである。一方、メキシコもまたアジア貿易に関心を抱いており、日本がメキシコに条約締結の打診をする数年前に一度日本に接近したことがあった。しかしこの時には日本側に関心がなく条約締結にいたらなかったという事情があったことから、今度は日本側が行った積極的な条約締結へ向けた働きかけに応じたのである。ワシントンを舞台にして展開された外交交渉により、日本とメキシコは双方とも駆け引きと思惑を秘めながら一年ちかい歳月をかけて、完全に平等な日墨修好通商条約を締結することに合意したのである。

一八八八年に締結されたこの条約は、日本にとっては最初の平等条約となった。しかし不平等条約改正史の上で画期的な出来事であったこの平等条約も、実際には日本が目論んだような役割を十分に果たすことはなかった。日本は、一八九四年にイギリスおよびアメリカ合衆国と結んだ通商航海条約の改訂で、不平等条項の一部を修正させるにとどまった。一方、同じ頃に労働力として日本移民を導入しようとして日本に接近したブラジルの場合には、日本がメキシコと交わした平等条約と同じ内容の条約の締結を要求され、パリを舞台にして外交交渉を重ねた結果、一八九五年に完全に平等な日伯修好通商航海条約が締結されている。

アメリカ合衆国が介入する日本とラテンアメリカの関係

日本とラテンアメリカの関係を考えるとき、アメリカ合衆国の存在を無視することはできない。ラテンアメリカ諸国は、国により差異があるものの、全般的にアメリカの強い影響下にある。歴史的には、二〇世紀に入るとラテンアメリカは西半球をブロック化したアメリカの主導下におかれ、アメリカの軍事干渉をしばしばうけ、アメリカの裏庭的な存在となった。このようなアメリカ合衆国とラテンアメリカの特殊な関係は、日本がこの地域に進出する場合に日本の行動が警戒される要因となった。それはまた、「ラテンアメリカはアメリカの特殊権益圏である」とする日本側の認識を育て、日本とラテンアメリカの関係を日米関係の延長でとらえる傾向を強めたのである。そのいくつかの例を次に紹介してみよう。

二〇世紀初頭の日米関係は、移民問題を中心にして多くの問題を抱えていた。カリフォルニアで日本移民の排斥運動が深刻化し、日本人の不法入国が問題となっていた。一方、この頃メキシコへ移住した日本人ばかりでなく、ペルーへ移住した日本人もメキシコに再移動してきて、アメリカと国境を接しているメキシコからアメリカに密入国を企てていた。この事態を重くみたアメリカは、一九〇七年に日本と締結した「紳士協定」に秘密条項を付して、日本政府がアメリカと国境を接する国へ移民を送り出さないという確約を取りつけた。それによって一八九七年に始まり二〇世紀初頭には年間数千人の規模に達していたメキシコへの日本人の移住は終了したのである。メキシコへの移民送り出しを中止させられ、アメリカ合衆国への移民送り出しも困難となった日本政府は、ブラジルへの移民を積極的に進めることになった。ブラジルへの集団移住が始まるのは一九〇八年である。

もう一つの例は、ロッジ・コロラリーと呼ばれるアメリカの主張である。ロッジ・コロラリーとは、モンロー宣言の拡張解釈で、ヨーロッパ諸国の西半球への介入を拒否したこの宣言にアジアを加えたアメリカの主張である。これは、当時ラテンアメリカに進出しつつあった日本を牽制したものであった。ラテンアメリカを自国の特殊な権益圏とする二〇世紀初頭のアメリカ合衆国の姿勢は、すでにアメリカ大陸へのヨーロッパの干渉を拒否した一八二三年のモンロー宣言の拡張解釈とされるローズヴェルト・コロラリーによって露骨に表明されていた。すなわちアメリカが西半球の警察の役割を担うことを宣言したのが、ローズヴェルト・コロラリーであったからである。時の大統領セオドア・ローズヴェルトはパナマ運河の建設を国家事業として推進したが、この後アメリカはしばしば海兵隊を出動させ、武力を行使してカリブ海域と中米諸国に干渉していった。

一九一二年にアメリカの議会で採択されたロッジ・コロラリーの直接の原因は、革命の最中にあったメキシコに対する日本の干渉をアメリカ側が過大に警戒したことにあった。当時アメリカ国内では、日本がメキシコの太平洋岸に海軍基地を建設しようとしているとする情報が大々的に喧伝されていた。この種の「ラテンアメリカを舞台にしたアメリカに対する日本の挑戦」という伝聞と仮説は、メキシコ・ドイツ・日本の三国が同盟を結んでアメリカ合衆国に宣戦布告するというものから、日本が戦略的価値をもつパナマ運河を奇襲攻撃して占拠するというもの、あるいはペルーおよびブラジルへの日本移民の増加がラテンアメリカにおける日本の膨張であるとするものまであり、アメリカの根強い対日不信を物語っていた。

最も深刻な事例は、第二次世界大戦中にラテンアメリカ諸国に移住していた日本人に起こった事件である。一九一〇年代から二〇年代にかけてアメリカがとった強圧的な対ラテンアメリカ政策はラテンアメリカ諸国で多くの反発を生み、反米主義を高揚させたが、一九三〇年代にアメリカが善隣外交へと政策を転換し、対立から協調関係の時代に入ると、ラテンアメリカ諸国はアメリカ主導の下で一体化していった。その結果、一九四一年一二月に日本とアメリカが開戦すると、ラテンアメリカ諸国の多くがただちにアメリカに追従して対日外交関係を断絶し、やがて対日宣戦布告をして日本と敵対関係に入った。このことは、後に取り上げるラテンアメリカ諸国に存在していた日本人の移民社会に大きな影響を与えることになった。アメリカは捕虜となった自国民との交換に備えてラテンアメリカ諸国で生活していた日本人の一部をアメリカ国内の強制収容所へ収監することになり、ラテンアメリカの一二の国がその要求に応じたのである。最も多くの日本人をアメリカの強制収容所へ送ったペルーの場合、一八〇〇名以上の日本人がペルーからアメリカ本土へ移送された。アメリカへの移送要請を拒否したメキシコの場合には、国内の二カ所に強制収容所を設置して、全国各地に分散していた日本人を収容した。最も多くの日本人移民が存在していたブラジルの場合、日本人社会の指導者層の一部を国内で強制収監したほか、日本人の集会や日本語教育を禁止した。

新しい日本とラテンアメリカの関係

日米戦争によって日本とラテンアメリカの関係は敵対関係に入ったが、一九五一年のサンフランシスコ講和条約の締結によって、新しい日本とラテンアメリカの関係が始まった。この戦後の関係で最初に取り組まれたのは移民である。敗戦によって未曾有の飢餓状態に陥った日本国民に救済の手を真っ先に差し伸べたのは、ブラジルをはじめとするラテンアメリカ諸国に存在していた日本人社会であった。呼び寄せ移民の形で再開された移民は、やがて日本政府が相手国との間に締結した移住協定に基づいてブラジル、ボリビア、パラグアイ、ドミニカ共和国、アルゼンチンへ農業移民として移住した。しかし後に紹介するように、日本人のラテンアメリカ諸国への移住は日本の高度経済成長とともに低調となり、一九六〇年代半ばでほぼ終了している。

第二次世界大戦後の日本にとってのラテンアメリカは、敗戦の混乱と困窮の中からまず移民を送り出す地域として注目されたが、貿易と投資先としての経済関係も一九五〇年代後半になると活発になった。こうして戦後の日本の対ラテンアメリカ関係は、ラテンアメリカの豊かな資源と各国に定着した日系社会に強い関心を払いつつ、アメリカ合衆国の権益に十分な注意を払いながら、友好な関係を保つというものとなった。一九八〇年代にラテンアメリカ諸国が陥った累積債務危機で、日本がアメリカの要請をうけてその救済策に大きく関与したのは、その好例の一つである。

しかしラテンアメリカを自国の裏庭視するアメリカに対して、日本がつねに遠慮し、すべてにわたってアメリカのラテンアメリカ政策に追従してきたわけではない。たとえば一九五九年に独裁者の打倒に成功し、やがて社会主義革命を進めていったキューバに対して、アメリカは西半球諸国を動員して経済封鎖を含めた厳しいキューバ孤立化政策をとってきたが、日本はキューバとの貿易関係を保持し、経済・技術援助を提供してきた。また一九八二年にアルゼンチンがイギリスに仕掛けたマルビナス（フォークランド）戦争では、イギリスを支持するアメリカの政策に反する日本独自の外交姿勢をとった。また一九八〇年代にアメリカのレーガン政権が介入した中米紛争では、ラテンアメリカ諸国の自主的な行動で和平の実現を目指して結成されたメキシコ・ベネズエラ・コロンビア・パナマの四カ国からなるコンタドーラ・グループの活動を日本は支援した。このように一定の距離を保ちながらも、日本は独自の立場を強めてきており、ラテンアメリカ諸国との友好的な関係を保ちつづけている。

二　移住と日系社会

ラテンアメリカにおける日系社会

日本人がラテンアメリカへ移住を開始してからほぼ一〇〇年が経つ。移住の歴史が最も古いアルゼンチンの日系社会は一九八七年に移住百周年を祝ったが、一九九七年にはメキシコの日系社会が移住百周年を迎え、九九年にはペルーとボリビアが同じく百周年を祝った。このことからもわかるように、ラテンアメリカ諸国へ移住した日本人の歴史は古く、当然ながらこの地域の日本人移住者とその子孫からなる日系社会の規模も大きい。

外務省の管轄下にあった国際協力事業団（現在の国際協力機構）の『海外移住統計』によると、海外に永住している日本人移住者と日系人全体の約半分がラテンアメリカ地域に住んでいる。そのうちの約八〇％はブラジルで生活しており、二位以下はアルゼンチン、パラグアイ、ペルー、ボリビアの順になっている。ただしここに挙げられた日系人に関する数字は、一つの目安にすぎない。なぜなら日系人と称される日本人移住者の子孫の数を数字で示すことはほとんど不可能だからである。ラテンアメリカ諸国では、日本人を両親として生まれた子も自動的に当該国の国籍を与えられる。その結果、国籍に関して血統主義をとる日本国民の子として生まれた二世の多くが二重国籍を保持することになるが、彼らは教育や日常生活を通じて当該国の国民として成長する。その二世を親にもつ三世、さらに次の四世と、世代を経るにつれて、日本人の子孫という意識も薄くなっていく。ましてや混血を重ねていった場合、何をもって日系人とするかは非常に難しい問題である。このように日系人を厳密に規定することができない以上、日系社会の規模を正確に知ることはできない。先に挙げた資料には「日系人」として分類された数字が収録されているが、それは各国に置かれている日本大使館や領事館が把握している数字にすぎない。このことを最もよく示す事例としては、日本政府が推計したブラジル日系人口六七万人（一九八七年）に対して、ブラジルの日系社会が独自に実施した一九八七―八八年の人口調査では約一二八万と推計されたことが挙げられる。

すでに他の章で紹介されているように、ラテンアメリカは多民族と多元文化、そして混淆の世界である。したがって現在ラテンアメリカに存在する日系社会が、日本の伝統文化を保持し、日本との強い絆をもつことに対して、反発と反感をもたれることはほんとんどない。むしろ勤勉さ、正直さ、時間や約束を守ることなどが日本人の特質であるという認識が広まっており、さらにブラジル、パラグアイ、ボリビアでは農業分野における日本人移住者の貢献が高く評価されている。

移住一〇〇年の歴史

ラテンアメリカは、長年日本人にとって、移住先「中南米」として知られてきた。日本が高度経済成長期に入った一九六〇年代半ば頃まで、移住は日本とラテンアメリカとの関係の最も重要な柱であった。近代日本の海外移住史は一八六八年（明治元年）にハワイとグアムに出稼ぎ労働者が渡航したことによって始まったが、ラテンアメリカへの集団移住は一八九七年にメキシコへ渡った三六名の集団が最初である。それから日米戦争の勃発により移住が中断する一九四一年までに、日本からラテンアメリカに移住した人数は、総数で約二四万五〇〇〇人であった。このうちの四分の三にあたる約一八万九〇〇〇人がブラジルへ渡り、二位のペルーへは約三万三〇〇〇人、三位のメキシコへは約一万五〇〇〇人が渡航している。これら三カ国へ移住した日本人の数だけで、ラテンアメリカ移住者総数の九七％にのぼった。

第二次世界大戦前にラテンアメリカへ移住したこれらの日本人の多くは、出稼ぎ移民で、永住を目的とする人たちではなかった。懸命に働き、ひと財産を築いて日本に戻り、「故郷に錦を飾る」ことを夢見た人々である。したがっていずれの地域に移住した日本人も、いつの日か日本に帰る日のことを考え、子供に日本語を教えつづけ、現地の社会に溶け込まなかった。しかし多くの日本人は「故郷に錦を飾る」ことはなく、戦争で祖国との絆を断ち切られ、つづいて祖国の敗戦を知ると、そのまま出稼ぎの地に永住することを決意したのである。

第二次世界大戦中に中断したラテンアメリカへの移住は、戦後一九五〇年代に再開された。戦後の荒廃した中で海外から六〇〇万人を超える引揚者と復員者を受け入れ、国民が飢餓的状況に追い込まれていた当時、日本政府が積極的に取り組んだものの一つが海外移住の再開であった。しかし敗戦後の困窮する日本から移住者を海外に送り出す計画は、まず民間で始められた。戦前にブラジルやアルゼンチンに移住していた日本人が親類や知人を個別に呼び寄せて、日本から移住者を受け入れたのである。

戦後、日本人の集団移住を認めたのは、ブラジル、パラグアイ、ボリビア、アルゼンチンおよびドミニカ共和国のみである。一九五二年にブラジルへ戦後最初の集団渡航が認可されたが、ブラジルの他に日本政府と移住協定を締結して集団移住を受け入れたのは、ボリビア（移住協定締結一九五六年）、ドミニカ共和国（同一九五六年）、パラグアイ（同一九五九年）およびアルゼンチン（同一九六三年）であった。これらの国には、日本人開拓移住地が建設され、農業移住者が送り出された。しかし日本政府が支援して送り出した戦後の移住者の総数は約六万七〇〇〇人にすぎず、日本が高度経済成長期に入った一九六〇年代半ばには集団移住の時代は終わっている。

メキシコ移住90周年（1987年）を祝って姉妹都市名古屋市から贈られた御輿をかつぐメキシコの高校生。

日系人の日本出稼ぎ

日本人の移住がほとんど途絶えた一九八〇年代に入ると、経済の混乱と不況期に入ったラテンアメリカの日系社会から日本への出稼ぎ現象が起こった。はじめは日本の国籍を保有する一世と二世に限られていた。もっともラテンアメリカ各国の経済不況が一律に深刻さを増したわけではなく、日系社会の構造も国により異なるので、日本への出稼ぎ現象がいっせいに起こったわけではなかった。しかし一九八八年頃から、どの国の日系社会からも多数の老若男女が日本に出稼ぎに来るようになり、経済的に恵まれた層を除いて、日系人なら、農村でも都市でも、老人や子供やどうしても抜け出せない者以外は、みな日本へ出稼ぎに出てしまったような状況が一九九〇年代前半にはみられた。これは、一九九〇年に改正された日本側の出入国管理法が日本国籍をもたない日系二世と三世の就労を認めたためで、日本への出稼ぎブームに拍車がかかったからである。

ラテンアメリカの日系社会からこのような出稼ぎ人口が日本に流出した理由は、単純で明快である。日本がバブル経済の中で人手不足に悩んだ時期に、ラテンアメリカ諸国は経済不況とインフレに苦しみ、低賃金と失業が国民生活を直撃していたからである。当時ラテンアメリカから日本に来て働くと、賃金は現地で得られる金額の一〇倍以上になり、生活を切り詰めて一―二年働けばラテンアメリカの庶民にとっては大金である数万ドルが貯められた。大学を卒業して弁護士や医者などの専門職に就いていたものまでが日本に来て、３Ｋと呼ばれる「きつくて、汚くて、危険な」職種に従事した。出稼ぎの目的を果たして日本のバブル景気の崩壊とともに多くの日系人が帰国した。しかしその後、彼らの多くは日本と本国を往き来して日本で働きつづけ、また家族を呼び寄せて日本に定住する者たちも増えた。その結果、大規模な工業団地のある地方都市の中には日系人口が集中するところが出現した。二一世紀初頭にはおよそ三七万人の日系人とその家族が日本で定住生活を送っている。

この日系ラテンアメリカ人の出稼ぎ現象は、彼らを送り出したラテンアメリカの日系社会にも、また単純労働者として彼らを受け入れた日本側にも、大きな影響と刺激を与えた。日本側の現象をみると、閉鎖的な日本社会の内なる改革に刺激を与えており、庶民の身近な世界で国際化が始まったことがまず取り上げられる。日系人労働者を多数雇用する工場群が集中する町や市では、これまで経験したことのない異文化接触を通して、人々の意識や制度の変革が迫られている。これまで外国との接触がほとんどなかった地方の小・中学校の教室で、街中で、アパートの隣人同士の間で、日本人が「外国人」との共棲を学んでいるのである。

三　経済関係と日本からの政府開発援助（ODA）

経済における補完関係から新たな関係へ

日本とラテンアメリカの経済関係は、長い間、「補完関係」にあるといわれてきた。すなわち豊かな天然資源を有しながら資本が不足し開発が遅れているラテンアメリカと、天然資源には恵まれていないが資本と技術のある日本は、相互に補完関係にあるという考え方である。

実際、豊かな天然資源と広大な土地に恵まれているラテンアメリカの多くの国は、現在でも基本的に鉱物資源と農産物からなる一次産品輸出国である。ラテンアメリカが二〇〇三年に生産した主要な鉱物資源を世界の生産量に占めるシェアでみると、銀の約三七%、錫の約二八%、ボーキサイトの約二二%、鉄鉱石の約二四%（二〇〇一年）、銅の約四四%、石油の約一三%であった。これらの資源の中で、日本は同じ年に輸入した銀の約五〇%、銅の約四〇%、鉄鉱石の約二四%をラテンアメリカから買っていた。一方、農産物をみると、ラテンアメリカは世界の生産量でコーヒーの約四八%、サトウキビの約四二%、オレンジの約三〇%、大豆の約一九%を生産したが、日本は輸入するコーヒーの約六四%、大豆の約一九%をラテンアメリカから買っていた。その他に個々の産品の輸入量は小さいが、実に多様な鉱物資源や農産物および海産物を、日本はラテンアメリカ諸国から輸入しており、産品によってはチリの養殖サケのように生産量の半分ちかくを日本が輸入している場合もある。

このようなラテンアメリカの一次産品を輸入する日本は、機械・機器類を中心とする工業製品をラテンアメリカに輸出している。この意味では、日本とラテンアメリカの経済関係は文字通り補完関係をなしている。しかしすでに各章でみてきたように、ブラジルとメキシコをはじめとしていくつかの国では工業化が進み、輸出総額に占める工業製品の割合が五〇%に達しているブラジルとメキシコのほかにも、いくつもの国が三〇%に達しようとしている。また急速な市場の開放と地域経済統合の拡大が進行中であるラテンアメリカでは経済環境が激変しており、二一世紀の日本とラテンアメリカの経済関係は新しい時代を迎えている。

貿易および投資の推移と傾向

日本の貿易総額に占める対ラテンアメリカ貿易は、歴史的にみて輸出入とも総額の一〇%を超えたことはほとんどない。日本の貿易の中でラテンアメリカが最も大きな割合を占めていたのが一九五〇年代で、ラテンアメリカ地域からの輸入は日本の輸入総額の約一〇%を占めていた。一方、五〇—六〇年代にかけて日本の対ラテンアメリカ輸出は日本の輸出総額の七・五%前後で推移し、貿易収支では日本側の赤字が続いた。この時期のラテンアメリカは、日本にとって資源と原料品の重要な供給地域であった。しかし七〇年代に入ると貿易収支は逆転して、日本側の黒字に転じた。工業化を推進していたラテンアメリカが日本からの資本財と中間財の輸入を拡大したためである。

しかし一九七〇年代以降は、例外的な年があるものの、日本の貿易全体に占めるラテンアメリカの割合は下降をたどり、一九八〇年代には輸出入とも五%前後にまで低下し、二一世紀に入ってもこの傾向は続いている。二〇〇三年の日本の貿易相手地域は、アジアが四七%、欧米先進諸国が四〇%で、ラテンアメリカの占める割合は低い。その中で日本にとって主要なラテンアメリカの貿易相手国は、輸出に関してはメキシコとブラジルが二大相手国となっており、輸入についてはブラジル、チリ、メキシコが主要相手国である。

一方、ラテンアメリカ側から対日貿易関係をながめてみると、二一世紀初頭のラテンアメリカの貿易全体に占める日本の割合は、輸出で二%前後、輸入で二%強である。ラテンアメリカにとって最も重要な貿易相手国はアメリカ合衆国で、輸出で五五%前後、輸入で四〇%台前半を占めている。二位以下の主要相手国は従来日本とドイツがそれぞれ五—六%を占めて、年によって二位と三位に入れ替わっていた。しかし二一世紀に入ると中国が対ラテンアメリカ貿易で躍進し、二〇〇三年には輸入相手国としてはアメリカに次ぐ第二位（二・九%）となった。この年の日本は第五位（一・九%）である。ただしラテンアメリカの輸出相手国としての日本は二一世紀に入っても第二位の地位を保っている。年によって入れ替わる第二位の日本ないしドイツがそれぞれ五—六%を占めるにすぎないのとは桁違いに、アメリカの占める割合は大きい。ただし対米依存の貿易構造は国によって大きく異なる。アメリカへの依存度が最も高いメキシコの場合、二〇〇三年の輸出で八九％、輸入で六二％であった。このようにアメリカに極度に依存するメキシコ経済に対して、もう一つの大国ブラジルのアメリカへの貿易依存度は輸出で二三％、輸入で二〇％にすぎなかった。

日本の投資先としてのラテンアメリカもまた、一時的に増大したことはあったが、ラテンアメリカ経済に大きな影響を与えるほどの実績をもっていない。ラテンアメリカに投下された外国資本の歴史をみると、一九世紀のイギリスと二〇世紀のアメリカ合衆国が最大の投資国であった。一九世紀後半に始まるアルゼンチンのパンパの開発、アンデス山岳地帯の鉱山開発、低地の砂糖および綿花プランテーションの開発、中米地域のバナナおよびコーヒー・プランテーション、鉄道建設、都市インフラの整備など、広範囲にわたる開発の事業が外国資本によって行われた。このようなラテンアメリカの外国資本による経済開発の歴史の中で、日本からの資本の進出は欧米諸国からはるかに遅れ、第二次世界大戦後になってからであった。その中でとくに資源の豊かなブラジルへの資本の進出は活発で、一時期ブラジルへの投資ブームがみられた。ウジミナス製鉄所、ツバロン製鉄所、アマゾン・アルミ製錬、カラジャス鉄鉱山開発、紙パルプ資源開発、セラード農業開発などの大型プロジェクトに日本の資本が投下されている。一方、七〇年代後半になって新しい油田がつぎつぎと発見されたメキシコでも、日本の投資ブームが起こった。

このブーム期にはラテンアメリカに投下された外国資本の約三〇％を日本の資本が占めたこともあったが、一九五一年から二〇〇三年までの直接投資額を累計でみると、日本の対ラテンアメリカ直接投資の規模は対外直接投資累計額の約一二％を占めていた。これをラテンアメリカ側からとらえた数字はないが、ラテンアメリカ経済に大きく関わってきた長い歴史をもつ欧米諸国と比較すると、非常に小さな数字であることは確かである。ところで日本の対ラテンアメリカ投資の最大の相手地域はケイマン諸島で、次いでパナマ、ブラジルとなっている。パナマへの日本の直接投資の四分の三は便宜置籍船を目的とした運輸業が占めており、パナマ運河とパナマの特殊な環境が日本の直接投資を誘い込んでいることがわかる。

日本の対ラテンアメリカ政府開発援助（ＯＤＡ）

日本は、一九九一年から二〇〇〇年までの一〇年間、連続して世界最大の援助国であった。しかし対ラテンアメリカ関係でみると、この分野におけるラテンアメリカの比重は大きくない。一九九五年の日本の政府開発援助額九五億五〇〇〇万ドルの内訳を地域別にみると、その約六〇％がアジア地域であり、つづいてアフリカ（一一％）、ラテンアメリカ（九％）、中近東（七％）、大洋州（二％）および欧州（一％）となっていた。このラテンアメリカ地域に向けられるＯＤＡの割合は、二一世紀になってもほとんど変わらず、二〇〇三年には八％弱であった。

このような比較的低いシェアは、ラテンアメリカ諸国の多くが発展途上国の中でも中進国に位置づけられているためである。世界銀行は発展途上国に関して、一人当たりの国民所得七三五ドル以下を低所得国、七三六―九〇七五ドルを中所得国、九〇七六ドル以上を高所得国に分けているが、二〇〇三年におけるラテンアメリカ三三カ国の中で低所得国は、ハイチ（四四〇ドル）とニカラグア（七一〇ドル）の二カ国のみであった。ラテンアメリカ諸国の圧倒的多数は中所得国に位置づけられているが、この中所得国を世界銀行はさらに「低中所得国」と「高中所得国」に分けている。ラテンアメリカ諸国の中で低中所得国とされる一人当たり国民所得七三六―二九三五ドルの国は一四カ国であった。日本の対ラテンアメリカ経済・技術協力の重点は、これらの低中所得国の経済および社会開発を支援するプロジェクトにおかれている。その結果、「高中所得国」およびそれ以上の所得国計一三カ国への援助は技術開発などに限られたものとなっている。

こうして、三三カ国からなるラテンアメリカ諸国の経済格差が大きいために、日本がラテンアメリカに実施するＯＤＡの中身は国によって大きく異なっている。たとえば、ハイチのような最貧国に対しては、無償資金協力・技術協力による基礎的生活分野・社会分野・経済基盤整備などに援助が向けられている。一方、アルゼンチンやメキシコのような高中所得国に対しては、技術協力による高度な技術の移転や環境分野への円借款による協力などが実施されてきた。ＯＤＡには多種多様な援助協力プロジェクトがあり、その実施状況についてはいくつもの報告書や資料が出されているので、それらを参照してほしい。

四　文化交流

近づく相互理解

地理的に遠いラテンアメリカと日本が相互に抱くイメージと現在の関係は、すでに述べたように全般的に良好である。しかしその関心の度合いと内容には、若干の差異がある。

ラテンアメリカ諸国は日本を先進工業国および経済大国として受けとめており、日本の工業製品の進出度も高い。フジヤマ・ゲイシャといった伝統的イメージが完全に消え失せているわけではないが、先進工業国としての日本のイメージは現在では普遍的である。テレビの普及によって、映像による日本についての情報も一般庶民のレベルにまで伝わるようになった。そして日本が招聘する留学制度や技術研修プログラムなどで日本に来る人々の数は決して少なくなく、また前節で取り上げた日本のＯＤＡ政策の一環として取り組まれているラテンアメリカ諸国の人造りに協力するさまざまな研修制度を通じて、「日本を体験した」人材が多くの分野で活躍している。

一方、日本におけるラテンアメリカへの関心は一般的に高いとはいえないが、音楽、スポーツ、日系人の出稼ぎ現象などを通じて、近年では従来のインカ、マヤ、アステカに代表される古代文明とアマゾン、アンデス、パタゴニア、イグアスの滝に代表される雄大な自然というラテンアメリカの伝統的なイメージは、もっと複雑に変わりはじめている。

音楽を例にとってみると、従来でもマンボ、チャチャチャ、アルゼンチン・タンゴなどに代表されるラテンアメリカ音楽は一定の愛好家の間で人気があり、現在では『ラティーナ』と改名されているが、長年にわたって『中南米音楽』というタイトルの専門雑誌が発行されてきた。それに加えて今日ではレゲエやサンバが人気を高めている。レゲエを追って本場ジャマイカに出かける愛好家も少なくないだけでなく、『レゲエ・マガジン』という雑誌すら発行されている。

スポーツを通じた日本人の間のラテンアメリカ観もまた、近年のサッカー・ブームによって新たになりつつある。プロサッカー選手が来日して日本で活躍するだけでなく、日本の若者たちがブラジルやボリビアへサッカー留学をしている。サッカーのほかには、野球が普及しているキューバやドミニカ共和国から優秀な選手がスカウトされて日本で活躍している。

このような日本人のラテンアメリカへの関心は、文化交流を目指す組織作りにも現れている。国際交流基金が調査した資料によると、一九八五年に調査対象となった五一九の国際文化交流を目指す団体のうち、約六％がラテンアメリカ諸国を対象としていた。なかでも一九二六年に創設された日本ブラジル交流協会や日本ウルグアイ協会をはじめとしてラテンアメリカの一国を交流の対象にした組織が多く、その対象国は一六カ国にのぼっていた。日本人が国際化を意識する現在では、この調査で示された多様な組織の数はさらに増加しているであろう。

政府レベルの文化交流

ラテンアメリカにおいては、アメリカ、イギリス、フランス、ドイツ、イタリアなどが長年にわたって積極的な文化政策を進めてきており、親密な文化交流を行っている。これらの国々は、重要な文化交流の拠点として、立派な施設をもちサービスも充実している文化センターや自国の教育制度と互換性のあるカリキュラムをもつ学校を多くのラテンアメリカ諸国にもっている。これらの欧米諸国に比較すると、日本政府の文化政策は著しく遅れており、貧弱である。

日本が政府レベルで文化協定を結んでいるのは、アルゼンチン、ブラジルおよびメキシコの三カ国だけである。ラテンアメリカ全体で、メキシコ市、ブエノスアイレス市、リオデジャネイロ市の三カ所に外務省の管轄下にある日本文化センターが存在する。図書、公報資料、フィルム・ビデオ等を備えて利用者へのサービスを行っている。そのほかにメキシコ市とサンパウロ市に外務省所管の特殊法人である国際交流基金の事務所が開設されており、日本研究および日本語普及に対する協力と支援活動を行っている。一方、このような日本側の文化政策に匹敵する施設とサービスは、ラテンアメリカ側から日本に提供されていない。

日本政府の文化交流事業は、国際交流基金を主要な実施機関として行われている。国際交流基金には、人物交流、展示会、伝統芸能公演、日本映画の上演と日本語教育という大きな柱があり、日本理解を促す催しを支援するさまざまな事業を積極的に展開している。たとえば、日本語教育の普及支援活動では、日本語教師の研修、教材の提供と教材開発のための資金援助など、幅広い支援が行われている。日本語教育の普及と併せて、ラテンアメリカにおける日本研究に対しても支援が行われている。

その他の事業の中には文化無償協力というプログラムがあり、さまざまな分野の機材が無償で提供されてきた。このような幅広い活動を実施している国際交流基金の事業の中でラテンアメリカに向けられている事業実績の割合は、一九八〇年代には年により若干の増減があっても総額の一〇%前後を占めていたが、一九九〇年代に入ってからはその割合は下降傾向にあり、二一世紀初頭には五%を切ってしまっている。しかし国際交流基金の他にも、文部科学省の国費留学生制度、日系人子弟を対象とした国際協力機構の研修制度といくつかの県が招く県費留学生制度などを通じて、ラテンアメリカ諸国から日本に来る留学生と研修生の数は決して少なくない。自国に戻った彼らを通じて、新しい日本認識の基盤も確実に広がっている。

【参考文献】

『アジア〈日本・日系〉ラテンアメリカ――日系社会の経験から学ぶ』(『アジア遊学』特集号 №76 二〇〇五年)

『アメリカ大陸日系人百科事典――写真と絵で見る日系人の歴史』(全米日系人博物館企画/アケミ・キクムラ＝ヤノ編 小原雅子他訳 明石書店 二〇〇二年) カナダ、アメリカ合衆国およびラテンアメリカ諸国の日系社会の歴史と現状をまとめた書。

外務省領事移住部編『わが国民の海外発展――移住百年の歩み』(二巻 外務省 一九七五年) 日本人の海外移住に関する資

料を集大成した基本書。

J・R・サンチス・ムニョス『アルゼンチンと日本友好関係史』(高畑敏男監訳　日本貿易振興会　一九九八年)　両国の修好一〇〇周年を記念して元駐日アルゼンチン大使がまとめた書の日本語版。

B・スターリングス/G・ツェケリー/堀坂浩太郎編『ラテンアメリカとの共存——新しい国際環境のなかで』(同文舘　一九九一年)　移民、外交、経済に関する日本とラテンアメリカの関係を、一〇人の日本、アメリカ、ラテンアメリカの研究者が論じた論文集。

日墨交流史編纂委員会編『日墨交流史』(PMC出版　一九九〇年)　一九八七年の移住九〇周年に際し、記念事業の一環としてメキシコの日系社会が取り組んでまとめた一一七四頁に及ぶ大作。メヒコ・日本交流前史、日本人メヒコ移住史、経済交流編、文化交流編、資料編の五部で構成されており、全体が資料的価値のある詳細な記述となっている。

日本チリ交流史編纂委員会編『日本チリ交流史』(日本チリ修好一〇〇周年記念事業組織委員会/日本ラテン・アメリカ協会　一九九七年)　両国の交流一〇〇年の歴史と外交・経済・学術・文化・人物交流に関する各論および両国関係の回顧と展望をまとめた三部で構成されている。

日本ブラジル交流史編纂委員会編『日本ブラジル交流史——日伯関係一〇〇年の回顧と展望』(日本ブラジル修好一〇〇周年記念事業組織委員会/日本ブラジル中央協会　一九九五年)　日本とブラジルが一八九五年に修好通商航海条約を締結して以来一〇〇年間の関係を、多角的に取り上げている。

渕上英二『日系人証明——南米移民、日本への出稼ぎの構図』(新評論　一九九五年)　日系ラテンアメリカ人の日本出稼ぎの事情を、現地取材をもとにしてまとめたルポルタージュ。

水野一編『日本とラテンアメリカの関係——日本の国際化におけるラテンアメリカ』(上智大学イベロアメリカ研究所　一九九〇年)　本書のタイトルが体系的に論じられているわけでなく、外交、移民、投資、債務問題など、共同研究に参加した研究者が独自のテーマで論じた論文集。

A・モリモト『ペルーの日系人移民』(今防人訳　日本評論社　一九九二年)　日本人のペルー移民史を簡潔に記述した日系ペルー人研究者による書。

終章

ラテンアメリカを学ぶために

●国本 伊代

序　ラテンアメリカを学ぶにあたって

外国、すなわち異文化社会を知るということは、決して易しいことではない。頻繁にある国を訪れ、そこに何人もの友人をもっていても、あるいは長年そこで暮したとしても、それだけでその国のことをよくわかっていることにはならない。自分が体験したその社会の限られた面での知識だけでは、その国や地域の歴史、政治、経済、文化、人々の暮しを含めた、社会の複雑な仕組みとあり方を、理解したことにはならないからである。むしろ異文化社会を理解することはむずかしいという認識をもち、つねに相手を理解しようとする姿勢を保ちつづけることが大切である。

先人たちは、さまざまな目的のために、異文化社会を理解するための努力をしてきた。情報を集め、それを蓄積し、研究成果として発表し、また後進の者たちにその知識を伝えてきた。ラテンアメリカに関しては、はじめに欧米諸国でそのような努力がなされ、その結果、「ラテンアメリカ研究」という学問分野が確立した。欧米諸国に遅れた日本にも、現在この分野の専門家とされる研究者が六〇〇名ほどいる。

本章では、ラテンアメリカを知るために発達した「ラテンアメリカ研究」と呼ばれる学問について、「地域研究」とは何かというテーマから始め、「ラテンアメリカ研究」が発達してきた歴史、そして現在どのような状況にあるかを、欧米、ラテンアメリカおよび日本の場合について、簡潔に紹介しよう。

一　「地域研究」としてのラテンアメリカ研究

「地域研究」とは何か

学問としての「地域研究」を厳密に定義するのは非常にむずかしい。研究者間で「地域研究」についての共通の理解が成立しないままに、それぞれの研究者が自分なりの「地域研究」のイメージをもち、それに従って研究を行ってきたのが実情だからである。しかしそうした中でも、創造的な研究が生み出されてきた。一方、「地域研究」の方法・手段・意義・限界・問題などについては、次のような一般的認識が相当多くの地域研究者によって受け容れられている。その認識とは、「地域研究」と呼ばれる学問が特定の国ないしは地域の現在ある姿を、総合的かつ学際的に研究する学問領域であるということである。

総合的かつ学際的とは、政治学・経済学・歴史学・地理学・社会学・人類学・文学・言語学などのような既成の専門的学問領域の研究手法でその地域の事象の一側面のみを分析するのではなく、さまざまな専門分野を横断的に駆使して現象を分析・解明する研究手法である。つまり「地域」という複合的な対象を、多角的な視野で研究する学問が「地域研究」である。そしてこのような「地域研究」は、ある特定の「地域」の人間社会と人間の行動を総合的に理解することでもある。

そこでまず必要となるのは、「地域」についての共通認識である。「地域」とは、まず第一義的に国境線が確定した国民国家が単位となる。したがってその意味で「地域研究」は外国研究であり、「中国研究」、「アメリカ研究」、「カナダ研究」などが当てはまる。しかしこのような特定の国に限定せず、いくつかの国が集まっている特定地域の研究となることもある。「アジア研究」、「アフリカ研究」、「ヨーロッパ研究」、「ラテンアメリカ研究」などである。これらの地域はさらに細分化されて「東南アジア研究」、「北アフリカ研究」、「中米研究」などに分かれることもある。この意味では、「地域」は政治的かつ便宜的に策定された地域となっている。

しかし国家という枠組みに重点をおかず、その地域に居住する住民とその伝統文化や価値観に重点をおき、「文化領域」としての地域が設定される場合がある。「文化領域」とは、特定の文化・伝統が形成された地域的範囲を指す文化人類学の用語である。アングロサクソン文化圏、ラテン文化圏、メソアメリカ文化圏、イスラム文化圏などはこの分類に入る。これらの言葉が示すように、そこでは国民国家としての国境線は二義的な意味しかもっていない。

世界がますますグローバル化する現在、いずれの意味における「地域」も、地域間で相互に浸透し合う関係が深まっている。この意味では、「地域研究」が目指す対象は国民国家や特定地域に限定するものでなくなり、多様な地域の歴史と伝統をもつ人々の接触と交流の「場」にまで広がっている。

「地域研究」の歴史

特定の地域に関して広い角度から詳細な事実を記述することは、一八世紀のヨーロッパの科学者たちがすでに行っている。ラテンアメリカに関しては、一八世紀半ばのフランス王立アカデミーのグループにスペインの海軍士官たちが加わって行った調査や一九世紀初頭のドイツ人地理学者アレクサンダー・フォン・フンボルトあるいはフランス人博物学者アルシド・ドルビニィが行った調査は、いずれも貴重な事実を書き残しただけでなく、一つの専門分野に限定されないその広範な知的関心によって、ラテンアメリカ地域研究の先駆けと呼んで然るべきものとなっている。

しかし「地域研究」という名称自体は新しく、また独立した学問としての「地域研究」は、第二次世界大戦後に一般的に承認された、比較的新しい学問分野である。ふつう「地域研究」としての外国研究の歴史は、一九世紀末にヨーロッパで芽生えた東洋学に始まるとされている。その後、東洋学はヨーロッパやアメリカ合衆国のアジア研究として発達し、第二次世界大戦では極東研究として重要な情報分析の資料を提供した。アメリカ合衆国が敵国日本の研究に力を入れたことは有名で、日本人論の古典的書物とされるルース・ベネディクトの著作『菊と刀』（一九四六年）はその最高の成果として知られている。この本は、アメリカの戦時情報局によって敵国日本の国民性を知るという研究課題を与えられた文化人類学者がまとめた本である。

「地域研究」は、歴史的には植民地支配に寄与すべく発達した学問でもあった。同時に利害関係の強い国が、自国の利益のために相手方を識るべく取り組んだ、実利的な研究を目指した分野でもあった。たとえば一九世紀後半のいわゆる帝国主義の時代に世界を分割した欧米先進諸国は、いずれも植民地化した地域の社会・文化の研究を進めた。効率よく支配するためには、その地域を知ることが不可欠であったからである。それを物語っているのが、現在の世界各地域の研究の蓄積をもつのがかつての宗主国や特別な利害関係を歴史的にもつ国となっている現状である。同時に考古学的文化遺産なども旧宗主国や特別な利害関係を築いた強国の博物館に集積されている。たとえばエジプトの古代遺跡の発掘品の多くが大英博物館に収納されているのは典型的な例である。

日本もその例外ではない。第二次世界大戦前に台湾と朝鮮半島を植民地化し、中国大陸へ進出・侵略した日本は、これらの地域の研究を積極的に進めた。たとえば満鉄調査部は日本の中国研究機関として設立されたもので、すぐれた調査研究を行ったことで知られている。日本における「地域研究」の先駆的役割を果たし、今日の日本におけるアジア研究の基礎の一端を築き上げた。日本は世界的な中国研究の中心地の一つとなっている。

第二次世界大戦が終わると、「地域研究」はアメリカ合衆国の国際的地位に比例して、アメリカで急速に拡大した。とくに冷戦期における米ソの対立は「地域研究」の趨勢に直接影響を与え、一九五〇年代から六〇年代にかけてさまざまな研究所や研究センターが設立された。同時に研究の質も大きく変わっていった。現象の記述が中心であったそれまでの「地域研究」が、戦後に台頭した行動諸科学の研究手法を取り入れ、政策科学として取り組まれはじめたからである。こうして「地域研究」は国際社会の趨勢に敏感に反応しながら、学問としての体系を構築してきたのである。

しかし「地域研究」が理論家を自認する多くの人たちによって軽視されてきた事実も知られるべきである。欧米でも、日本でも、「地域研究」に対して既存の学問分野からの厳しい批判があった。多くの地域専門家が理論や比較を避け、限られた経験からの単純な思い込みや、自己批判のない分析に陥りがちであったからである。だが本来「地域研究」は、理論との関係において、ある理論が特定の文化圏の事例から過度な一般化を行っていることを指摘し、その理論の誤りを正していく役割をもっている。さらに社会科学が現実の問題の解決から全く遊離した知的な遊戯に堕するのを、現実に引き戻すという積極的な役割をも担っているのである。

日本では、一九五〇年代に東京大学教養学部と国際キリスト教大学に「地域研究」を目指す学科が創設され、それはやがて広島大学、津田塾大学、上智大学などに設置され、今日ではいくつもの大学に国際関係学部あるいは国際文化学部などの名称をもつ学部が独立して設けられ、国際文化科、国際交流科、国際コミュニケーション科などの課程が置かれるようになった。その一方で、言語教育研究の長い伝統をもつ東京外国語大学や大阪外国語大学、そのほかの外国語大学でも、地域研究を志向する学部・学科構成の再編が近年進められている。

この間、日本においては、アメリカ学会（一九六四年結成）、ラテンアメリカ政経学会（一九六四年）、日本アフリカ学会（一九六四年）、アジア政経学会（一九六四年）、日本ラテンアメリカ学会（一九八〇年）、日本中東学会（一九八五年）、日本南アジア学会（一九八八年）など、各地域を研究対象とする研究者を集めた学会が設立されている。

新しい「地域研究」を目指して

すでに述べたように「地域研究」は基本的には植民地学として始まり、相手国（地域）を識るための資料収集と分析が課題であった。やがて第二次世界大戦後の国際社会がより複雑化する中で、国際関係学が「地域研究」と併せて注目されるようになった。これらの学問が目指したものは国際社会の関係を円滑に進めるための異文化社会の理解である。第二次世界大戦後に独立した多くの新興国家を国際社会に取り込むためにも、それは早急に必要なことであったからである。こうして植民地研究、敵性国研究の要素を残しつつも、他方では国家間、民族間の平等な関係の中で相互理解を目指すという新たな目的をもつようになった。同時に冷戦構造の下では、東西両陣営がそれぞれの圏内により多くの新興国家群を取り込むために、それらの国々への経済・技術援助、軍事支援、政治介入などを通じて、相手国の政治・経済・社会・文化の仕組みを理解することは必要であったのである。

しかし冷戦構造が崩壊し、人も物もボーダーレス化している現在では、「地域研究」は従来のような国境を意識した国家あるいは地域を単位としたものだけであるわけにはいかなくなっている。一つの国の中においても、国家機能を担う中央政府の目指すものと多様な地域の住民の利害は、必ずしも一致しないからである。従来であれば、それを国内問題として済ますことができた。しかし今日では、民主化、人権、少数民族の自治権、環境問題などが、国境を越えた人類社会の普遍的なもの、また共通した問題として取り組まれはじめているからである。

たとえば、環境問題をはじめとする地球規模で取り組まねばならない、人類の存亡に関わる問題は、今われわれ人類にその取り組みをめぐって突きつけられている緊急課題である。国を単位とする従来の発想を超えた地域規模、さらには地球規模で問題を考える必要のある今日、「地域研究」は地球全体との関わりの中で取り上げられるべきものとなっている。この意味では、地域という「複合的対象」の研究を越えた取り組みと視座が「地域研究」に求められているといえる。

すべてがあまりにも急速に変化していくために、人類を取り巻く環境を短期的な変動や現象で分析することができなくなっている現実は、「地域研究」にも大きな影響を与えている。同時に、普遍的価値観としての民主主義や人権などに絡む問題でも、地域が長い年月をかけて培ってきた歴史・伝統・文化などの背景を理解しなければ「地域」の情勢の上っ面しかわからないという事態に直面する。こうして「地域研究」は、単なる外国研究であることから抜け出して、人類社会の在り方を世界規模で研究しようとする方向へ向かいつつある。それは、地球に住む六三億の人類が異文化社会を認めつつも、人権・平等などの基本的概念を共有し、世界平和を実現するための基礎となるものである。

西欧世界で発達した巨大科学技術の成果である高度な工業化社会が地球規模で環境破壊を引き起こす原因を作っている現在、地球と人類の将来をかけた壮大な研究の一端を担うのも「地域研究」である。生産性と効率化を追い求めて生産活動に埋没する工業化社会をモデルに近代化を目指す多くの途上国の実態を正確に知ることによって、人類社会の発達の過程がもたらした問題点が明確になる。そして日本の社会が歩んできた過程と諸問題もより鮮明となろう。この意味では、「地域研究」は究極で私たち自身の生活や社会・国家・地域の在り方を見直すことでもある。こうして異文化世界の伝統と価値観を識ることによって、「地域研究」は新たな価値観を形成するのに役立つであろう。

二　ラテンアメリカ地域研究の状況

ラテンアメリカ研究に関する全般的状況

ここでは、ラテンアメリカ研究が世界的にみてどのような状態にあるかを概観してみる。資料としては古いが現在でも貴重な調査に、アメリカの研究者が一九七七―七八年にかけて実施した世界のラテンアメリカ研究の状況を調べたものがある。この時期は、米ソ対決の最中で、ラテンアメリカでは社会主義国キューバの存在と各国で展開された左翼ゲリラ活動が注目され、多くの国で軍部が政権を握っていた時代であった。国際的には、石油危機を経験した先進国がメキシコとベネズエラの石油をはじめとするラテンアメリカ諸国の資源に関心を寄せており、ラテンアメリカ研究がかつてないほどの活力を得ていた時代でもあった。このような時代背景の下で行われた同調査によると、常勤スタッフをそろえ一定水準の基盤が整備された主要なラテンアメリカ研究所（センターないしプログラム）の数は、アメリカとカナダで約一〇〇カ所、ヨーロッパで五〇カ所、ラテンアメリカで五カ所、日本で一カ所とされていた。日本の一カ所とは、上智大学イベロアメリカ研究所であった。

この調査が実施された時期から現在までの二五年ほどの間に、のちに紹介するようにラテンアメリカ研究の状況は大きく変化している。アメリカ、カナダおよびヨーロッパでは、研究者の数も大学レベルでの研究センターの数も増えている。なかでもこの調査が実施された当時アメリカやヨーロッパの状況に比べて大きく遅れをとっていたラテンアメリカおよび日本における状況の変化は著しい。以下では、アメリカ合衆国、ヨーロッパ、ラテンアメリカにおけるラテンアメリカ研究の状況を簡単に取り上げる。

アメリカ合衆国におけるラテンアメリカ研究

アメリカ合衆国におけるラテンアメリカ研究は、第二次世界大戦後、とくに一九六〇年代に大きく進展した。それ以前においても各大学にラテンアメリカ関係の講座が開設され、関係図書資料が組織的に集められて利用できる状況が作られており、歴史研究に限ってみても、すでに一九一八年にその研究誌ＨＡＨＲ（章末参考文献欄参照）の刊行が始まっている。しかし「地域研究」としてのラテンアメリカ研究が本格的に潤沢な資金を投入されて整備されたのは、冷戦時代になってからであった。アメリカとソ連邦という二大国を軸にして世界が二分割された冷戦時代、アメリカはラテンアメリカ諸国が急進的な改革を進めたり、ソ連の率いる東側陣営と結びつくことを懸念して、穏健な社会経済改革のためのさまざまな援助政策を推進した。その最も顕著な例が、キューバ革命の進展する中でケネディ政権がとった「進歩のための同盟」のような対ラテンアメリカ政策である。その一環として、アメリカの拠点大学におけるラテンアメリカ関係講座が拡充され、ラテンアメリカ研究センターに多額の助成金が配分されて、この地域に関する研究教育条件が著しく改善された。

アメリカ合衆国テキサス大学ラテンアメリカ研究所。

アメリカの大学におけるラテンアメリカ研究は、有力な私立大学よりも州立大学の方がやや盛んである。とくに地理的・歴史的条件からカリフォルニア州、アリゾナ州、ニューメキシコ州、テキサス州、フロリダ州にラテンアメリカ研究の拠点大学が集まっている。世界でも有数のラテンアメリカ研究センターの一つとされるテキサス大学には、毎年一〇〇名を超す大学院生が集まるラテンアメリカ研究所があり、蔵書数八〇万冊を超える独立したラテンアメリカ地域専門の図書館が存在する。独立したラテンアメリカ研究所あるいは研究センターをもたない一般の大学でも、そのほとんどは複数のラテンアメリカ関係講座を開設している。現在ピッツバーグ大学に本部を置く、略称LASAとして知られるラテンアメリカ学会はアメリカ国内だけでなく世界のラテンアメリカ研究者が参加する学会となっている。アメリカの主要なラテンアメリカ研究センターをもつ大学から出版されるラテンアメリカ関係図書の出版点数も毎年膨大な数にのぼっている。

これらの大学関係のほかに首都ワシントンにある議会図書館にはラテンアメリカ関係図書室があり、蔵書数九〇万冊を擁している。同じくワシントンにある米州機構本部のコロンブス記念図書館も膨大な蔵書と写真資料室をもち、重要な研究拠点の一つとなっている。

ラテンアメリカ研究者のほとんどは先に述べたラテンアメリカ学会（LASA）に参加しているが、さらに地域別学会も存在する。また図書館関係者が参加している略称SALALMとして知られる組織「ラテンアメリカ図書資料収集に関するセミナー」が定期的に大会や研究会を開催しており、資料収集に関する情報交換や研究者への支援を行っている。このような充実した図書館と資料センターの活動に支えられて、アメリカのラテンアメリカ研究は世界の研究をリードしているのである。

ヨーロッパにおけるラテンアメリカ研究

地理的にも政治・経済的関係からみても、アメリカ合衆国ほどラテンアメリカと緊密な関係をもたないヨーロッパには、アメリカの大学にみられるような規模の大きいラテンアメリカ研究センターはない。しかし旧宗主国スペインとポルトガルをはじめとして、ラテンアメリカに利権を獲得したオランダ、イギリス、フランス、ドイツなどに主要な研究センターが存在し、研究者の数はアメリカ合衆国ほど多くはないが、高水準の研究活動が行われている。

コロンブスがカリブ海域に到達してから約三〇〇年続いたスペインとポルトガルの植民地時代を通じて行われたアメリカ大陸に関する調査や研究は、統治機関にとっても移住者にとっても貴重な情報源であったが、現在さまざまな古文書館や資料室に保管されている文献資料の量は膨大なものである。そしてその保管と管理は行き届いている。しかし両国とも、「地域研究」としてのラテンアメリカ研究と教育については、近年までそれほど活発ではなかった。しかし一九八〇年代に入って、スペインではいくつかの大学にラテンアメリカ研究センターが設置され、現代ラテンアメリカへの関心が高まっている。一方、イベリア半島以外のヨーロッパ諸国におけるラテンアメリカ研究も比較的長い歴史を有している。

スペイン・セビーリャのインディアス公文書館。

スペインとポルトガルに遅れてアメリカ大陸に参入してきた他のヨーロッパ諸国は、両国と同様に、領土の拡大、交易、移民の送り出し、政治的・文化的影響力の増大などを目指して、この地域に関する情報収集と調査研究を始めた。とくに一九世紀後半から二〇世紀前半におけるヨーロッパ列強の膨張はラテンアメリカにおいても顕著であり、それにともなって調査研究と資料の収集が活発になった。このような歴史と伝統は、ヨーロッパ諸国にある古文書館や図書館などに収集されている膨大なラテンアメリカ関係図書と文献資料にみることができる。またラテンアメリカ研究センターと目されるような研究所が、すでに第二次世界大戦前にドイツとスウェーデンに三カ所あったことにも表れている。

しかしこれらの研究所も含めて、ラテンアメリカ関係のプログラムのほとんどは世界大戦で消滅した。戦後の混乱期を経たのちに、七つのラテンアメリカ研究機関が一九五〇年代末までにイギリス、ドイツ、フランスおよびスペインで設立された。六〇年代になるとヨーロッパでもアメリカにおけると同様にラテンアメリカ地域への関心が高まり、二六カ所が新たに創設され、さらに七〇年代に一二カ所が加わった。そしてラテンアメリカ研究の絶頂期ともいうべき七〇年代後半のヨーロッパにおける主要なラテンアメリカ研究プログラムは、西ドイツの一七カ所を筆頭にして、イギリスとフランスにそれぞれ一一カ所、スペインに九カ所、イタリア、ポーランド、ソ連にそれぞれ五カ所、オランダに三カ所、東ドイツとスウェーデンに各二カ所、オーストリア、チェコスロバキアおよびポルトガルに各一カ所となっていた。これらのプログラムの数に比例してラテンアメリカ研究者の数も、西ドイツの約七〇〇名を筆頭にしてイギリス、スペイン、フランスに研究者が集まっていた。ヨーロッパのラテンアメリカ研究者の約三分の一は歴史研究者で、その他の分野はそれぞれ一〇％前後にすぎず、歴史研究が圧倒的な強さをもっている。

このような伝統のあるヨーロッパのラテンアメリカ研究を支えている図書館の中で最大規模をもつのは、一九三〇年に設立されたベルリンにあるイベロアメリカ研究所の図書館である。ヨーロッパ最大の規模（約六〇万冊）をもつだけでなく、アメリカ合衆国議会図書館内ラテンアメリカ関係図書室（約九〇万冊）、アメリカのテキサス大学ラテンアメリカ専門図書館（約八〇万冊）、マドリードのイスパニア文化研究所（五〇万冊）と肩を並べている。またスペインのセビーリャには、植民地時代の膨大な古文書を保管するインディアス公文書館が存在し、歴史研究者に資料を提供している。

ラテンアメリカにおけるラテンアメリカ研究

ラテンアメリカ諸国には、大学や研究所でそれぞれの国の歴史・地理・社会・経済・文化に関する研究が行われており、その中には現地であるという利点と研究対象の内面に入り込んでいるという利点を生かしたすぐれた研究が存在する。しかし総合的な「地域研究」としてのラテンアメリカ研究は、アメリカやヨーロッパにおけるほど活発ではない。学問分野としての「地域研究」の環境が整備されておらず、したがって欧米や日本に存在するラテンアメリカ学会のような研究者団体も存在していない。近年ではどの国でも私立大学が多数創設されているが、伝統のある大規模大学のほとんどが国立大学であるラテンアメリカでは、各国の厳しい財政状況から大学に新しい学問分野が導入されにくく、さらに安定した身分と研究環境が保障されない大学関係者や民間研究機関の研究員が継続して研究と教育に従事することが難しいという状況も、この地域の研究の発達を阻害してきた。

それでも、ラテンアメリカ全体を対象とする現状分析を目指した社会科学系の分野を中心とする研究所とセンターがメキシコ、ベネズエラ、ブラジルの三カ国に存在する。そのほかに各国の抱える問題の実態調査と研究を目指す研究所はほとんどの国に存在しており、研究と大学院教育に関する交流を目指す協力体制が存在する。それはコスタリカの首都サンホセに本部事務局を置くラテンアメリカ社会科学研究所である。一九五七年に設立された同組織には、現在ラテンアメリカ諸国のうち一〇カ国が参加している。実質的な研究・教育活動は各国の機関が担当している。

メキシコ国立自治大学中央図書館。

ラテンアメリカ域内におけるラテンアメリカ研究センターとして最も古い歴史をもつのは、一九六〇年に設立されたメキシコ市にあるメキシコ国立自治大学政治経済学部に付属するラテンアメリカ研究センターである。大学院教育と研究活動を目的とするこのセンターは、教育活動を兼務する教員と専任研究員を合わせて総勢三〇名を超す規模をもち、メキシコだけでなく世界各国から集まる学生は一〇〇名を超え、自他共に許すラテンアメリカ域内最大のラテンアメリカ研究・教育センターとなっている。ここで教鞭をとる教員も学んでいる学生も、その約半分がラテンアメリカ諸国から集まっているのが大きな特色となっており、定期刊行物『ラテンアメリカ研究』を発行し、活発な活動をつづけている。

ベネズエラは、比較的早い時期に複数のラテンアメリカ研究センターが設立された国である。一九六〇年代末から七〇年代の初めにかけてベネズエラ中央大学のイスパノアメリカ研究所、ロムロガリェゴス・ラテンアメリカ研究センター、シモン・ボリーバル大学のラテンアメリカ高等研究所が設立され、域内でも屈指のラテンアメリカ研究のための環境が整えられた。なお一九七四年に設立されたロムロガリェゴス研究センターは、ラテンアメリカ研究と文化交流の促進を目指して政府が設立したもので、劇場・展示場・博物館・集会場・図書館などの施設のほかに、二つの国際的な文学賞を出す文化機関でもある。石油景気に湧いた一九七〇年代に活発な研究活動を展開したこれらの機関は、環境が変化した現在でもその伝統を受け継いでいる。

ブラジルには、一九八八年に開設されたサンパウロ大学のラテンアメリカ統合プログラムという組織がある。この組織は、従来ラテンアメリカ域内で孤立ぎみであったブラジルが、南米南部共同市場（メルコスル）など地域経済の活性化と発展を目指す新しい情勢の中で進めている、大学院レベルのラテンアメリカ地域研究プログラムである。在籍する一〇〇名前後の大学院生の三分の一は外国人留学生となっている。このプログラムのほかに、ブラジル内外で高い評価と信頼をうけている研究教育機関として、一九四四年に創設されたジェトゥリオ・ヴァルガス財団がある。同財団はブラジルの諸問題を研究する機関として設置されたが、近年ではラテンアメリカ諸国への関心を高めている。リオデジャネイロとサンパウロに五つの調査研究センターをもち、一〇万冊を超す社会科学系蔵書と二〇〇〇点を超す各種の定期刊行物を集めた中央図書館を備えている。

総合的なラテンアメリカ地域研究を掲げてはいないが、社会科学系の分野ですぐれた研究活動を継続的に続けていて評価の高い研究所がいくつかの国に存在する。その一つであるアルゼンチンの首都ブエノスアイレスにあるトルクアト・ディ・テーラ研究所は、一九五八年に創設され、高い水準と幅広い研究活動で知られる民間の調査研究・高等教育機関である。この研究所はアルゼンチン有数の民間企業グループであるシアム・ディ・テーラ・グループの創業者トルクアト・ディ・テーラ（一八九二―一九四八年）を記念して設立され、政治経済状況の激しい変動の中で大学関係者が不安定な研究生活を強いられてきたラテンアメリカでは、特筆に値する安定した研究環境を提供しつづけた。しかし一九九八年には創設されたトルクアト・ディ・テーラ大学に吸収された。

そのほかに、コロンビアの首都サンタフェデボゴタにあるロスアンデス大学経済学部付属経済開発問題研究センター(一九五八年設立)、ペルーの首都リマにあるペルー問題研究所(一九六四年)、パラグアイの首都アスンシオンにあるパラグアイ社会学研究センター(一九六四年)がある。いずれも当該国が抱える諸問題の調査機関としては代表的な存在であり、図書室の設備を備え、研究報告書を出版している研究機関である。

三　日本におけるラテンアメリカ研究

ラテンアメリカ研究の歩み

日本におけるラテンアメリカ研究の歴史は、先に紹介したような欧米と比較すると、歴史も浅く、研究教育環境もまだ整っていない。地域研究としてラテンアメリカ地域を総合的に学べる大学の数もいまだにわずかで、また欧米並みの図書資料を整えている図書館もない。このような研究と教育環境の遅れは、日本とラテンアメリカの関係の樹立が欧米諸国と比べて大幅に遅れており、また長年にわたって緊密化したことがなかったことに由来する。

先に紹介した欧米諸国と比較してわが国のラテンアメリカ地域との関係の樹立は遅く、一九世紀末期から二〇世紀に入ってからであった。一八七二年(明治五年)に偶発的に起こったマリア・ルス号事件によって日本はペルーとの折衝をやむなくされ、やがて一八七三年にラテンアメリカ諸国の中では最初の国として日本はペルーと国交を樹立した。その後、明治政府が取り組んだ不平等条約改正の歴史の中で、日本は一八八八年に最初の平等条約をメキシコと締結した。しかし両国と日本が実質的な交流をもつのは一九世紀末からで、労働力不足に悩むペルーとメキシコが日本人を出稼ぎ労働者として受け入れたからである。このときに始まる日本人の「南米移民」の時代は二〇世紀初めから太平洋戦争の勃発まで続き、「移民」は第二次世界大戦以前の日本・ラテンアメリカ関係の主軸であった。

この間に日本でみられたものは、移民送り出しの相手先としてのラテンアメリカと豊かな資源を保有するラテンアメリカについての紹介であった。移住先の現地事情の紹介とその国の歴史や経済事情などを取り上げたラテンアメリカ諸国についての書物は相当数出版されている。それらの著者の多くは外務省関係者で、当時の移民担当官を中心とする外交官が執筆している。これらの出版物の多くは研究書ではないが、すぐれた現地紹介書となっているものもある。このような状況の中で、現在の神戸大学は第二次世界大戦前の日本における「中南米研究」の唯一の教育研究機関であった。

神戸大学は、旧神戸高等商業学校時代の一九四一年に、中南米経済調査室を設置し、外務省関係者や実務者とは異なる「中南米研究」を目指して活動している。同調査室は戦後に改組されて南米研究会となり、現在の経済経営研究所にその伝統が受け継がれている。総合的な地域研究を目指した南米研究会は、研究誌『南米研究』を発行して移民・経済・貿易などをテーマに研究と教育活動を続けた。

第二次世界大戦後の一九五〇年代に入ると、日本の工業製品の輸出市場、民間投資先、原料供給地としてのラテンアメリカへの関心と重要性が高まった。それに並行してこの地域に関する研究の必要も強まり、一九五八年に外務省の外廓団体としてラテン・アメリカ協会が、また同年に通産省の管轄下に設置されたアジア経済研究所で、ラテンアメリカ研究が一九六二年から始まった。同研究所は一九七〇年代までラテンアメリカ研究に専念できる待遇と条件を備えた唯一の機関として日本のラテンアメリカ研究者を育てており、さまざまな大学が新しく設けたラテンアメリカ関係講座を担当する教員として人材を送り出してきた。大学関係でラテンアメリカ研究が浮上するのは一九七〇年代になってからである。

ラテンアメリカに関する研究状況

日本経済が高度経済成長をとげるにつれて、ラテンアメリカへの関心の中心は移民から経済問題へと移った。一九六〇年代から発表された研究論文や書物は本章末の参考文献欄に挙げた文献目録で知ることができる。それらによると、日本における実務者を加えた場合のラテンアメリカ研究の中心がラテンアメリカ経済であることがわかる。ただしその多くは現地調査報告書を含むテクニカル・レポートで、学術的な論文はむしろ政治学・歴史学・人類学・考古学・文学などの分野で発表されている。

大学関係については後に取り上げるので、ここでは大学以外の研究所や組織で常時ラテンアメリカ研究と取り組む専任の研究者を擁しているところとして、先に紹介したアジア経済研究所とともに重要な役割を担っている国立民族学博物館を紹介しよう。世界の諸民族についての資料収集と展示および民族学に関する調査研究を目的としている同博物館には、ラテンアメリカ地域の諸民族を研究対象とする専任研究者が在籍するほか、他の大学・研究機関に所属する研究者を招いて共同研究プロジェクトを常時組織している。二〇〇三年にはラテンアメリカ・カリブ海研究国際連盟（ＦＩＥＡＬＣ）の国際大会を主催した。

日本とラテンアメリカの関係で重要な地位を占める移民問題あるいは現地社会における日系人問題に関する研究については、アメリカとカナダを対象とする研究者が活発な研究活動を展開しているのに対して、ラテンアメリカ諸国における移民と日系人・日系社会を研究対象とする研究者は非常に限られているのが現状である。しかし移民関係の研究は日本のラテンアメリカ研究の原点でもあった。国際協力事業団の移住部門が一九六七年からほぼ年一回発行してきた研究誌『移住研究』は、一九九六年四月に発行された三三号をもって廃刊となったが、長らく移民関係の研究発表の場を提供してきた。数少ない文化人類学者、社会人類学者、地理学者、歴史学者などが孤立して移民を研究課題にしてきたが、現在では一九九二年に設立された日本移民学会が移民研究者の研究発表と交流の場となっている。

ラテンアメリカ研究に関する学会として、現在わが国にはラテン・アメリカ政経学会（一九六四年設立）、日本ポルトガル・ブラジル学会（一九六五年）および日本ラテンアメリカ学会（一九八〇年）の三つの団体が存在し、それぞれ約一〇〇名、一一〇名、五五〇名の会員を擁している。ただし会員の多数は重複して会員となっており、またいずれの学会にも所属しない研究者も存在するので、ラテンアメリカ研究に関わる広い意味での研究者の数はおよそ六〇〇名ほどである。これら三つの学会のほかに一九七〇年に設立された、スペイン語学・文学研究者からなる日本イスパニア学会がある。各学会はそれぞれ研究発表の場として、『ラテン・アメリカ論集』、『アナイス』、『ラテンアメリカ研究年報』、『イスパニカ』を発行している。

大学院生を除く研究者の圧倒的多数は研究機関か大学に所属しており、同時に教育にも関わっている。したがって、研究論文の多くは研究機関や各大学が出版する紀要および報告書などに掲載される場合が多く、一般の人々がふつうに目にする機会は少ない。しかし文献目録が出版されているので、研究分野と課題と動向などは容易に知ることができる。またインターネットで検索できる雑誌記事索引でも簡単に調べられる。

大学におけるラテンアメリカ研究教育

「地域研究」としてのラテンアメリカ研究を大学のレベルで体系的に学べる講座数をもち、それにふさわしい図書資料を整えているわが国の大学は数少ない。各専門分野を含めて研究者を養成できる大学院博士課程までを備え、ラテンアメリカ関係の専門科目においても複数の専任教授陣を擁して、比較的恵まれたラテンアメリカ地域研究の教育環境を提供している大学は、上智大学、筑波大学、東京大学、東京外国語大学の四つしかないといってよいであろう。

一九六四年に設立されたイベロアメリカ研究所をもつ上智大学は、これまで外国語学部のイスパニア語学科とポルトガル語学科に副専攻としてラテンアメリカ地域研究を選択できる制度が設けられていたが、大学院課程では国際関係論研究科がラテンアメリカ地域研究を専攻する学生を受け入れてきた。しかし一九九七年度に地域研究専攻科が新設されて、ラテンアメリカ地域研究の教育体制が充実した。

筑波大学は一九七五年のその設立当初より広い学問分野の協力が必要な学際的研究を目標に掲げており、従来の学部組織とは異なる新たな特別研究プロジェクト研究組織をスタートさせた。そのようなプロジェクト組織の一つが一九七八年に発足した「筑波大学ラテンアメリカ特別プロジェクト」であった。多様な専門の研究者を集めた同プロジェクトは一九八三年に解散されたが、一九七五年に設けられた大学院地域研究科はラテンアメリカ地域研究を目指す学生を多く集めている。

一方、一九八〇年に教養学部教養学科の一二番目の分科として中南米分科を設置し、八三年に大学院総合文化研究科地域文化研究専門課程を設置した東京大学は、日本における主要なラテンアメリカ研究者養成大学となっている。また名古屋大学大学院国際開発研究科と東北大学大学院国際文化研究科にもラテンアメリカ研究者が教員として配置されている。

そのほかに、従来のスペイン語科とポルトガル語科などの語学教育研究を引き継ぎながら、現在では地域研究色を強く打ち出した大規模な学部改革によって大きく変貌した大阪外国語大学や東京外国語大学もまた、大学院レベルを含めた地域研究としてのラテンアメリカに関する教育と研究を行っている。なおイスパニア語学科とブラジル・ポルトガル語学科をもつ京都外国語大学には、一九八〇年設立のメキシコ研究センターが二〇〇一年に改組された京都ラテンアメリカ研究所があり、活発な活動を展開している。ラテンアメリカ研究センターをもつ南山大学とラテンアメリカ研究所をもつ立教大学、海外事情研究所をもち外国語学部にスペイン語科をもつ拓殖大学などは、ラテンアメリカへの関心が強く、特色のある教育と研究活動を行っている。そのほかに外国語学部にスペイン語科をもつ神奈川大学、清泉女子大学、常葉学園大学、愛知県立大学、神田外国語大学、神戸市外国語大学、関西外国語大学などは、学部レベルでラテンアメリカ地域の講座を複数置いている。また外国語学部を再編して国際文化学部に変えた天理大学や国際関係学部ないしは国際文化学部を設置したそのほかの大学でも、国際地域論や文化論のような新しい科目の中にラテンアメリカ関係の講座を開講している。

ラテンアメリカ研究への手引き

ここでは、新しくラテンアメリカ地域を学ぼうとする人々に向けた実務的な情報を取り上げるが、すでに本書では各章ごとに入手可能な基本的文献が章末で紹介されているので、ラテンアメリカ全体をカバーする参考書と基本的な資料を知るための手段を紹介する。

ラテンアメリカ全体と国別の基礎的な政治・経済・社会に関する各種指標を中心にまとめている『中南米諸国便覧』は、最も手軽でかつ基本的な参考本である。この便覧は、三三カ国の基礎的データをコンパクトに掲載しているだけでなく、主要な国際条約および地域協定への加盟の有無をまとめた表、日本とラテンアメリカ諸国との関係を多角的に理解できる一覧表、日本におけるラテンアメリカ関係団体録までカバーし、毎年改訂されて出版されており、簡潔な入門書となっている。この便覧を文章化し、詳しく各国を紹介しているのが『ラテン・アメリカ事典』で、一九五五年に外務省欧米局第二課の編集で出版されて以来、四年に一度改訂されて継続的に出版されており、最新版は一九九六年版である。

次に、事典ではあるが体系的な解説書としても読める『ラテン・アメリカを知る事典』（平凡社）と『ラテンアメリカ・ハンドブック』（講談社）を紹介しよう。前者は、主要な地名・人名・歴史的事件・用語はもとよりラテンアメリカの衣食生活にまで関心を寄せて編纂された、利用価値の高い事典である。わが国のラテンアメリカ研究者が総出で参加し、執筆したこの事典は、外国ものの翻訳書ではなく日本人の視点でラテンアメリカ地域が紹介されている。この事典は項目編と地域編に分けられていて、単に一一〇〇余の項目から知りたい事項を引くことができるだけでなく、歴史・政治・経済・社会・文化などの概略を体系的に読むことができる。また当書巻末にまとめられた文献案内では、分野別・地域別に丁寧な紹介がなされている。一方後者は、この地域の政治・経済・社会・文化の在り方をコンパクトに紹介することを主眼としたユニークな構成の書である。各章や節がそれ自体でまとまりのある各テーマの解説編となっており、この地域の人々の暮しと生き方などを含めて興味深く読めるようになっている。

各分野をさらにやや専門的に学ぼうとする人にとっては、政治から環境問題まで幅広く取り上げた七巻構成の総合的なラテンアメリカ研究シリーズ（新評論）が役に立つ。『政治と社会』（第一巻）、『経済』（第二巻）、『国際関係』（第三巻）、『人と社会』（第四巻）、『子どもと社会』（第五巻）、『宗教と社会』（第六巻）、『環境と開発』（第七巻）をテーマにしてまとめられた同シリーズは、現代ラテンアメリカ諸国が直面する問題を理解するうえで役に立つ。

ラテンアメリカの自然環境と人々の生活の営みの歴史をその起源にまで遡って知ることのできるのが、三巻からなる『アメリカ大陸の自然誌』（岩波書店）である。『アメリカ大陸の誕生』（第一巻）、『最初のアメリカ人』（第二巻）、『新大陸文明の盛衰』（第三巻）からなるこのシリーズは、地質学、自然地理学、古世生物学、人類遺伝学、考古学、文化人類学などの専門家がまとめたアメリカ大陸の自然と人類の歩みに関する研究成果である。

本章の内容に関する参考文献およびラテンアメリカ関係の文献目録などについては、本章末の文献案内が役に立つはずである。

インターネット時代のラテンアメリカ研究

日本ではラテンアメリカ諸国の主要新聞を航空便で取り寄せる大学図書館や研究所がほとんどなかった一九九〇年代に、世界は情報が瞬時に地球を駆けめぐるインターネットの時代に入り、二一世紀初頭の現在では自宅にいながらラテンアメリカの主要な新聞を毎日パソコン上で読むことができるようになってしまった。

このように短期間で到来した情報化時代における外国研究は、資料収集の手段で劇的な変化を遂げつつある。インターネットを利用すれば、一般的な現地事情はほとんど容易に収集できるだけでなく、政治・経済動向や世論調査の結果のような高度な情報さえも素早く入手できるようになった。さらに進展中の文献のデジタル化が貴重な文献資料へのアクセスを容易にしつつある。インターネットはまさに、外国をもっとよく知ろうとする者にとっては「情報の宝庫」である。しかし同時にその限界を知ることも大切である。次に紹介するのは、ラテンアメリカを知るためにインターネットを活用してどのような情報を入手できるかについての二〇〇五年前半における概況である。

まずラテンアメリカに関する情報入手の第一段階として、ネット検索最大手の「Ｇｏｏｇｌｅ《グーグル》」やポータルサイト最大手の「Ｙａｈｏｏ！《ヤフー》」を開くことからはじめてみよう。日本語で読めるラテンアメリカ諸国の情報がインターネット上に満ち溢れていることがわかる。一般的な現地情報（生活・娯楽・旅行・政治経済状況など）のほかに、大学・研究機関や各種グループおよび各分野の専門家のホームページで、ラテンアメリカの重要なテーマや案件に関する解説や論評が提供されている。しかしより詳しい専門的な資料となると、英語とスペイン語およびポルトガル語によるホームページに頼らざるを得ない。参考文献欄に挙げた『図説ラテンアメリカ』の巻末に収録されている資料編には、ラテンアメリカ研究に有用なホームページとして五〇のURLが掲載されている。ここには検索エンジンからアクセスできるラテンアメリカ関係の国際機関や研究機関も含まれているので、個々のアドレスについてはこれを参照していただきたい。以下では、ラテンアメリカ研究に有用な専門的情報の範囲について若干言及してみよう。

ラテンアメリカ諸国の政府・政府機関・各種組織はほとんどがホームページを開いているので、そこからリンクしながら各種のデータにたどり着ける。基本的な統計資料から政治経済動向まで幅広い情報が得られる。留意すべき点は、国によってホームページの内容と質に大きな差があることである。いずれはすべての国が十分な情報を提供するようなレベルに到達するはずであるが、現在のところデータの更新を怠っている場合も少なくなく、最新の選挙投票結果を詳しく提供している国からまったく提供しない国まである。しかしラテンアメリカ諸国のほとんどの政府機関はホームページによる情報提供に力を入れている。大統領演説のような速報的な資料から長期にわたる統計資料まで、現時点では内容には大きな幅があるものの、ホームページからアクセスできる国もある。

スペイン語やポルトガル語で資料を読みこなせない場合、英語で提供されている情報も数多くあり、かつ充実していて有用である。ラテンアメリカ研究をリードするテキサス大学やジョージタウン大学あるいは国際機関のホームページからアクセスしてさまざまな情報を入手できるだけでなく、最新の政治・経済状況の概要を追い続ける場合には、英語で毎週読むことができる『ラテンアメリカン・ニューズレター』（*Latin American Newsletter*）と『ラテンアメリカン・ウィークリー・レポート』（*Latin American Weekly Report*）が便利である。これらはイギリスで出されているもので、インターネット上で読めるだけでなく過去に遡って記事を検索することもできる。現在のところ、前者では、一九六七年から最新号までの主要記事を全文検索できる。後者では、一九七九年以降の全文記事をデータベースで検索できる。

最後に、インターネットを通じて得られる情報の使い方について、若干の問題提起をしておきたい。インターネット上に提供される情報は、いずれも相手側から提供された、いわば受動的に得られる情報である。相手方の事情によっては数カ月前の情報のまま停止してしまっている場合もあるし、一方的な主張だけを流している場合も珍しくない。つまりインターネット上の情報がすべて最新であるわけでもないし、客観的な情報であるわけでもない。したがって、自分が必要とする正確な資料と情報を入手するには、やはりそれなりの時間とエネルギーを要することを知らなくてはならない。ラテンアメリカについてインターネット上で得られる情報は、ほんの一部にすぎないし、情報入手の入り口にすぎないのである。

【参考文献】

1　地域研究論

井門富二夫「地域研究の過去と現在――学際課程の展開を追って」(『地域研究』筑波大学　六号　一九八八年)

中嶋嶺雄/C・ジョンソン編『地域研究の現在――既成の学問への挑戦』(大修館書店　一九八九年)

百瀬宏『国際関係学』(東京大学出版会　一九九三年)

山口博一『地域研究論』(地域研究シリーズ①　アジア経済研究所　一九八五年)

2　便覧・事典・年鑑類

『アメリカ大陸日系人百科事典――写真と絵で見る日系人の歴史』(明石書店　二〇〇二年)

『図説ラテンアメリカ――開発の軌跡と展望』(日本評論社　一九九九年)

『中南米諸国便覧』(外務省中南米局編　各年更新)

『ラテン・アメリカ事典』（ラテン・アメリカ協会　一九九六年）
『ラテンアメリカ・ハンドブック』（講談社　一九八五年）
『ラテン・アメリカを知る事典』（新訂増補　平凡社　一九九九年）
The Cambridge Encyclopedia of Latin America and Caribbean (Cambridge University Press, 1985)
Encyclopedia of Latin American History and Culture (4 vols. Cambridge University Press, 1995)
Gran enciclopedia de España y América (10 vols. Espasa-Calpe, 1985-88)

3　ラテンアメリカを学ぶ手引きとなるシリーズもの

『アメリカ大陸の自然誌』（三巻　岩波書店）
『ラテンアメリカ・シリーズ』（七巻　新評論）

4　文献目録

アジア経済研究所編『発展途上地域日本語文献目録　一九九三』（アジア経済研究所　一九九六年）
上智大学イベロアメリカ研究所編『ラテンアメリカ文献目録』（一九七四年―　）
『日本における発展途上地域研究　一九八六―九四・地域編』（『アジア経済』三六巻六・七号　アジア経済研究所　一九九五年）
『発展途上国研究　一九七八―八五　日本における成果と課題』（アジア経済研究所　一九八六年）
『ブラジルに関する日本語文献目録　一九七五―一九八七年』（日本ブラジル中央協会　一九八八年）
星野妙子／米村明夫編『ラテンアメリカ』（地域研究シリーズ⑬　アジア経済研究所　一九九三年）
吉田ルミ子編『ラテンアメリカ地域日本語文献目録　一九七五―一九八五年』（アジア経済研究所　一九八六年）
ラテン・アメリカ協会編『日本のラテン・アメリカ研究　文献解題（一九六四―七八）』（ラテン・アメリカ協会　一九八一年）

5　ラテンアメリカ研究に関する研究誌・定期刊行物

『アナイス』（日本ポルトガル・ブラジル学会　年報）
『イスパニカ』（日本イスパニア学会　年報）
『イベロアメリカ研究』（上智大学イベロアメリカ研究所　年二回）
『季刊海外日系人』（海外日系人協会　年四回）
『京都ラテンアメリカ研究所紀要』（京都外国語大学京都ラテンアメリカ研究所　年一回）
『日本ラテンアメリカ学会会報』（日本ラテンアメリカ学会　年三回）
『ラテンアメリカ・カリブ研究』（つくばラテンアメリカ・カリブ研究会　不定期）
『ラテンアメリカ研究年報』（日本ラテンアメリカ学会）
『ラテン・アメリカ時報』（ラテン・アメリカ協会　月報）
『ラテンアメリカ・レポート』（アジア経済研究所　月報）
『ラテン・アメリカ論集』（ラテン・アメリカ政経学会　年報）
The Americas（Academy of American Franciscan History　年四回）
HAHR〔*Hispanic American Historical Review*〕（Duke University Press　年四回）
Journal of Latin American Studies（Cambridge University Press　年三回）
Latin American Research Review（Latin American Studies Association　年四回）

旧宗主国	公用語	人口年平均増加率(%)(2002-15)[1]	合計特殊出生率(2002)[1]	乳児死亡率(出生千対)(2000-05)[1]	出生時平均寿命(2002)[1]	都市化率(%)(2002)[1]	15歳以上識字率(2002)[1]	一人当たり実質GDPドル(2002)**[1]
スペイン	スペイン語	1.2	2.5	24	73.3	75.2	90.5	8,970
イギリス	英語	1.8	3.2	34	71.5	48.2	76.9	6,080
スペイン	スペイン語	2.3	4.4	36	65.7	45.9	69.9	4,080
〃	〃	2.0	3.7	32	68.8	45.2	80.0	2,600
〃	〃	1.3	2.9	33	70.6	59.3	79.7	4,890
〃	〃	2.1	3.7	32	69.4	56.9	76.7	2,470
〃	〃	1.6	2.3	9	78.0	60.1	95.8	8,840
〃	〃	1.6	2.7	19	74.6	56.8	92.3	6,170
イギリス	英語	0.9	2.3	13	67.1	89.2	95.5	17,280
スペイン	スペイン語	0.2	1.6	7	76.7	75.5	96.9	5,259
フランス	フランス語	1.3	4.0	79	49.4	36.9	51.9	1,610
スペイン	スペイン語	1.2	2.7	32	66.7	58.9	84.4	6,640
イギリス	英語	1.0	2.4	17	75.6	52.1	87.6	3,980
〃	〃	−0.3	—	20	70.0	32.4	97.8	12,420
〃	〃	0.4	—	12	73.9	37.4	85.8	10,920
〃	〃	0.2	—	13	73.1	71.7	76.4	5,640
〃	〃	0.7	2.3	17	72.4	30.1	94.8	5,300
〃	〃	0.5	2.2	22	74.0	57.2	83.1	5,460
〃	〃	0.3	1.5	12	77.1	51.1	99.7	15,290
〃	〃	−0.3	—	20	65.3	40.0	94.4	7,280
〃	〃	0.3	1.6	17	71.4	75.0	98.5	9,430
スペイン	スペイン語	1.6	2.7	19	73.6	87.4	93.1	5,380
イギリス	英語	(.)	2.3	54	63.2	37.1	96.5	4,260
オランダ	オランダ語	0.7	2.5	31	71.0	75.4	94.0	6,590
スペイン	スペイン語	1.4	2.6	19	72.1	76.0	92.1	6,370
〃	〃	1.3	2.8	25	70.7	61.3	91.0	3,580
〃	〃	1.4	2.9	30	69.7	73.5	85.0	5,010
〃	〃	1.7	3.8	56	63.7	62.9	86.7	2,460
ポルトガル	ポルトガル語	1.0	2.2	30	68.0	82.4	86.4	7,770
スペイン	スペイン語	2.2	3.8	26	70.7	56.6	91.6	4,610
〃	〃	1.1	2.4	10	76.0	86.6	95.7	9,820
〃	〃	0.6	2.3	14	75.2	92.4	97.7	7,830
〃	〃	1.0	2.4	16	74.1	89.9	97.0	10,880
		(.)	1.3	3	81.5	65.3	—	26,940

注　＊　①2002年，②1999年，③1998年，④1997年，⑤1996年，⑥首都圏人口

＊＊　購買力平価で換算された一人当たり実質国内総生産額

ラテンアメリカ諸国基礎統計資料

地域	国名	独立年	国土面積（千km²）	人口[1] 2002年（100万人）	首都	首都人口[2] 2004年推（万人）*
北・中央アメリカ	メキシコ	1821	1,973	102.0	メキシコ市	861
	ベリーズ	1981	23	0.3	ベルモパン	1
	グアテマラ	1821	109	16.2	グアテマラ市	94[(3)]
	ホンジュラス	1821	112	6.8	テグシガルパ	109
	エルサルバドル	1821	21	6.4	サンサルバドル	240
	ニカラグア	1821	130	5.3	マナグア	130
	コスタリカ	1821	51	4.1	サンホセ	33
	パナマ	1903	77	3.1	パナマ市	100[(1)]
カリブ海域	バハマ	1973	14	0.3	ナッソー	14
	キューバ	1902	111	11.3	ハバナ	218[(1)]
	ハイチ	1804	28	8.2	ポルトープランス	130
	ドミニカ共和国	1844	49	8.6	サントドミンゴ	92[1]
	ジャマイカ	1962	11	2.6	キングストン	70[3]
	セントクリストファー・ネイヴィス	1983	0.3	(.)	バセテール	2
	アンティグア・バーブーダ	1981	0.4	0.1	セントジョンズ	3
	ドミニカ	1978	0.8	0.1	ロゾー	1
	セントルシア	1979	0.6	0.1	カストリーズ	6
	セントヴィンセント・グレナディン諸島	1979	0.4	0.1	キングスタウン	2
	バルバドス	1966	0.4	0.3	ブリッジタウン	10
	グレナダ	1974	0.3	0.1	セントジョージズ	8
	トリニダード・トバゴ	1962	5.1	1.3	ポートオブスペイン	35
南アメリカ	ベネズエラ	1811	912	25.2	カラカス	400
	ガイアナ	1966	215	0.8	ジョージタウン	19
	スリナム	1975	163	0.4	パラマリボ	29
	コロンビア	1813	1,142	43.5	ボゴタ	630
	エクアドル	1822	271	12.8	キト	240[2]
	ペルー	1821	1,285	26.8	リマ	700[4]
	ボリビア	1825	1,099	8.6	ラパス	80
	ブラジル	1822	8,512	176.3	ブラジリア	204
	パラグアイ	1811	407	5.7	アスンシオン	50
	チリ	1818	757	15.6	サンチアゴ	619
	ウルグアイ	1828	176	3.4	モンテビデオ	133[5]
	アルゼンチン	1816	2,767	38.0	ブエノスアイレス	1,259[(6)]
日本			378	127.5	東京	1,250

［出所］ 1 UNDP. *Human Development Report 2004* (New York & Oxford : Oxford University Press, 2004)
2 『中南米諸国便覧 2005年版』（ラテン・アメリカ協会 2005年）

写真撮影および所蔵者一覧

中川文雄　序章扉／p. 20 二言語併用教育風景／三章扉／四章扉／p. 122 バカンス風景／p. 144 クリチバの街並み／七章扉

松本栄次　p. 29 アマゾンの熱帯雨林

田島久歳　p. 38 パラグアイの巡礼たち

国本伊代　一章扉／二章扉／p. 100 バナナの選別作業／p. 103 ボリーバル／p. 113 働く子供たち／五章扉／六章扉／p. 180 オトミ族の子供たち／p. 185 革命軍の兵士／p. 189 サパティスタ民族解放軍／p. 198 メンチュー／p. 210 コスタリカの選管本部／九章扉／p. 267 フジモリ大統領／一〇章扉／p. 283 ペロン／p. 291 モンテビデオの街並み／p. 295 ロペス／p. 297 イタイプー・ダム／一一章扉／一二章扉／p. 327 サンパウロの東洋人街／p. 335 メキシコ移住90周年祭／終章扉／p. 353 テキサス大学／p. 355 インディアス公文書館／p. 357 メキシコ国立自治大学図書館

泉　潤（熊本日日新聞）　p. 121 プエブロ・ホーベン

ヘラルド・エース　p. 158「タンゴ——ガルデルの亡命」

志柿光浩　八章扉／p. 228 母と子／p. 235 サトウキビ畑／p. 243 キュラソー島

住田育法　p. 306 若者たち／p. 318 ヴァルガス没後50周年記念シンポジウム

駐日ブラジル大使館　p. 320 ルーラ大統領

ヤ　行

ラ　行

ワ　行

ハ　行

マ　行

タ　行

ナ　行

サ　行

事 項 索 引

ア 行

カ 行

マ　行

ヤ　行

ラ　行

ワ　行

タ 行

ナ 行

ハ 行

地名索引

（ラテンアメリカ諸国を除く国名、建造物名等を含む）

レーガン Ronald REAGAN 212

ロア=バストス Augusto ROA BASTOS 152
ローシャ Glauber ROCHA 157
ローズヴェルト T. ROOSEVELT 88, 330
ローズヴェルト F. D. ROOSEVELT 66, 89
ロド José Enrique RODO 88, 150
ロドリゲス Eduardo RODRÍGUEZ 265
ロドリゲス=ララ Guillermo RODRIGUEZ LARA 260
ロハス=ピニージャ Gustavo ROJAS PINILLA 257
ロブレス=ゴドイ Armando ROBLES GODOY 157
ロペス Alfonso LOPEZ 257
ロペス Oswaldo LOPEZ ARELLANO 207
ロペス Carlos Antonio LOPEZ 295
ロペス Francisco Solano LOPEZ 295
ロルドス Jaime ROLDOS 260

ワ 行

ワグレー Charles WAGLEY 137, 305
ワスモシ Juan Carlos WASMOSY 298

フローレス Carlos Roberto FLORES FACUSSE 208
フンボルト Alexander Von HUMBOLDT 348

ペイショト Mario PEIXOTO 156
ペソア Epitacio da Silva PESSOA 317
ベタンクール Rómulo BETANCOURT 255
ペドロ一世 PEDRO I 62, 315
ペドロ二世 PEDRO II 315
ベネディクト Ruth BENEDICT 348
ベラウンデ Fernando BELAUNDE TERRY 265
ベラスコ=アルバラド Juan VELASCO ALVARADO 77, 266
ベラスコ=イバラ José María VELASCO IBARRA 260
ベルシェ Oscar BERGER 207
ベルナルデス Artur da Silva BERNARDES 317
ペレ PELE (Edson Avantes de Nascimento) 133
ペレイラ=ドス=サントス Nelson PEREIRA DOS SANTOS 157, 159
ペレス Carlos Andrés PÉREZ 255, 256
ペレス Fernando PÉREZ 159
ペレス=ヒメネス Marcos PEREZ JIMENEZ 255
ペロン Isabel PERON 285
ペロン Juan Domingo PERON 77, 157, 283, 285

ホドロフスキー Alejandro JODOROWSKY 158
ポニアトウスカ Elena PONIATOWSKA 153
ボリーバル Simón BOLIVAR 23, 87, 102-103, 249, 265
ポルティージョ Alfonso Antonio PORTILLO CABRERA 207
ボルハ Rodrigo BORJA 261
ボルピ Jorge VOLPI 153
ボルヘス Jorge Luis BORGES 150, 152, 154
ボンバル María Luisa BOMBAL 153

マ 行

マウロ Humberto MAURO 156
マキシミリアン MAXMILIANO 75, 184
マストレッタ Ángeles MASTRETTA 153
マデロ Francisco I. MADERO 185
マドゥーロ Ricardo MADURO JOEST 208
マルティ José MARTI 150
マルティネス Maxmiliano Hernández MARTINEZ 208
マルティネス Tomás Eloy MARTÍNEZ 152

ミストラル Gabriela MISTRAL 153
ミランダ Carmen MIRANDA 156

ムラロ Rosemary MURARO 122

メサ Carlos MESA 264
メネム Carlos MENEM 84, 286
メンチュー Rigoberta MENCHU 197, 198
メントン Seymour MENTON 155

モーガン Henry MORGAN 233
モーグ Viana MOOG 310
モース Richard MORSE 72
モスコソ Mireya Elisa MOSCOSO RODRÍGUEZ 212
モラレス Evo MORALES 264
モラレス Francisco MORALES BERMUDEZ 266
モレーロス José María MORELOS 22

ラ 行

ラゴス Ricardo LAGOS 271
ラマルケ Libertad LAMARQUE 155

リスペクトール Clarice LISPECTOR 152
リティン Miguel LITTIN 158
リプステイン Arturo RIPSTEIN 157, 159
リベイロ Darcy RIBEIRO 121, 309
リベラ Diego RIVERA 165, 179

ルイス Raúl RUIZ 158
ルヴェルチュール Toussaint L'OUVERTURE 239
ルーラ Luiz Inácio LULA DA SILVA 85, 303, 320, 321
ルルフォ Juan RULFO 152

レイナ Carlos Roberto REINA 207

トゥパク・アマル二世 TUPAC AMARU II 77
ドゥラン Sixto DURAN 261
トクヴィル Alexis Clerel de TOCQUEVILL 24
ドノソ José DONOSO 151
トリホス Martin TORRIJOS 212
トリホス Omar TORRIJOS HERRERA 211-12
トルヒージョ Rafael Leónidas TRUJILLO 240
ドルビニィ Alcides D'ORBIGNY 348
トーレス=カイセード José María TORRES CAISEDO 24, 25, 26
トレド Alejandro TOLEDO 268

ナ 行

ニーマイヤー Oscar NIEMEYER 307
ニルソン Leopoldo Torres NILSSON 156

ネグレーテ Jorge NEGRETE 155
ネルーダ Pablo NERUDA 150, 154

ノリエガ Manuel Antonio NORIEGA 212
ノローニャ Fernão de NORONHA 312

ハ 行

パス Octavio PAZ 150, 154
パス Senel PAZ 153
パス=エステンソロ Victor PAZ ESTENSSORO 262, 263
バスコンセロス José VASCONCELOS 148, 179
パス=サモラ Jaime PAZ ZAMORA 263
パストラナ Micael PASTARANA 258
パチェコ Abel PACHECO DE LA ESPRIELLA 211
バッジェ=イ=オルドーニェス José BATLLE Y ORDOÑEZ 290, 291
パドゥーラ Leonardo PADURA FUENTES 153
バベンコ Héctor BABENCO 158, 159
バラゲール Joaquín BALAGUER 240
パラシオ Alfredo PALACIO 262
バリェホ César VALLEJO 150
バリエントス René BARRIENTOS 263
バルガス=リョサ（ジョサ）Mario VARGAS LLOSA 151, 152, 267
バルデス Zoé VALDÉS 153
バレット Lima BARRETO 156
バンセル Hugo BANZER 263, 264

ピサロ Francisco PISARRO 55
ピタ Celso PITTA 133
ピノチェット Augusto PINOCHETT 270, 271
ビリ Fernando BIRRI 157
ビルバオ Francisco VILBAO 26

フアレス Benito JUAREZ 138, 184
プイグ Manuel PUIG 152
フィゲレス José FIGUERES FERRER 210
フィゲレス José María FIGUERES OLSEN 210
フィゲロア Gabriel FIGUEROA 155
フェブレス=コルデロ León FEBRES CORDERO 260
フェリックス María FELIX 155
フェルナンデス Emilio FERNANDEZ（El Indio） 155
フェルナンデス Florestan FERNANDES 305
フェレー Rosario FERRÉ 153
プエンソ Luis PUENZO 158
フエンテス Carlos FUENTES 151, 154
フエンテス Fernando FUENTES 155
フォックス Vicente FOX 188, 190
フォンセカ Hermes da FONSECA 317
ブカラム Asaado BUCARAM 260
ブカラム Abdalá BUCARAM 261
フジモリ Alberto FUJIMORI 84, 265, 267, 268, 326
ブッシュ George BUSH 91
ブニュエル Luis BUÑUEL 155
ブラス Venceslau BRAS 317
ブラボ Sergio BRAVO 158
フランク A. G. FRANK 107
フランコ Jorge FRANCO 153-54
フランシア José Gaspar Rodríguez de FRANCIA 294
フレイ Eduardo FREI 269, 271
フレイレ Gilberto FREYRE 135, 305, 318
プレビッシュ Raúl PREBISCH 105, 106, 109

NOSA 157
ガルシア=マルケス Gabriel GARCÍA MARQUEZ 151, 154
カルデナス Víctor CARDENAS 263
カルデナス Lázaro CARDENAS 77
カルデラ Rafael CALDERA 255, 256
カルデロン Armando CALDERON 208
カルドーゾ Fernando Henrique CARDOSO 84, 320, 321
ガルベス Juan Manuel GALVEZ 207
カルペンティエル Alejo CARPENTIER 152
カーロ Frida KAHLO 169
ガーロ Elena GARRO 153
ガンサー John GUNTHER 303
カンポス=サーレス Manuel Ferraz de CAMPOS SALES 316

ギマランイス=ローザ João GUIMARÃES ROSA 152

クアロン Alfonso CUARÓN 159
グスマン Abimael GUZMAN 267
グティエレス=アレア Tomás GUTIERREZ ALEA 159
クーニャ Euclides da CUNHA 303
クビシェッキ Juscelino KUBITSCHEK 306
クロムウェル Oliver CROMWELL 233

ケネディ John F. KENNEDY 89, 214

コスタ Lúcio COSTA 307
ゴメス Juan Vicente GOMEZ 254
コルタサル Julio CORTAZAR 151
コルテス Hernán CORTES 49, 54, 232
コルベール Jean Baptiste COLBERT 234
コロンブス Christopher COLUMBUS 22, 47, 48, 49, 166, 167, 222, 224, 232
ゴンサレス=イニャリトゥ Alejandro GONZÁLEZ IÑÁRRITU 159

サ 行

サカ Elias Antonio SACA GONZÁLEZ 208
サスラフスキー Luis SASLAVSKY 156
サパタ Emilianò ZAPATA 185
サレス Walter SALLES 159
サンチェス=デ=ロサダ Gonzalo SANCHEZ DE ROSADA 263, 264
サンティアゴ Hugo SANTIAGO 158
サンディーノ Augusto César SANDINO 209
サントス Milton SANTOS 133
サンヒネス Jorge SANJINES 157
サンペール Ernesto SAMPER 258
サン=マルティン Jóse de SAN MARTIN 278

ジェラス Alberto LLERAS CAMARGO 258
シケイロス Dávid SIQUEIROS 165, 179
シュヴァリエ Michel CHEVALIER 24
ジョアン六世 JOÃN VI 62, 315
シーレス=スアソ Hernán SILEZ SUAZO 262, 263

ストロエスネル Alfred STROESSNER 296

セゼール Aimé CESAIRE 244
セプルベダ Luis SEPÚLVEDA 154
セラシエ Haile SELASSIE 231
セラーノ Marcela SERRANO 153

ソト Helvio SOTO 158
ソモサ=ガルシア Anastacio SOMOZA GARCÍA 209
ソモサ=デバイレ Anastacio SOMOZA DEBAYLE 209
ソモサ=デバイレ Luis SOMOZA DEBAYLE 209
ソラス Humberto SOLAZ 157
ソラナス Fernando E. SOLANAS 157, 158

タ 行

タビオ Juan Carlos TABÍO 159
ダリオ Rubén DARIO 150

チャベス Hugo CHÁVEZ 84, 256
チャモロ Violeta (Barrios de) CHAMORRO 198, 209
チャモロ Pedro Joaquín CHAMORRO 209

ディアス Porfirio DÍAZ 184
ティスラン L. M. TISSERAND 26
ディ・テーラ Torcuato DI TELLA 358
デクエヤル Javier Pérez DE CUELLAR 268
デル=リオ Dolores DEL RIO 155

人 名 索 引

ア　行

アイラ　César AIRA　154
アジェンデ　Isabel ALLENDE　152, 153
アジェンデ　Salvador ALLENDE　269, 270
アストゥリアス　Miguel Angel ASTURIAS 152, 154
アマード　Jorge AMADO　152, 310
アヤデラトーレ　Víctor Raúl HAYA DE LA TORRE　65, 265
アラウ　Alfonso ARAU　159
アリアス　Arnulfo ARIAS MADRID　211
アリアス=サンチェス　Oscar ARIAS SANCHEZ　203
アリスティド　J. B. ARISTIDE　82, 238
アルゲダス　José María ARGUEDAS　152
アルティガス　José Gervasio ARTIGAS　289
アルファロ　Eloy ALFARO　259
アルベルディ　J. B. ALBERDI　103-104, 279-80
アルベンス=グスマン　Jacobo ARBENZ GUZMAN　206
アレサンドリ　Jorge ALESSANDRI　269, 270
アレナス　Reinaldo ARENAS　152
アレバロ　Juan José ALEVALO　206
アレマン　José Arnold ALEMAN LACAYO　210

イアンニ　Octavio IANNI　305
イダルゴ　Miguel HIDALGO　22, 181
イツルビデ　Agustín de ITURBIDE　22, 75

ヴァルガス　Getulio Dornelles VARGAS　77, 306, 317, 318, 319, 320, 321
ウイドブロ　Vicente HUIDOBRO　150
ヴェスプッチ　Amerigo VESPUCCI　22, 47
ウェーバー　Max WEBER　72
ウォーカー　William WALKER　25, 213
ウビコ　Jorge UBICO Y CASTAÑEDA　206
ウリベ　Alvaro URIBE　259
ウルタド　Osvaldo HURTADO　260

エイゼンシュテイン　Serguei M. EISENSTEIN 155
エイルウィン　Patricio AYLWIN　271
エスコバル　Pablo ESCOBAR　258
エチェベリア　Luis ECHEVERRIA　186
エビータ　Eva PERON　156
エンダラ　Guillermo ENDARA　212

オカンポ　Silvina OCAMPO　153
オドリア　Manuel A. ODRIA　77
オネッティ　Juan Carlos ONETTI　152
オランダ　Sérgio Buarque de HOLANDA　318
オルテガ=サアベドラ　Daniel ORTEGA SAAVEDRA　209, 210, 215
オロスコ　José Clemente OROSCO　165, 179

カ　行

ガイタン　Jorge GAITAN　257
ガーヴィ　Marcus GARVEY　244
カスティジョ=アルマス　Carlos CASTILLO ARMAS　206
カステリャノス　Rosario CASTELLANOS　153
カストロ　Fidel CASTRO　80, 212, 240
カーター　James CARTER　212, 214
ガビリア　Cesar GAVIRIA　258
カブラル　Pedro Alvares CABRAL　312
カブレラ=インファンテ　Guillermo CABRERA INFANTE　152
カランサ　Venustiano CARRANZA　185
カリアス=アンディーノ　Tiburcio CARIAS ANDINO　207
ガリェゴス（ガジェゴス）Rómulo GALLEGOS　150, 255
ガルシア　Alan GARCÍA　267
ガルシア=アスコー　Jomi GARCÍA ASCOT 157
ガルシア=エスピノサ　Julio GARCÍA ESPI-

執筆者紹介（アルファベット順）

今井圭子（いまい　けいこ）　上智大学外国語学部教授。開発経済学・ラテンアメリカ経済専攻。『アルゼンチン鉄道史研究――鉄道と農牧産品輸出経済』（アジア経済研究所　1985年）。『民族問題の現在』（編著　彩流社　1996年）。『ラテンアメリカ 開発の思想』（編著　日本経済評論社　2004年）。

加藤　薫（かとう　かおる）　神奈川大学経営学部教授。ラテンアメリカ・カリブ圏、ラティーノ美術史専攻。『ラテンアメリカ美術史』（現代企画室　1987年）。『キューバ現代美術の流れ』（スカイドア　2002年）。『チカーノ・アート』（明石書店　2002年）。『メキシコ壁画運動』（現代図書　2003年）。

国本伊代（くにもと　いよ）　編者紹介を参照。

中川文雄（なかがわ　ふみお）　編者紹介を参照。

野谷文昭（のや　ふみあき）　東京大学名誉教授。ラテンアメリカ文学専攻。『越境するラテンアメリカ』（パルコ出版　1989年）。『ラテンにキスせよ』（自由国民社 1994年）。『世界×現在×文学』（共編著　国書刊行会 1996年）。『マジカル・ラテン・ミステリー・ツアー』（五柳書院　2003年）。

遅野井茂雄（おそのい　しげお）筑波大学大学院人文社会科学研究科教授。ラテンアメリカ政治専攻。『現代ペルーとフジモリ政権』（アジア経済研究所　1995年）。『図説 ラテンアメリカ』（共編著　日本評論社　1999年）。『ラテンアメリカ』（共著　自由国民社　1999年）。

志柿光浩（しがき　みつひろ）東北大学大学院国際文化研究科教授。ラテンアメリカ・カリブ地域研究専攻。『ラテンアメリカ史Ⅰ　メキシコ・中央アメリカ・カリブ海』（共著 山川出版社　1999年）。『ラテンアメリカ世界を生きる』（共編著　新評論　2001年）。「国旗」（共著『記号を読む』東北大学出版会　2001年）。

住田育法（すみだ　いくのり）　京都外国語大学ブラジルポルトガル語学科（ブラジル文化研究センター）教授。ポルトガル語文化圏の歴史・ブラジル史専攻。『ブラジル――その歴史と経済』（共著　啓文社　1990年）。『ブラジル研究入門――知られざる大国500年の軌跡』（共著　晃洋書房　2000年）。『ブラジル学を学ぶ人のために』（共編著　世界思想社　2002年）。

鈴木慎一郎（すずき　しんいちろう）関西学院大学社会学部教授。文化人類学・カリブ海研究専攻。『〈複数文化〉のために――ポストコロニアリズムとクレオール性の現在』（共著　人文書院　1998年）。『レゲエ・トレイン――ディアスポラの響き』（青土社　2000年）。『カリブ・ラテンアメリカ　音の地図』（共著　音楽之友社　2002年）。

田中　高（たなか　たかし）　中部大学国際関係学部教授。国際関係論・ラテンアメリカ地域研究専攻。『日本紡績業の中米進出』（古今書院　1997年）。「中米のダイナミズムと国際関係」（共著『ラテンアメリカの国際関係』新評論　1993年）。ビクター・バルマー＝トーマス『ラテンアメリカ経済史』（共訳　名古屋大学出版会　2001年）。『エルサルバドル、ホンジュラス、ニカラグアを知るための45章』（編著　明石書店　2004年）。

編者紹介

国本伊代（くにもと　いよ）

中央大学名誉教授。歴史学・ラテンアメリカ近現代史専攻。『概説メキシコ史』（共著　有斐閣　1984年）。『ラテンアメリカ　社会と女性』（共編著　新評論　1985年）。『ボリビアの「日本人村」――サンタクルス州サンフアン移住地の研究』（中央大学出版部　1989年）。*Un pueblo japonés en la Bolivia tropical : Colonia San Juan de Yapacaní en el deportamento de Santa Cruz* (Santa Cruz, Bolivia : Casa de la Cultura, 1990)。『ラテンアメリカ　都市と社会』（共編著　新評論　1991年）。『概説ラテンアメリカ史』（新評論　1992年，改訂新版2001年）。『ラテンアメリカ――悠久の大地・情熱の人々』（総合法令出版　1995年）。『メキシコ1994年』（近代文藝社　1995年）。『ラテンアメリカ　新しい社会と女性』（編著　新評論　2000年）。『メキシコの歴史』（新評論　2002年）。

中川文雄（なかがわ　ふみお）

筑波大学名誉教授。ラテンアメリカ地域研究、比較文化論専攻。『ラテンアメリカ現代史Ⅰ』（共著　山川出版社1978年）。『現代ラテンアメリカの対アジア・アフリカ関係』（編著　アジア経済研究所1980年）。

『ラテンアメリカ現代史Ⅱ』（共著　山川出版社　1985年）。

『ブラジル南東部の都市発展』（共著　筑波大学　1988年）。

『ラテンアメリカの巨大都市』（共著　二宮書店　1994年）。

『ラテンアメリカ　人と社会』（共編著　新評論　1995年）。

『ラテンアメリカ世界を生きる』（共著　新評論　2001年）。

『植民地都市の研究』（共編著　国立民族学博物館地域研究企画交流センター　2005年）。

改訂新版　ラテンアメリカ研究への招待（検印廃止）

2005年11月25日　初版第1刷発行
2021年9月15日　初版第4刷発行

編者　国本伊代
　　　中川文雄
発行者　武市一幸
発行所　株式会社 新評論

〒169-0051 東京都新宿区西早稲田3-16-28　TEL 03（3202）7391
http://www.shinhyoron.co.jp　振替 00160-1-113487

定価はカバーに表示してあります
落丁・乱丁本はお取り替えします

印刷　新栄堂
製本　桂川製本
装幀　山田英春

ISBN4-7948-0679-5 C0030